SOUS LES TRAITS
DU MENSONGE

DU MÊME AUTEUR

Bien après minuit, L'Archipel, 1998
Mort sur objectif, L'Archipel, 2000

IRIS JOHANSEN

SOUS LES TRAITS DU MENSONGE

Traduit de l'américain
par Philippe Rouard

belfond
12, avenue d'Italie
75013 Paris

Titre original :
THE FACE OF DECEPTION
publié par Bantam Books, a division of Bantam
Doubleday Dell Publishing Group, Inc., New York.

Si vous souhaitez recevoir notre catalogue
et être tenu au courant de nos publications,
envoyez vos nom et adresse, en citant ce livre,
aux Éditions Belfond
12, avenue d'Italie, 75013 Paris.
Et, pour le Canada, à
Havas Services Canada LTEE,
1050, bd René-Lévesque-Est,
Bureau 100,
Montréal, Québec, H2L 2L6.

ISBN 2-7144-3649-8

Remerciements

Ma reconnaissance la plus profonde à N. Eileen Barrow, sculpteur médico-légal du laboratoire FACES, à l'université d'État de Louisiane. Sans son aide et le temps qu'elle m'a généreusement consacré, je n'aurais pu mener à bien l'écriture de ce roman.

Un grand merci également à Mark Stolorow, directeur des programmes de la société Cellmark, qui, avec patience et bienveillance, m'a éclairée sur les aspects techniques des différents procédés d'analyse de l'empreinte génétique.

Prologue

Pénitencier de Jackson, Georgie
27 janvier
23 h 55

Ils allaient le faire. Dieu ! empêchez-les ! Sa fille serait perdue, perdue à jamais. Et, avec elle, tous les autres petits disparus.

« Viens, Eve. Ne reste pas ici. » Joe Quinn se penchait vers elle, son beau visage pâle et tiré sous le grand parapluie noir qu'il tenait d'une main ferme. « Tu n'y peux plus rien. Son exécution a été reportée à deux reprises déjà, le gouverneur ne lui accordera pas un troisième sursis. Souviens-toi du tollé que cela a déclenché la dernière fois.

— Mais il doit y consentir. Il le *doit.* » Son cœur battait si fort qu'elle en avait mal. D'ailleurs, tout, à cet instant, lui était douloureux. « Il faut que je parle au directeur.

— Il ne te recevra pas.

— Il l'a fait précédemment, et a même accepté d'appeler le gouverneur. Je dois le voir. Il a très bien compris que...

— Je vais te raccompagner à ta voiture. On gèle ici, et tu es trempée. »

Elle hocha la tête, le regard désespérément fixé sur le portail de la prison. « Tu lui parleras, toi. Tu es du FBI. Il t'écoutera.

— C'est trop tard, Eve. » Il tenta de l'attirer sous l'abri du parapluie, mais elle s'écarta de lui. « Bon Dieu ! tu n'aurais pas dû venir !

— Tu es bien venu, toi. Et eux aussi, ajouta-t-elle, en désignant la horde de reporters massée devant la lourde porte d'acier. Qui a une meilleure raison que moi d'être ici ? » Elle sanglotait, à présent. « Je dois les arrêter. Leur faire comprendre qu'ils ne peuvent pas...

— Espèce de dingue ! »

Une main la saisit par le coude, l'obligeant à se retourner, et elle se retrouva face à un homme d'une quarantaine d'années. Son visage était pétri de douleur et baigné de larmes. Eve mit quelques secondes à le reconnaître. Bill Verner. Son fils était l'une des jeunes victimes.

« Ne vous en mêlez plus ! » Verner lui secouait le bras. « Il faut qu'ils le tuent. Vous nous avez fait assez de mal comme ça, alors ne cherchez pas encore à le sauver ! Bon sang, qu'ils le brûlent, ce salaud !

— Mais vous ne comprenez pas que tous les autres seront perdus si on...

— Je vous le répète, ne vous en mêlez plus, sinon je jure devant Dieu que vous le regretterez...

— Lâchez-la. » Quinn fit un pas en avant et arracha la main de Verner du bras de la jeune femme. « Vous ne voyez pas qu'elle souffre plus que vous ?

— Ah ouais ? Ce type a tué mon garçon. Je ne veux pas qu'elle essaie de lui sauver de nouveau la mise.

— Croyez-vous que je ne souhaite pas sa mort ? s'écria-t-elle avec force. C'est un monstre. Je voudrais le tuer de mes propres mains, mais tant qu'il est en vie... » Elle se tut, sachant que l'heure n'était pas à la discussion. Le temps jouait contre elle. Il devait être près de minuit.

Ils allaient l'exécuter, et Bonnie disparaîtrait pour toujours. Elle s'écarta de Verner et courut vers le portail.

« Eve ! »

Elle cogna de ses poings la lourde porte. « Laissez-moi entrer ! Je vous en supplie, attendez ! »

Quinn la rejoignit et s'efforça de l'éloigner, tandis que les reporters les mitraillaient de leurs flashes. Puis elle vit le portail s'ouvrir et, le cœur cognant à tout rompre, se dit qu'il y avait peut-être une chance. Le directeur de la prison apparut.

« Vous devez arrêter...

— Rentrez chez vous, mademoiselle Duncan. Tout est fini. » Il se détourna d'elle, se dirigea vers les caméras de télévision et, le visage grave, promena un instant son regard sur la meute des journalistes impatients. « Ralph Andrew Fraser vient d'être exécuté et déclaré mort à zéro heure sept minutes.

— Non ! »

Le cri, semblable à l'appel terrifié d'un enfant égaré, exprimait un profond désespoir. Eve ne prit même pas conscience qu'il avait jailli de sa gorge.

Quinn la cueillit dans ses bras, une fraction de seconde avant qu'elle fléchisse soudain sur ses jambes et perde connaissance.

1

Atlanta, Georgie
3 juin
Huit ans plus tard

« Il est près de minuit. Tu as une mine de déterrée. Tu ne dors donc jamais ? »

Eve détourna les yeux de son ordinateur. Joe Quinn s'appuyait de l'épaule au chambranle de la porte. « Ça m'arrive comme tout le monde... de dormir. » Elle ôta ses lunettes et se frotta les yeux. « Et travailler tard un soir ne fait pas de moi une stakhanoviste. J'avais quelques mensurations à vérifier avant de...

— Je sais, je sais. » Joe entra dans l'atelier et se laissa choir sur une chaise à côté du bureau. « Diane m'a dit que tu avais encore annulé votre déjeuner. »

Elle hocha la tête, l'air coupable. C'était la troisième fois dans le mois qu'elle décommandait son rendez-vous avec l'épouse de Joe. « Je lui ai expliqué que le département de police de Chicago attendait le résultat de mon expertise du jeune Bobby Starnes. Ses parents étaient impatients de savoir.

— Et alors ?

— Oh ! le doute n'était pas possible ; il s'agissait bien de Bobby ! Il manquait quelques dents au crâne, mais le reste correspondait à son dossier dentaire.

— Et ça ne leur suffisait pas ?

— Les parents ne voulaient pas y croire. J'étais leur dernier espoir.

— C'est idiot.

— Oui, mais je sais ce qu'est l'espoir. J'ai donc procédé à une superposition. Quand ils verront comment les traits de Bobby collent avec le crâne, ils comprendront que tout est vraiment fini. Ils devront accepter la mort de leur enfant et pourront alors commencer le travail de deuil. » Elle jeta un regard à son écran. La criminelle, à Chicago, lui avait remis un crâne et une photo récente de Bobby, âgé de sept ans. Au moyen de caméras vidéo et de son ordinateur, elle avait superposé le visage et le crâne. Le résultat était éloquent. Bobby paraissait si vivant et si heureux sur le cliché qu'elle en avait eu le cœur serré. « Tu rentrais chez toi ? questionna-t-elle, se tournant de nouveau vers Joe.

— Ouais.

— Et tu n'es passé ici que pour m'engueuler ?

— Exact, t'engueuler est l'un de mes premiers devoirs dans la vie.

— Menteur. » Elle baissa les yeux sur la mallette de cuir qu'il tenait sur ses genoux. « C'est pour moi ?

— Nous avons trouvé un squelette dans les bois, à North Gwinnett. La pluie l'a déterré. Les bêtes se sont acharnées et il n'y avait plus grand-chose, mais le crâne est intact. » Il ouvrit la mallette. « C'est une petite fille, Eve. »

Il la prévenait toujours si c'était une fillette, et elle y voyait la marque du désir de la protéger qu'il lui manifestait.

Eve prit le crâne et l'examina. « Ce n'est pas une petite fille, mais une préadolescente, de onze, douze ans. » Suivant du bout de son index une fine ligne de fracture sur la mâchoire supérieure, elle ajouta : « Elle a été exposée au gel un hiver au moins. » Elle caressa ensuite doucement la large cavité nasale. « Et elle devait être afro-américaine.

— C'est un indice, mais bien léger, dit-il avec une grimace. Il faudra que tu la sculptes. Nous ne savons rien d'elle et n'avons pas une seule photo pour une superposition. Il y a tellement de gosses de son âge qui s'enfuient du milieu familial, dans cette ville ! Si elle était des quartiers pauvres, il est possible que sa disparition n'ait même pas été signalée. Les parents s'inquiètent en général davantage de se dégoter leur crack quotidien que de veiller sur leur... » Il se tut brusquement, penaud. « Excuse-moi, j'ai encore oublié de fermer ma grande gueule.

— Oh ! j'ai l'habitude, Joe !

— Que veux-tu, je me laisse aller avec toi.

— Je ne sais pas si je dois le prendre comme un compliment. » Elle continuait d'observer le crâne. « Sais-tu que maman n'a plus touché au crack depuis des années ? Quant à moi, j'ai honte de pas mal de choses dans ma vie, mais pas d'être née dans le ghetto. Je n'aurais peut-être pas survécu si je n'avais pas été à rude école.

— Tu t'en serais sortie de toute façon. »

Elle n'en était pas aussi sûre. Elle avait trop souvent frôlé la chute ou la folie pour se croire désormais à l'abri. « Veux-tu une tasse de café ? Nous, les gosses des rues, nous savons préparer du bon caoua.

— Hé ! je t'ai présenté mes excuses !

— Oui, mais tu mérites une pique ou deux pour t'apprendre à généraliser. Café ?

— Non, il faut que je rentre. Diane m'attend. » Il se leva. « Il n'y a pas le feu, pour le crâne. Comme je te l'ai dit, nous ignorons qui elle est, et le corps a séjourné longtemps dans la terre.

— D'accord, je me la mets de côté pour les longues soirées. »

Joe jeta un coup d'œil à la pile d'ouvrages encombrant un coin de la table. « Ta mère m'a dit que tu t'étais mise à étudier l'anthropologie.

— Par correspondance. Je n'ai pas le temps de suivre des cours à la fac.

— Pour l'amour du ciel, pourquoi l'anthropologie ? Tu n'as pas assez de travail comme ça ?

— J'ai pensé que cela pourrait m'aider. J'ai bien essayé de tirer le maximum d'informations des anthropologues avec lesquels il m'est arrivé de collaborer, mais le domaine est si vaste et il y a tant de choses que je ne connais pas.

— Tu bosses trop, si tu veux mon avis.

— Ce n'est pas ma faute, mais celle de ton patron, qui a parlé de moi à *Soixante Minutes* [1]. Il aurait dû la boucler. J'avais déjà suffisamment de boulot ici sans avoir besoin d'une publicité nationale.

— Ma foi, n'oublie pas qui sont tes amis, conseilla Joe en se dirigeant vers la porte. Et ne t'en va pas dans je ne sais quelle université prétentieuse.

— Ça te va bien de dire ça, toi qui sors de Harvard.

— Bof, c'était il y a si longtemps. Maintenant, j'suis plus qu'un brav' p'tit gars du Sud. Imite-moi, reste au pays.

— Je n'ai pas l'intention de bouger. » La jeune femme se leva et posa le crâne sur une étagère au-dessus de son établi. « Mais j'irai tout de même déjeuner avec Diane mardi prochain. Si elle veut encore de moi. Tu lui demanderas ?

— Non, c'est à toi de le faire. Je ne joue plus les intermédiaires. J'ai assez de mes propres problèmes. Ce n'est pas facile pour elle d'être l'épouse d'un flic. » Il s'arrêta à la porte. « Va te coucher, Eve. Ils sont morts. Ils sont tous morts. Et ils s'en fichent pas mal, que tu prennes un peu de sommeil.

1. Émission télévisée centrée autour d'une personnalité de marque. *(N.d.T.)*

— Allons, ne dis pas de bêtises, je le sais bien. Tu parles comme si je cherchais à m'abrutir de travail. Je suis juste une spécialiste qui prend sa tâche au sérieux.

— Oui, bien sûr. » Joe hésita. « Est-ce qu'un certain John Logan a pris contact avec toi ?

— Qui ?

— Logan, des ordinateurs du même nom. Multimilliardaire et principal concurrent de Bill Gates. Il a fait la une de tous les médias, dernièrement, pour avoir organisé à Hollywood une collecte de fonds destinés au Parti républicain. »

Elle haussa les épaules. « Je m'intéresse très peu aux nouvelles du monde. » Elle se souvenait toutefois d'une photo de Logan, parue dans le journal du dimanche précédent. L'homme devait avoir quarante ans au plus, un teint bronzé de Californien et des cheveux châtains qui grisonnaient un peu sur les tempes. Il souriait à une actrice blonde. Sharon Stone ? Elle ne se rappelait pas. « En tout cas, il ne m'a pas demandé d'argent. L'aurait-il fait, je ne lui aurais pas filé un sou. Je vote indépendant. » Elle désigna son ordinateur du menton. « C'est un Logan. Bonne bécane, mais c'est le seul contact que j'aie jamais eu avec ce... grand homme. Pourquoi ?

— Il a mené une petite enquête à ton sujet.

— Tu peux répéter ?

— Il a pris des renseignements sur ton compte, par l'intermédiaire d'un avocat renommé de la côte Ouest, un certain Ken Novak. Quand j'ai appris ça au poste, je me suis rancardé et je suis presque sûr que Logan est derrière.

— Je vois mal en quoi je pourrais l'intéresser...

— Tu as déjà travaillé pour des particuliers. » Il eut un sourire. « Un potentat comme lui a probablement laissé pas mal de cadavres au cours de son ascension. Peut-être qu'il a oublié où il a enterré l'un d'eux.

— Très drôle. » Elle se massa la nuque d'un air las. « Est-ce que son avocat a obtenu ce qu'il cherchait ?

— Non, mais qu'est-ce que tu crois ? Qu'on ne sait pas protéger nos collaborateurs ? Si jamais il déniche ton numéro de téléphone privé et t'ennuie, fais-le-moi savoir. Salut, Eve. » La porte se referma derrière lui.

Oui, Joe la protégerait comme toujours, avec une redoutable efficacité. Il avait changé depuis leur première rencontre, près de dix ans plus tôt. Le temps avait effacé toute trace juvénile en lui. Peu après l'exécution de Fraser, il avait démissionné de son poste au FBI pour entrer dans la police d'Atlanta, où il s'était élevé au grade de lieutenant détective[1]. Eve ignorait les raisons de son départ. Elle lui avait bien posé la question, mais la réponse (il ne supportait plus les contraintes propres au Bureau fédéral) ne l'avait pas convaincue. Joe pouvait être très secret, aussi n'avait-elle pas insisté, rassurée à la pensée qu'il avait toujours été là quand elle avait eu besoin de lui.

Surtout cette nuit-là, à la prison, lorsqu'elle s'était sentie plus seule que jamais. Elle ne voulait plus se remémorer ces heures sombres, où tout n'avait été que désespoir et douleur, même si elle avait appris qu'on ne dépasse la souffrance qu'en l'affrontant. Pourtant il ne s'écoulait guère de jour sans qu'elle se rappelle que Fraser était mort, et que Bonnie avait disparu.

Elle ferma les yeux, le temps que la tourmente s'apaise. Quand le calme fut revenu, elle se tourna vers l'ordinateur. Le travail était sa consolation. Bonnie était peut-être à jamais perdue, mais il y avait les autres...

« Tu as un nouveau client ? » Sandra Duncan se tenait sur le seuil, vêtue d'un pyjama sur lequel elle avait passé un peignoir rose, et regardait le crâne posé sur l'étagère. « J'ai entendu des pas dans l'allée. C'était Joe, n'est-ce pas ? Il pourrait te laisser un peu tranquille, avec ses trouvailles.

— Ce n'est pas un travail urgent, maman. Va donc te recoucher.

— C'est toi qui devrais aller au lit. » Puis, s'approchant du crâne : « C'est une petite fille ?

— Une adolescente. »

Sandra demeura un instant silencieuse. « Tu ne la retrouveras jamais. Bonnie n'est plus, Eve.

— Je sais, maman. Je fais seulement mon travail.

— Tu parles ! »

Eve sourit. « Retourne dans ta chambre.

— Tu ne veux pas un sandwich ?

— J'ai trop d'estime pour mon système digestif pour te permettre de m'alimenter.

— Que veux-tu, tout le monde ne peut pas être un cordon-bleu.

— Tu as d'autres talents. »

Sa mère approuva d'un signe de tête. « Oui, je suis une bonne journaliste judiciaire et je sais aussi me montrer têtue. Alors, vas-tu te coucher, oui ou non ?

— Encore un quart d'heure.

— D'accord, mais pas une minute de plus. J'attendrai, jusqu'à ce que je t'entende fermer la porte de ta chambre. » Elle s'immobilisa

---

1. Équivalent du grade de commissaire de police. *(N.d.T.)*

juste avant de sortir. « Euh... je ne rentrerai pas tout de suite après le travail, demain soir. Je sors dîner. »

Eve la regarda, étonnée. « Avec qui ?

— Ron Fitzgerald. Je t'en ai parlé. Il est avocat au bureau du procureur. Je l'aime bien, ajouta-t-elle d'une voix où perçait une note de défi. Il me fait rire.

— Quand me le présentes-tu ?

— Je ne suis pas comme toi. Il y a longtemps que je ne suis pas sortie avec un homme, et j'ai besoin de voir des gens. Je n'ai rien d'une nonne. Pour l'amour du ciel, j'ai à peine cinquante ans. Ma vie ne va pas s'arrêter parce que je...

— Pourquoi faut-il que tu réagisses comme si tu étais coupable ? T'ai-je jamais interdit de sortir ou de rencontrer qui bon te semble ?

— Mais je me sens coupable ! répliqua Sandra avec chaleur. Et tu pourrais me rendre les choses plus faciles si tu n'étais pas aussi dure envers toi-même. C'est toi, l'ermite, dans cette maison. »

Eve aurait aimé que sa mère lui épargne cette discussion. Il était tard, et elle se sentait beaucoup trop lasse pour réagir. « J'ai quand même fait quelques rencontres.

— Oui, jusqu'à ce que ton sacro-saint travail y mette un terme... au bout de deux semaines.

— Maman...

— D'accord, d'accord. Je pense seulement qu'il serait temps pour toi de reprendre une vie... normale.

— Ce qui est "normal" pour les uns ne l'est pas forcément pour les autres. » Elle jeta un coup d'œil à l'écran de son ordinateur. « Maintenant, laisse-moi, s'il te plaît. Je veux finir cela avant d'aller me coucher. N'oublie pas de passer demain soir pour me raconter ton dîner.

— Comment peux-tu vivre ainsi, par procuration ? Et si je ne venais pas ?

— Tu viendras, je compte sur toi.

— Bien sûr que je viendrai. » Sa mère soupira. « Bonne nuit, Eve.

— Bonne nuit, m'man. »

Eve s'adossa à sa chaise. Elle aurait dû remarquer l'agitation de sa mère ces derniers jours. L'instabilité sentimentale était toujours une source de danger pour les anciens toxicomanes. Mais il y avait si longtemps que Sandra avait décroché. Depuis le deuxième anniversaire de Bonnie. Un cadeau parmi tant d'autres qu'elles deux devaient à la fillette.

Eve exagérait certainement le problème. Grandir aux côtés d'une droguée l'avait rendue extrêmement méfiante. Après tout, la nervosité de Sandra était parfaitement naturelle, et nouer une solide relation amoureuse était la meilleure chose qui pût lui arriver. Il n'y avait pas lieu de s'inquiéter. Elle laisserait sa mère mener sa vie et se contenterait d'être vigilante.

Elle prit soudain conscience de regarder l'écran sans le voir. Sans aucun doute, ce crâne appartenait au petit Bobby Starnes, elle pouvait donc s'arrêter pour ce soir.

Elle prêta de nouveau attention au logo de Logan Computer, tandis qu'elle mettait l'appareil en veille. Étrangement, elle n'avait jamais pensé que derrière cette marque il y avait un homme. Pourquoi Logan s'était-il renseigné sur elle ? Il devait y avoir une erreur quelque part, ils vivaient aux antipodes l'un de l'autre.

Elle se leva et fit rouler ses épaules pour en soulager la tension. Le crâne et le rapport du jeune Starnes seraient expédiés à la première heure le lendemain matin ; elle n'aimait pas garder plus d'un sujet à la fois dans son atelier. Joe se moquait d'elle à ce propos, mais elle avait le sentiment de ne pas pouvoir consacrer toute son attention à son travail si elle voyait un autre crâne attendre en silence sur son étagère. De plus, dès le lendemain, les parents de Bobby sauraient que leur fils ne comptait plus parmi les disparus.

Elle repensa aux paroles de sa mère. Sandra ne comprenait pas que l'espoir d'Eve de retrouver Bonnie se rallumait à chaque nouvelle demande d'identification. Et cette espérance jamais comblée faisait d'elle une femme bien plus instable que sa mère, songea-t-elle avec regret.

Elle saisit le nouveau crâne sur l'étagère et le posa sur son établi.

« Que t'est-il arrivé ? murmura-t-elle. Un accident ? Un meurtre ? » Elle souhaitait que ce ne soit pas un assassinat, mais c'était généralement le cas. Elle avait toujours mal en imaginant la terreur de l'enfant avant de mourir.

Quelqu'un avait tenu dans ses bras cette petite fille, l'avait regardée faire ses premiers pas. Eve espérait que la petite avait été aimée, avant de finir dans un trou creusé en pleine forêt.

Elle caressa doucement l'os pariétal. « Je ne sais pas qui tu es. Ça ne t'ennuie pas que je t'appelle Mandy ? J'ai toujours aimé ce prénom. »

Bon Dieu ! Voilà qu'elle parlait à des ossements, et qu'elle s'inquiétait au sujet de sa mère. Cela pouvait paraître étrange, mais elle avait toujours estimé qu'il était irrespectueux de traiter les restes d'un corps comme s'ils n'avaient pas d'identité. Cette fillette avait vécu, ri et aimé. Elle méritait qu'on la traitât avec considération.

« Sois patiente, Mandy. Demain, je prendrai tes mesures, puis je commencerai à sculpter. Je découvrirai qui tu es et te ramènerai chez toi. »

Monterey, Californie

« Tu es sûr qu'elle est la meilleure ? » John Logan regardait les images vidéo prises devant le portail de la prison de Jackson. « Elle me paraît plutôt dérangée. J'ai assez de problèmes comme ça, sans me coller sur le dos une femme qui n'a pas toutes ses billes.

— Bon sang, tu as un cœur de pierre, murmura Ken Novak. Ce n'est pas étonnant qu'elle paraisse troublée. C'était la nuit où le meurtrier de sa petite fille a été exécuté.

— Eh bien, elle aurait dû danser de joie et se porter volontaire pour envoyer le jus. Au lieu de ça, elle a supplié le gouverneur de surseoir à l'exécution.

— Fraser était accusé de l'assassinat de Teddy Simes. Il a presque été pris sur le fait et n'a pas eu le temps de se débarrasser du corps du garçon. Mais il a avoué douze autres crimes d'enfants, dont celui de Bonnie Duncan. Il a donné assez de détails prouvant qu'il en était effectivement l'auteur, sans jamais vouloir dire où il avait abandonné les corps.

— Pourquoi ?

— Je ne sais pas. C'était un vrai salopard. Une dernière cruauté de sa part. Il a même refusé de faire appel de sa condamnation. Et c'est ça qui la rendait folle, Eve Duncan. Elle ne voulait pas qu'il passe sur la chaise tant qu'il n'aurait pas craché où était la jeune Bonnie. Elle craignait de ne jamais la retrouver.

— Et elle a réussi... à la retrouver ?

— Non. » Novak prit la télécommande et fit un arrêt sur image. « Voici Joe Quinn. Riche famille, études à Harvard. Tout le monde s'attendait à ce qu'il entre dans la magistrature, mais il a préféré le FBI. Il a enquêté sur l'affaire Bonnie Duncan en collaboration avec la police d'Atlanta, où il sert maintenant comme lieutenant détective, après avoir démissionné du Bureau fédéral. C'est au cours de l'enquête qu'Eve et lui sont devenus amis. »

Quinn avait vingt-six ans à l'époque. Un très beau mec, au visage viril et juvénile à la fois, de grands yeux marron animés d'une vive lueur d'intelligence. « Seulement amis ? »

Novak hocha la tête. « S'ils ont couché ensemble, personne ne l'a jamais su. Elle a été le témoin de Quinn à son mariage, il y a trois ans. Elle a eu une ou deux aventures au cours de ces huit dernières années... aventures sans lendemain. Elle consacre tout son temps au travail et ça ne la prédispose pas aux rencontres. » Il lança un regard à Logan. « Tu en sais quelque chose, non ? »

Ignorant la question, Logan jeta un coup d'œil au rapport ouvert devant lui sur son bureau. « La mère est toxicomane ?

— Elle l'a été, mais il y a des années qu'elle a décroché.

— Et la fille ?

— Elle n'a jamais touché à la came, ce qui est un miracle. Pratiquement tout le monde autour d'elle sniffait ou se shootait, y compris maman. Celle-ci avait quinze ans quand elle a accouché d'Eve. Père inconnu. Elles ont vécu toutes deux de l'aide sociale dans l'un des quartiers les plus misérables de la ville. Eve a eu Bonnie à l'âge de seize ans.

— Qui était le père ?

— Elle ne l'a pas mentionné sur le certificat de naissance, et lui n'a jamais revendiqué sa paternité. » Novak remit la bande en marche. « Voilà une photo de l'enfant. CNN, qui connaît l'effet de l'émotion sur l'Audimat, l'a largement diffusée. »

Bonnie Duncan. En T-shirt Bugs Bunny, jean et tennis. Une frimousse parsemée de taches de rousseur sous une masse de boucles cuivrées. Elle souriait et son visage vibrait de joie et d'espièglerie.

Logan ravala un flot de bile. C'était quoi, ce monde où un homme pouvait tuer une enfant pareille ?

Novak l'observait du coin de l'œil. « Mignonne, hein ?

— Fais voir le reste. »

Novak appuya de nouveau sur le bouton, et la scène tournée devant la prison réapparut.

« Quel âge avait Duncan quand sa fille a été tuée ?

— Vingt-trois. La gosse en avait sept. Fraser a été exécuté deux ans plus tard.

— Et Duncan est devenue cinglée et obsédée par les ossements ?

— Pas du tout, répondit Novak d'un ton sec. Pourquoi es-tu si dur avec elle ? »

Logan se tourna vers lui. « Et pourquoi la défends-tu autant ?

— Parce que... parce qu'elle a un sacré cran, bon sang !

— Tu l'admires ?

— Oui, de la tête aux pieds. Elle aurait pu donner son enfant à adopter ou avorter. Mais elle l'a gardé. Elle aurait pu se contenter de l'aide sociale et suivre l'exemple de sa mère. Au lieu de ça, elle bossait la journée pour gagner sa vie, pendant que son bébé était à la crèche, et la nuit elle suivait des cours par correspondance. Elle terminait ses études aux Beaux-Arts à l'université de Georgie quand Bonnie a disparu. » Il regarda Eve Duncan, dont l'image emplissait l'écran. « Ça aurait dû la tuer ou la replonger dans la misère à laquelle elle s'était arrachée, mais non. Elle s'est remise au travail et a fait quelque chose de sa vie. Aujourd'hui, outre sa formation aux Beaux-Arts, elle est spécialiste de la croissance du squelette chez l'enfant à l'institut d'Arlington, en Virginie, qui s'occupe notamment des cas d'enfants battus et disparus. Elle pratique aussi la reconstitution faciale sur argile, une discipline qu'elle a acquise auprès des deux plus grands spécialistes de ce domaine de l'anthropométrie judiciaire.

— Rude cliente, marmonna Logan.

— Une grosse tête. Elle se consacre depuis quelque temps à la sculpture médico-légale. Ils sont peu nombreux à être experts dans ce domaine. Tu as vu la séquence dans *Soixante Minutes*, quand elle a reconstitué le visage de cet enfant dont on avait retrouvé le corps dans un marécage, en Floride ? »

Logan acquiesça. « Oui, c'était très impressionnant. » Il reporta son attention sur la vidéo. Grande, mince, Eve Duncan, vêtue d'un jean et d'un imperméable, paraissait terriblement fragile. Ses longs cheveux auburn trempés par la pluie encadraient un visage pâle, à l'ovale parfait, sur lequel se lisait un immense désespoir. Les grands yeux marron derrière les lunettes à fine monture d'écaille renvoyaient la même souffrance. Il détourna le regard de l'écran. « Est-il possible de dénicher quelqu'un d'autre qui soit aussi compétent qu'elle ? »

Novak secoua la tête. « Tu as demandé la meilleure. C'est la meilleure. Mais tu auras peut-être du mal à l'engager. Elle est très occupée et préfère se consacrer aux disparitions d'enfants. Et je ne pense pas que ce soit un gamin que tu recherches, n'est-ce pas ? »

Logan ne répliqua pas. « L'argent est en général assez persuasif.

— Sûrement pas avec elle. Si elle travaillait pour une université, elle gagnerait trois fois mieux sa vie, mais elle a choisi d'être indépendante. Elle habite une maison en location à Morningside, un quartier proche du centre-ville d'Atlanta, et son laboratoire est installé dans le garage derrière l'habitation.

— Peut-être que l'université ne lui a pas fait d'offre qu'elle n'aurait pu refuser.

— En tout cas, certainement pas une comme ta fortune te le permettrait. » Il regarda Logan d'un air interrogateur. « Je suppose aussi que tu n'as pas envie de me dire ce que tu attends d'elle ?

— Non. » Novak avait une réputation d'honnêteté et il était probablement digne de confiance, mais jamais Logan ne se risquerait à se livrer à lui. « Tu es sûr qu'Eve Duncan est la seule ?

— Pas la seule, la meilleure. Mais pourquoi cette question ?

— Pour rien. » Ce n'était pas la vérité. Après tout ce que lui avait appris Novak de cette femme, Logan avait des scrupules à l'employer.

Elle avait déjà assez souffert comme ça sans qu'il la mette de nouveau en danger.

Pourquoi hésitait-il ? Quels que soient les risques inhérents à cette affaire, il devait aller jusqu'au bout. En vérité, sa décision était déjà prise. Merde, cette femme avait elle-même tracé son destin en devenant la meilleure dans son domaine. Et il avait besoin de quelqu'un du talent d'Eve Duncan.

Même si cela signifiait la mort pour elle.

Ken Novak jeta sa mallette sur le siège du passager, avant de monter dans sa décapotable. Il redescendit la longue allée, franchit la grille, et alors seulement décrocha le téléphone pour appeler un numéro au département du Trésor[1].

Pendant qu'il attendait d'être mis en communication avec Timwick, il laissa son regard errer sur la route longeant le Pacifique. Un jour, il posséderait une baraque comme celle de Logan dans Seventeen Mile Drive. Sa propre maison à Carmel était belle et moderne, mais valait peu de chose comparée aux demeures qui paradaient le long de cette corniche. C'était là que créchaient les rois de la finance, ceux qui avaient le pouvoir de l'argent, autrement dit le pouvoir absolu. Et ce pouvoir n'était pas hors de portée de Novak. Logan avait commencé avec une petite société, dont il avait fait un géant. Et la clé de sa réussite tenait à un labeur acharné et à la férocité de son ambition. Novak travaillait depuis trois ans avec Logan, et il admirait beaucoup le personnage. Il devait même s'avouer qu'il l'aimait bien. Logan savait se montrer charmant quand il...

« Novak ? » Timwick était en ligne.

« Je sors de chez Logan. Je pense qu'il a fixé son choix sur Eve Duncan.

— Vous "pensez" ? Pourquoi cette incertitude ?

— Je lui ai demandé s'il voulait que je prenne contact avec elle. Il m'a dit qu'il le ferait lui-même. À moins qu'il ne change d'avis, c'est elle qu'il engagera.

— Et il ne vous a pas expliqué pourquoi il avait besoin d'elle ?

— Non.

— Pas même si c'était une affaire d'ordre privé ? »

La question éveilla la curiosité de Novak. « Ça doit l'être, pour qu'il se montre aussi discret, vous ne croyez pas ?

— Nous n'en savons rien. D'après nos informations, les ossements

1. Ministère de l'Économie et des Finances. *(N.d.T.)*

qu'il voudrait lui faire analyser pourraient être n'importe quoi, autrement dit un leurre destiné à brouiller je ne sais quelle piste.

— Peut-être, mais vous accordez à ce tas d'os assez de prix pour me payer royalement ce que je pourrais découvrir.

— Et vous toucherez bien plus si vous nous donnez quelque chose que l'on puisse utiliser contre lui. Il a récolté beaucoup trop d'argent pour les républicains durant le semestre écoulé et l'élection a lieu dans cinq mois.

— Au moins avez-vous un président démocrate. La cote de popularité de Ben Chadbourne a encore monté ces jours-ci. De leur côté, les républicains n'ont peut-être pas besoin de Logan pour conserver leur majorité au Congrès.

— Rien n'est moins sûr. Nous avons aussi nos chances. En attendant, Logan doit être neutralisé.

— Envoyez-lui le fisc, c'est encore le meilleur moyen de freiner ses ardeurs.

— Il est en règle de ce côté-là. »

Novak s'en doutait. Logan était trop intelligent pour tomber dans ce piège. « Alors, il ne vous reste qu'à me faire confiance, n'est-ce pas ?

— Pas nécessairement. Nous avons d'autres sources.

— Mais personne qui soit aussi proche de lui que je le suis.

— Je vous ai dit que vous seriez généreusement récompensé.

— Justement, j'ai réfléchi à ce sujet. Je crois que je préférerais que l'on m'accorde une faveur à la place. J'ai songé à me présenter au poste de vice-gouverneur.

— Vous savez que nous soutenons la candidature de Danford.

— Mais il ne vous est pas aussi utile que moi. »

Il y eut un silence. « Apportez-moi l'information dont j'ai besoin, et je réfléchirai à votre... demande.

— Comptez sur moi. » Novak raccrocha. Bousculer un peu Timwick avait été plus facile que prévu. L'homme devait être drôlement inquiet à l'approche de l'élection présidentielle. Démocrates ou républicains, tous ces politiciens étaient les mêmes. Une fois qu'ils avaient goûté au pouvoir, ils ne pouvaient plus s'en passer, comme de vulgaires drogués, et Novak entendait bien utiliser cette dépendance pour avoir pignon sur Seventeen Mile Drive.

En amorçant un virage, il aperçut de nouveau dans son rétroviseur la gracieuse silhouette du palais de Logan, là-haut sur la colline. Logan n'était pas un politicien ; il appartenait même à cette espèce rare qu'étaient les vrais patriotes. Il était républicain, mais Novak l'avait entendu louer la politique étrangère du président démocrate.

Toutefois, les patriotes, souvent imprévisibles, pouvaient être dangereux. Timwick souhaitait que Logan soit neutralisé, et Novak comptait bien satisfaire ce désir et s'ouvrir la voie menant un jour au poste de gouverneur. Il ne doutait pas que Logan veuille consulter Eve Duncan pour une affaire privée. Il s'était montré bien trop secret et tendu pour qu'il en soit autrement. Or, si l'on faisait mystère d'ossements humains, c'est qu'il devait y avoir quelque cadavre dans un placard. Un meurtre ? Peut-être. Logan ne s'était pas embarrassé de scrupules pour bâtir son empire.

En tout cas, Novak n'avait pas menti en disant l'admiration que lui inspirait Eve Duncan. Il avait toujours aimé les femmes de caractère et espérait ne pas la faire tomber en même temps que Logan. Peut-être même lui rendrait-il service en provoquant la chute de Logan. Il savait ce dernier impitoyable quand il s'agissait de parvenir à ses fins, et Eve risquait d'en pâtir.

Il gloussa à la pensée de transformer sa trahison en un acte chevaleresque au bénéfice d'une dame. Bon sang, quel avocat de talent il faisait ! Mais ceux de son espèce n'étaient que les serviteurs des princes résidant sur la corniche. Il devait passer du poste de conseiller au trône.

Oui, ce devait être assez chouette d'être roi.

2

« Tu es superbe, constata Eve. Où vas-tu, ce soir ?

— J'ai rendez-vous avec Ron chez *Anthony*. Il aime leur cuisine. » Sandra se pencha vers le miroir du couloir pour vérifier son maquillage, puis tira sur les manches de sa robe. « Foutues épaulettes ! Elles n'arrêtent pas de glisser.

— Enlève-les.

— J'en ai besoin. Tout le monde n'a pas ta carrure.

— Tu aimes ce restaurant ?

— Non, c'est un peu trop chichiteux pour moi. Je préférerais aller au *Cheesecake*.

— Eh bien, dis-le-lui.

— La prochaine fois. Et puis peut-être qu'*Anthony* me plaira. Ce sera comme un apprentissage.

— Moi, j'aime bien leur cuisine, fit Eve, mais il m'arrive encore d'aller au McDo quand l'envie m'en prend. » Elle aida Sandra à enfiler sa veste. « Et j'enverrais promener quiconque me le déconseillerait.

— Ron n'est pas du genre à m'imposer ceci ou cela. Je l'aime beaucoup. Il vient d'une bonne famille de Charlotte. Je ne sais pas ce qu'il penserait de la vie que nous avons menée... je ne le sais vraiment pas.

— J'aimerais le rencontrer.

— La prochaine fois. Tu le jaugerais d'un coup d'œil et je me sentirais comme une collégienne amenant à la maison son premier amoureux. »

Eve étreignit sa mère en riant. « Qu'est-ce que tu vas chercher ? Je veux seulement m'assurer qu'il est bien pour toi.

— Tu vois ? » Sandra se dirigea vers la porte. « C'est bien ce que je disais. Je suis en retard. À plus tard. »

Eve s'approcha de la fenêtre pour regarder sa mère sortir en marche arrière de l'allée. Elle ne l'avait pas vue aussi joyeuse et impatiente depuis des années.

Depuis le temps où Bonnie était encore en vie.

Elle était contente que Sandra ait rencontré quelqu'un, mais ne lui enviait pas sa place. Que ferait-elle d'un homme dans sa vie ? Elle n'aimait pas les aventures d'une nuit, et toute autre relation exigeait un engagement qu'elle ne pouvait se permettre.

Elle sortit par la porte de la cuisine et traversa lentement le petit jardin qui séparait la maison du garage dans lequel elle avait installé son atelier-laboratoire. Le chèvrefeuille embaumait l'air d'un parfum qui semblait toujours plus fort au crépuscule ou au lever du jour. Bonnie adorait cette odeur, et elle cueillait toujours les petites fleurs en forme de clochettes butinées par les abeilles, au grand dam d'Eve, qui redoutait que l'enfant ne soit piquée.

Elle sourit à cette évocation. Il lui avait fallu du temps pour séparer les bons souvenirs des mauvais. Au début, elle avait essayé de se préserver de la douleur en chassant tout ce qui pouvait lui rappeler Bonnie. Puis elle avait compris que cela l'amenait aussi à oublier la joie que la petite leur avait apportée, à Sandra et à elle-même. Bonnie méritait mieux que...

« Mademoiselle Duncan ? »

Elle sursauta et fit volte-face.

« Pardonnez-moi, je ne voulais pas vous effrayer. Je suis John Logan. Pourriez-vous m'accorder quelques instants ? »

John Logan. Il ne se serait pas présenté qu'elle l'aurait tout de même reconnu d'après la photo du journal. Comment pouvait-on oublier ce bronzage made in Californie ? pensa-t-elle sardoniquement. Et, dans son costume gris Armani et ses mocassins Gucci, il avait l'air aussi ridiculement encombrant qu'un paon dans ce minuscule jardin. « Vous ne m'avez pas effrayée, seulement surprise.

— J'ai sonné à la porte. » Il souriait en marchant vers elle. Élancé et athlétique, il dégageait une assurance et un charme qu'elle jugea excessifs. Elle n'avait jamais aimé les hommes trop charmants ; souvent, chez eux, la façade dissimulait le pire. « Je suppose que vous ne m'avez pas entendu.

— Non. » Elle éprouva soudain le désir d'ébranler cette insolente confiance en soi. « Vous vous invitez toujours de la sorte, monsieur Logan ? »

Le sarcasme parut glisser sur lui. « Seulement quand j'ai le profond désir de rencontrer quelqu'un. Pourrions-nous nous asseoir quelque part ? J'ai à vous parler. » Il regarda vers la porte de l'atelier. « C'est là que vous exercez, n'est-ce pas ? J'aimerais visiter.

— Comment savez-vous que c'est là que je travaille ?

— Oh ! je ne l'ai certainement pas appris de vos amis policiers d'Atlanta ! On peut dire qu'ils s'y entendent pour protéger votre vie privée. » Il fit quelques pas et s'arrêta à côté de la porte. « S'il vous plaît ? » demanda-t-il, souriant.

Il avait manifestement l'habitude qu'on obtempère sur-le-champ, mais son attitude aviva l'irritation d'Eve Duncan. « Non », rétorqua-t-elle sèchement.

Le sourire de Logan vacilla quelque peu. « J'ai une proposition pour vous.

— Je sais. Pour quelle autre raison seriez-vous venu ? Mais j'ai déjà trop à faire et ne puis accepter d'autre travail. Vous auriez dû téléphoner d'abord.

— Je tenais à vous voir en personne. Entrons, voulez-vous ?

— Pourquoi ?

— Parce que votre atelier m'en apprendrait davantage sur vous. »

Elle le regarda d'un air incrédule et irrité. « Je ne sollicite ni n'ambitionne d'emploi chez vous, monsieur Logan. Aussi, vous n'avez rien à apprendre sur moi. À présent, si vous vouliez bien partir...

— Accordez-moi dix minutes.

— Excusez-moi, mais je suis très occupée. Au revoir, monsieur Logan.

— John.

— Vous connaissez le chemin... monsieur Logan. »

Il secoua la tête et s'appuya contre le mur. « Je reste. Allez donc travailler, j'attendrai ici jusqu'à ce que vous consentiez à me recevoir.

— Ne soyez pas ridicule. Il sera minuit passé quand j'en aurai fini.

— Eh bien, je vous verrai à minuit passé. » Il n'avait rien perdu de son assurance, mais le sourire charmeur avait disparu. Il semblait froid, dur et déterminé.

Elle ouvrit la porte de l'atelier. « Allez-vous-en.

— Je m'en irai quand nous aurons parlé. Vous nous rendriez à tous deux les choses plus faciles si vous m'invitiez à entrer.

— Je n'aime pas la facilité, monsieur Logan. » Elle poussa le battant et fit de la lumière. Elle n'aimait pas non plus les hommes qui se prenaient pour les maîtres du monde. Elle était consciente, cependant, de réagir avec excès, et elle s'en voulait de s'être emportée. Après tout, il n'avait jamais fait que sonner à sa porte et solliciter un entretien.

Il n'empêche, il avait empiété sur un territoire privé. Que ce salopard passe la nuit dehors si ça lui chantait !

Il était onze heures trente-cinq quand elle rouvrit la porte.

« Entrez, dit-elle d'un ton sec. Je ne tiens pas à ce que ma mère vous découvre dans le jardin quand elle arrivera. Vous pourriez l'alarmer. Vous avez vos dix minutes.

— Merci, répondit-il d'une voix calme. J'apprécie votre bienveillance. »

Il n'y avait ni sarcasme ni ironie dans son ton, mais cela ne révélait peut-être qu'une parfaite maîtrise de soi. « J'agis ainsi par nécessité, précisa-t-elle. J'espérais que vous abandonneriez et partiriez.

— Je n'abandonne jamais quand je veux quelque chose. Mais je suis surpris que vous n'ayez pas appelé vos amis de la police pour qu'ils me jettent dehors.

— Vous avez du pouvoir, des relations haut placées. Je n'avais pas envie de leur créer des ennuis.

— Je ne vous aurais pas reproché de l'avoir fait. » Il promena son regard autour de lui. « Vous avez beaucoup d'espace. Ça paraît plus petit, de l'extérieur.

— C'était une remise à attelages, avant d'être un garage. Cette partie de la ville est assez ancienne.

— Je ne m'attendais pas à ceci. » Il embrassa d'un geste le canapé à rayures beiges et rouille, les plantes vertes sur le rebord de la fenêtre et les photos encadrées de Sandra et de Bonnie sur les étagères de la bibliothèque. « Je veux dire... c'est cosy.

— Je n'aime pas le style laboratoire, froid et stérile. Il n'est pas interdit de joindre le confort à l'efficacité. » Elle s'assit à son bureau. « Je vous écoute.

— C'est quoi, ça ? demanda-t-il en se déplaçant vers l'un des coins de la pièce. Deux caméras vidéo ?

— Je m'en sers pour les superpositions.

— Très intéressant. » Son attention fut attirée par le crâne de Mandy, posé sur un piédestal. « On croirait un objet vaudou avec tous ces marqueurs collés dessus.

— Ils indiquent les différences d'épaisseur de la peau.

— C'est une opération nécessaire avant de...

— Vous êtes venu pour me parler, monsieur Logan, alors je vous écoute. »

Il vint s'asseoir sur une chaise à côté du bureau. « J'aimerais que vous identifiiez un crâne pour moi. »

Elle secoua la tête. « Le seul moyen d'identification reste le dossier dentaire et l'empreinte génétique.

— Tous deux exigent des éléments de comparaison. Or, je ne pourrai me mettre en quête de ceux-ci tant que je n'aurai pas au moins un début de certitude concernant le crâne en question.

— Pourquoi ?

— En raison de certaines difficultés, dont je ne peux rien vous dire pour le moment.

— S'agit-il d'un enfant ?

— Non, d'un homme.

— Et vous n'avez aucune idée de son identité ?

— Si.

— Mais vous ne pouvez pas m'en parler ?

— Non.

— Avez-vous des photos ?

— Oui, mais je ne vous les montrerai pas. Je veux que vous reconstituiez le visage sans être influencée par aucun élément extérieur.

— Où les ossements ont-ils été découverts ?

— Dans le Maryland... je crois.

— Vous n'en êtes pas sûr ?

— Pas encore. » Il sourit. « En vérité, l'endroit exact fait encore l'objet de recherches. »

Elle ouvrit de grands yeux. « Alors, en quoi puis-je vous être utile ?

— J'ai besoin de vous sur le terrain. Sitôt que le squelette aura été découvert et déterré, il nous faudra intervenir sans tarder.

— Et je devrais alors interrompre mes activités pour vous rejoindre dans le Maryland si jamais vous découvrez ce que vous cherchez ?

— Oui, opina-t-il calmement.

— Cette histoire ne tient pas debout.

— Cinq cent mille dollars pour deux semaines de travail.

— Quoi ?

— Votre temps est précieux, m'avez-vous dit. Vous louez cette maison. Vous auriez de quoi l'acheter, et il vous resterait encore de l'argent... si vous m'accordez deux semaines.

— Comment savez-vous que je loue cette maison ?

— Il y a des gens qui ne sont pas aussi loyaux que vos amis policiers. » Il la regarda avec attention. « Vous n'aimez pas qu'on enquête sur vous, à ce que je vois.

— Non, personne n'aime qu'on fouine dans sa vie privée.

— Ça ne me plaît pas non plus.

— Mais cela ne vous empêche pas de le faire.

— Moi aussi, il m'arrive d'obéir à la nécessité. Il faut toujours se renseigner sur la personne avec qui on traite une affaire.

— Dans ce cas, vous avez perdu votre temps, parce que vous ne traiterez pas d'affaire avec moi.

— L'argent ne vous intéresse pas ?

— Me prendriez-vous pour une idiote ? Bien sûr, que l'argent compte pour moi. J'ai grandi dans la misère. Mais le gain n'est pas ce qui me motive. J'ai la liberté de choisir mes commandes, et je ne veux pas de la vôtre.

— Pourquoi ?

— Elle ne m'intéresse pas.

— Parce qu'elle ne concerne pas un enfant ?

— En partie.

— Les enfants ne sont pas les seules victimes.

— Ils sont les seuls à être sans défense. » Elle observa un silence. « Votre homme est-il une victime ?

— Probablement.

— D'un meurtre ?

— Il y a des chances.

— Et vous me demandez de vous accompagner sur le lieu d'un crime ? Qu'est-ce qui m'empêcherait d'appeler les policiers et de leur apprendre que John Logan est impliqué dans un homicide ? »

Il eut un vague sourire. « Il me suffirait de nier. Je leur expliquerais que je voulais vous engager afin d'identifier les ossements de ce criminel de guerre nazi qui ont été découverts en Bolivie. » Il se tut un instant. « Et puis, j'en appellerais à mes relations haut placées, que vous évoquiez, et m'arrangerais pour que vos amis de la police d'Atlanta passent pour de sacrées andouilles, et peut-être aussi les poursuivrais-je pour diffamation.

— Vous avez dit tout à l'heure que c'était mon droit d'appeler la police.

— Oui, mais je ne savais pas alors à quel point ma proposition vous serait désagréable. Encore une fois, la nécessité m'oblige à réviser mon opinion. »

Oui, il serait bien capable de faire ce qu'il disait, pensait Eve. Il était évident que, pendant qu'il attendait dehors, il avait dû envisager et peser chaque question et chaque réponse.

« En vérité, je n'ai nullement l'intention de nuire à vos amis, reprit-il. J'essaie seulement d'être aussi franc que possible avec vous. J'aurais pu vous mentir.

— L'omission est aussi un mensonge et vous ne m'avez pas appris grand-chose. » Elle le regarda droit dans les yeux. « Je n'ai pas confiance en vous, monsieur Logan. Pensez-vous que vous êtes le premier à venir me trouver et à me demander d'identifier un squelette ? L'an passé, un certain Damaro m'a appelée. Il m'a proposé une forte somme d'argent pour aller en Floride et sculpter un crâne qu'un ami lui aurait envoyé de Nouvelle-Guinée. Une découverte anthropologique, prétendait-il. J'ai appelé la police d'Atlanta, et il s'est avéré que le sieur Damaro n'était autre que Juan Gamez, trafiquant de drogue de son état. Son frère avait disparu deux ans plus tôt, probablement enlevé et exécuté par une organisation rivale, qui aurait expédié le crâne à Gamez à titre d'avertissement.

— Émouvante histoire. Les trafiquants de drogue ont aussi des sentiments familiaux.

— Je ne trouve pas ça drôle. Expliquez ça aux enfants qu'ils accrochent à l'héroïne.

— Je ne parle pas de cela. Mais je vous assure que je n'ai pas le moindre lien avec le crime organisé. » Il fit la grimace. « Même si j'ai eu recours de temps à autre aux services d'un bookmaker.

— Dites-vous cela dans l'espoir de m'amadouer ?

— Vous amadouer ? Non, il me faudrait pour cela des arguments et une éloquence que je n'ai pas... pour le moment. » Il se leva. « Mes dix minutes sont écoulées et je ne voudrais pas m'imposer. Réfléchissez à mon offre, je vous rappellerai plus tard.

— J'ai déjà réfléchi, ma réponse est non.

— Nous venons à peine d'entamer les négociations. Il doit y avoir quelque chose que je peux vous offrir et qui saura vous convaincre d'accepter. » Il la regarda avec acuité. « J'ai l'impression que vous nourrissez je ne sais quel préjugé contre moi. Qu'avez-vous à me reprocher, au juste ?

— Rien. Hormis le fait que vous avez quelque part un cadavre dont vous ne voulez rien révéler à personne.

— À personne sauf à vous. Et j'aimerais que ce soit vous, et vous seule, qui vous chargiez de l'examiner. » Il secoua la tête. « Mais ce n'est pas ça qui vous pose problème. C'est quoi ? Parlez, et j'essaierai d'y remédier.

— Bonne nuit, monsieur Logan.

— Ma foi, si vous ne pouvez m'appeler John, abandonnez au moins le “monsieur”. Je suis sûr que vous n'aimeriez pas qu'on vous suspecte d'un excès de respect.

— Bonne nuit, Logan.

— Bonne nuit, Eve. » Il s'arrêta devant le piédestal sur lequel reposait le crâne. « Vous savez, je commençais à me faire à lui.

— À elle. C'est une fillette. »

À peine ébauché, son sourire disparut. « Excusez-moi, ce n'était pas drôle. Mais à chacun sa façon de réagir à la vision de ce que nous deviendrons tous après la mort.

— Oui, c'est exact. Et parfois nous disparaissons bien avant l'heure prévue. Mandy n'avait que douze ans.

— Mandy ? Vous savez qui elle était ? »

Elle s'en voulut de s'être dévoilée. Et puis, quelle importance ? « Non, mais je leur donne toujours un nom. Vous devriez être soulagé que je refuse votre offre, vous n'avez certainement pas envie de confier votre crâne à une excentrique dans mon genre.

— Oh ! mais j'apprécie beaucoup les excentriques ! La plupart de mes chercheurs à San Jose sont plus ou moins timbrés. » Il gagna la porte. « À propos, l'ordinateur que vous utilisez est vieux de trois ans. Nous avons élaboré un nouveau modèle qui est deux fois plus rapide. Je vous en ferai livrer un.

— Non, merci. Celui-ci fonctionne parfaitement.

— Ne refusez jamais un cadeau quand rien ne vous oblige à renvoyer l'ascenseur. » Il s'immobilisa sur le seuil. « Et je vous conseille de toujours fermer votre porte. Vous pourriez avoir une mauvaise surprise en entrant, un soir.

— Je mets le verrou la nuit, mais ce ne serait pas commode de verrouiller en permanence l'atelier. De toute façon, mon matériel est assuré, et je sais me défendre. »

Il sourit. « Je n'en doute pas. Je vous appellerai.

— Je vous ai dit que je... »

Elle s'interrompit : il avait déjà refermé derrière lui.

Eve poussa un soupir de soulagement. Toutefois, elle ne doutait pas d'avoir bientôt de ses nouvelles ; elle n'avait encore jamais rencontré homme plus déterminé à avoir gain de cause. Même si son approche avait été douce, elle avait senti le fer sous la soie. Mais elle avait déjà eu affaire à des hommes de la trempe de Logan. Il lui suffirait de camper sur ses positions, et même un John Logan finirait par se décourager et la laisser tranquille.

Elle se leva et gagna le piédestal. « Il n'est pas si intelligent que ça, Mandy. Sinon il aurait deviné que tu étais une fille. »

Le téléphone sonna. Sa mère, qui avait de nouveau un problème avec le démarreur de sa voiture ? Elle décrocha. Ce n'était pas Sandra.

« Je me suis souvenu de quelque chose, juste en montant dans ma voiture, dit la voix de Logan. Et j'ai pensé que je ferais mieux de compléter tout de suite la proposition que je vous ai faite.

— Et que j'ai refusée.

— Cinq cent mille pour vous, et cinq cent mille pour la fondation

Adam, qui s'occupe des fugueurs et autres enfants disparus. Je sais que vous leur remettez chaque année une partie de vos honoraires. » Il prit un ton plus bas et persuasif. « Vous savez combien d'enfants pourraient retrouver le chemin de leur foyer grâce à une somme pareille ? »

Elle le savait mieux que lui. Il ne pouvait imaginer meilleur appât. Bon Dieu, Machiavel aurait pu prendre des leçons auprès de ce type !

« Tous ces enfants ne valent-ils pas deux semaines de votre précieux temps ? »

Ils valaient cent fois plus. « Ma réponse est non si ce que vous me demandez est illégal.

— Ce qui est illégal pour les uns est souvent légal pour les autres.

— Balivernes.

— Supposez que je vous promette que je n'ai rien à voir avec un quelconque acte criminel pouvant être lié à ce crâne...

— Et je devrais vous croire sur parole ? rétorqua-t-elle, sarcastique.

— J'ai bien des défauts, mais pas celui de mentir. J'ai même une réputation d'extrême franchise.

— Les réputations, ça s'achète comme le reste. Et mentir est parfois une... nécessité. J'ai travaillé dur pour arriver là où je suis. Je n'ai pas envie de briser ma carrière dans une aventure douteuse. »

Il y eut un silence. « Je ne peux pas vous promettre que vous vous en sortirez sans une égratignure, mais j'essaierai de vous protéger du mieux possible.

— Je suis capable de me protéger moi-même. Et je n'ai qu'un mot à vous dire pour cela : non.

— Mais vous êtes tentée, n'est-ce pas ? »

Bon Dieu, « tentée » était un euphémisme !

« Sept cent mille pour la fondation.

— Non.

— Je vous appellerai demain. » Il raccrocha.

Le diable l'emporte ! Elle reposa le combiné. Ce salaud savait sur quelle corde il fallait jouer. Tout cet argent pour les petits disparus, ceux qui pouvaient être encore en vie...

N'en retrouverait-on qu'une dizaine, cela en valait la peine. Elle regarda le crâne sur le piédestal. Mandy avait peut-être commencé par fuguer. Peut-être ne serait-elle pas morte si on avait disposé de moyens plus grands pour la rechercher...

« Je ne devrais pas le faire, Mandy, murmura-t-elle. Ça pourrait mal tourner. Personne ne mettrait sur la table plus d'un million de dollars si l'affaire était honnête. Je dois refuser. »

Mais Mandy ne pouvait lui répondre. Aucun des morts ne le pouvait. Seuls les vivants en avaient le moyen. Et Logan, Dieu le maudisse, savait où il allait en lui laissant entendre le chant des sirènes.

Dans sa voiture, Logan réfléchissait, le regard fixé sur la petite maison en bois d'Eve Duncan.

Sa proposition était-elle suffisante ?

Probablement. Il l'avait sentie vaciller. Elle était passionnément engagée dans la recherche des enfants disparus, et il avait joué sur cette corde particulièrement sensible.

Comment apparaissait-il en agissant ainsi ? se demanda-t-il avec lassitude. Comme un homme ayant un travail à effectuer. À tout prix. Si elle n'acceptait pas, il monterait encore les enchères.

Elle était plus coriace que prévu, intelligente et douée d'une formidable intuition. Mais elle avait son talon d'Achille, et il ne manquerait pas de l'exploiter.

« Il a démarré, annonça Fiske dans son téléphone portable. Dois-je le suivre ?

— Non, nous savons où il séjourne. Il a vu Eve Duncan ?

— Elle a passé toute la soirée chez elle, et il est resté environ quatre heures. »

Timwick jura tout bas. « Alors, c'est qu'elle a accepté.

— Je pourrais... la neutraliser, suggéra Fiske.

— Non, pas encore. Elle a des amis à la police d'Atlanta. Nous ne voulons pas faire de vagues.

— Il y a la mère.

— Peut-être. On gagnerait du temps. Je vais y réfléchir. Restez où vous êtes, je vous rappellerai. »

Sale froussard ! pensa Fiske avec une moue de mépris. Le ton nerveux de Timwick ne lui avait pas échappé. Timwick hésitait toujours, au lieu de choisir le chemin le plus direct. Bon sang, il faut savoir ce qu'on veut, et ensuite prendre la décision qui mène au résultat espéré. S'il avait, lui, le pouvoir et les moyens de Timwick, il n'imposerait aucune limite à ses actions. Certes, il ne désirait pas supplanter son supérieur. Il aimait ce qu'il faisait. Peu de gens avaient trouvé leur place au soleil comme lui.

Il reposa sa nuque contre l'appuie-tête et regarda la maison. Minuit passé. La mère n'allait pas tarder à revenir. Il avait déjà dévissé l'ampoule du porche. Si Timwick le rappelait et lui ordonnait d'intervenir, il n'aurait peut-être même pas besoin de pénétrer dans la baraque.

Si seulement ce trouillard se décidait enfin à jouer à fond et lui laissait le soin de zigouiller la vieille.

3

« Tu sais que tu accepteras, maman, dit Bonnie. Je ne comprends pas pourquoi tu t'inquiètes tant. »

Eve se redressa dans le lit et porta son regard vers la banquette située sous la fenêtre. Quand elle venait, Bonnie s'installait toujours là, les jambes croisées en tailleur. « Je n'en sais rien du tout.

— Tu ne pourras pas t'en empêcher, crois-moi, répliqua Bonnie.

— Comme tu n'es qu'un rêve, tu ne peux en savoir plus que moi. »

La fillette soupira. « Je ne suis pas un rêve, maman. Je suis un fantôme. Que dois-je faire pour te convaincre ?

— Tu pourrais me dire où tu es.

— J'ignore où il m'a enterrée. Je n'étais plus de ce monde.

— C'est commode.

— Mandy non plus ne le sait pas. Mais elle t'aime bien.

— Si elle est avec toi, tu peux me dire comment elle s'appelle ?

— Les noms ne signifient plus rien pour nous, maman.

— Ils ont un sens pour moi. »

Bonnie sourit. « C'est parce que tu en as besoin pour aimer. Mais ce n'est pas vraiment nécessaire.

— Voilà une pensée bien profonde pour une enfant de sept ans.

— J'avais cet âge il y a dix ans. J'aimerais que tu cesses de me tendre des pièges. Qui a décidé qu'un fantôme ne grandissait pas ? Je n'ai plus sept ans.

— Pourtant, tu n'as pas changé.

— Parce que tu me vois avec les yeux de ta mémoire. » Elle se renversa contre le dossier de la banquette. « Tu travailles trop,

maman. Je m'inquiète à ton sujet. Peut-être que ce job pour Logan te ferait du bien.

— Je n'ai pas envie d'accepter. »

Bonnie sourit.

« Non, je n'en ai pas envie, répéta Eve.

— Comme tu voudras. » Bonnie tourna la tête vers la fenêtre. « En sentant le parfum du chèvrefeuille, tu as pensé à moi, tout à l'heure. Je suis heureuse que ça te soulage, de te souvenir de moi.

— Tu me l'as déjà dit.

— Eh bien, je le redis. Tu avais trop mal au début. Je n'arrivais pas à me rapprocher de toi...

— Mais tu n'es jamais qu'un rêve.

— Vraiment ? » Bonnie la regarda, un sourire plein d'amour illuminant son visage. « Alors, ça t'ennuie si ton rêve reste encore un peu plus longtemps ? Tu me manques, des fois, tu sais. »

Bonnie. Son amour. Que lui importait qu'elle ne fût qu'une vision. « Oui, reste, murmura-t-elle. Je t'en prie, reste, mon bébé. »

Le soleil éclaboussait sa chambre quand Eve s'éveilla, le lendemain matin. Elle jeta un coup d'œil à la pendulette et se redressa vivement dans son lit. Il était huit heures et demie, et elle se levait toujours à sept. Étonnant que sa mère ne soit pas venue frapper à la porte.

Elle s'empressa de gagner la salle de bains située dans le couloir et entra dans la cabine de douche. Elle se sentait reposée et optimiste, comme chaque fois qu'elle avait rêvé de Bonnie. Un psychiatre se serait régalé de ces rêves, mais elle s'en fichait pas mal. Sa fille avait commencé de visiter son sommeil trois ans après sa mort. Ces manifestations étaient fréquentes, mais Eve ne pouvait évidemment jamais les prévoir ni expliquer ce qui les déclenchait. Peut-être cela survenait-il quand elle avait un problème et cherchait inconsciemment une solution. En tout cas, l'effet était toujours positif. Elle en sortait ragaillardie et prête à affronter toutes les difficultés.

Y compris John Logan.

Elle se sécha rapidement, enfila un jean et une ample chemise blanche, son uniforme de travail, puis descendit à la cuisine.

« Maman, pourquoi ne m'as-tu pas réveillée... ? »

Il n'y avait personne dans la cuisine. Pas de poêle sur le feu ni d'odeur de bacon dans l'air. La pièce était telle qu'elle l'avait laissée en se couchant, quand elle était venue se servir un verre de lait.

Et Sandra n'était pas encore de retour lorsque Eve était montée dans sa chambre. Elle regarda par la fenêtre et éprouva un vif soulagement. La voiture de sa mère était garée à sa place habituelle dans l'allée.

Elle avait dû rentrer tard, et peut-être dormait-elle encore. De toute façon, c'était samedi, elle ne travaillait pas.

Eve se promit de lui cacher son inquiétude. Sandra avait déjà remarqué la tendance de sa fille à la surprotéger, et elle en concevait un agacement compréhensible.

Elle se versa un verre de jus d'orange et, décrochant le combiné mural, appela Joe.

« Diane m'a appris qu'elle n'avait pas encore eu de tes nouvelles, dit-il de but en blanc. C'est à elle que tu devrais téléphoner, pas à moi.

— Cet après-midi, promis. » Elle s'assit à la table de la cuisine. « Dis-moi ce que tu sais sur John Logan. »

Il y eut un bref silence à l'autre bout de la ligne. « Il a pris contact avec toi ?

— Il est venu ici, la nuit dernière.

— Pour un travail ?

— Oui.

— Quel genre ?

— Je ne sais pas. Il ne m'a pas expliqué grand-chose.

— Mais assez pour t'inquiéter, si tu m'appelles. Et de quel appât s'est-il servi pour t'intéresser ?

— La fondation Adam.

— Merde, il connaissait ton point faible.

— Il est intelligent, mais j'aimerais surtout savoir s'il est honnête.

— Il ne joue pas dans la même ligue que ton trafiquant de Miami.

— Ce n'est pas très rassurant. A-t-il déjà été impliqué dans une quelconque activité criminelle ?

— Pas à ma connaissance. En tout cas, pas dans ce pays.

— N'est-il pas citoyen américain ?

— Si, mais, quand il s'est lancé dans l'informatique, il a passé de nombreuses années à Singapour et à Tokyo, où il a amélioré ses produits et étudié les stratégies de marketing.

— Apparemment, cela lui a réussi. Tu plaisantais en disant qu'il avait probablement laissé quelques cadavres derrière lui ?

— Oui. Nous ne savons pas grand-chose de ces années à l'étranger. Les gens qui ont eu affaire à lui sont de vrais durs et ils le respectent. Tu en tires une conclusion ?

— Que j'ai intérêt à être prudente.

— Exact. Il a la réputation d'être très direct et de s'assurer la loyauté de ses employés. Enfin, considère ça comme la partie visible de l'iceberg.

— Tu ne pourrais pas en apprendre un peu plus sur lui ?

— Je peux essayer, mais tu veux savoir quoi ?

— Je ne sais pas. Par exemple, s'il a fait quelque chose d'inhabituel, dernièrement.

— D'accord, je vais m'en occuper. » Il marqua une pause. « Mais ça va te coûter cher. Tu appelles Diane cet après-midi et tu viens avec nous au lac le week-end prochain.

— Je n'aurai jamais le... Marché conclu.

— Et n'arrive pas avec une valise remplie d'ossements.

— C'est noté.

— J'exigerai que tu prennes du bon temps.

— Je prends toujours du bon temps quand je suis avec Diane et toi. Mais je ne comprends pas comment tu peux me supporter.

— Par amitié. Le mot te dit quelque chose ?

— Ouais, et merci.

— De fouiller dans les affaires de Logan ?

— Non. » D'avoir été le seul à répondre présent quand la folie l'avait saisie durant ces nuits de terreur, et pour toutes les années de travail et de camaraderie qui avaient suivi. Elle s'éclaircit la gorge. « Merci d'être mon ami.

— Eh bien, à titre amical, je te conseille vivement de te méfier de Logan.

— C'est beaucoup d'argent pour les gosses, Joe.

— Oui, mais il s'y est pris un peu trop bien à mon gré pour te manipuler.

— Il ne m'a pas manipulée. Je n'ai pas accepté sa proposition. Pas encore. » Elle vida son verre de jus d'orange. « Il faut que j'y aille, maintenant. Appelle-moi.

— Dès que j'ai quelque chose. »

Elle raccrocha et rinça son verre dans l'évier. Café ? Non, elle s'en ferait à l'atelier. Le week-end, sa mère venait la voir dans la matinée et prenait un café en sa compagnie. Elles observaient toujours ce rituel.

Elle saisit la clé du labo dans le saladier bleu sur le comptoir, descendit les marches du porche et traversa le petit jardin. Ne plus penser à Logan. Elle avait le crâne de Mandy à terminer et examinerait ensuite le paquet que lui avait envoyé le département de police de Los Angeles la semaine dernière.

Logan lui téléphonerait ou lui rendrait certainement visite aujourd'hui. Eh bien, il pourrait toujours essayer de la convaincre, il n'obtiendrait rien tant qu'elle n'en saurait pas davantage sur...

Elle s'arrêta en remarquant que la porte de l'atelier était entrouverte. Elle était sûre de l'avoir verrouillée la nuit dernière en partant. D'ailleurs, la clé était dans le saladier bleu, là où elle l'avait posée.

Sa mère ?

Non, le bois du chambranle était enfoncé et celui du battant fendu. On avait forcé la porte avec un levier. C'était l'œuvre d'un cambrioleur. Elle poussa doucement la porte.

Du sang ! Il y avait du sang partout ! Sur les murs. Sur les étagères. Sur son bureau. La bibliothèque avait été renversée, les livres déchirés, le canapé retourné, les encadrements des photos brisés. Et tout ce sang...

Son cœur cognait dans sa poitrine. Maman ? Sa mère avait-elle entendu du bruit et surpris le voleur ? Elle avança de quelques pas, le visage blême.

« Mon Dieu, c'est Tom-Tom ! » dit une voix derrière elle.

Eve se retourna en sursautant et vit sa mère sur le pas de la porte ; le soulagement qu'elle ressentit manqua lui couper les jambes. Sandra fixait d'un regard désolé un coin de la pièce. « Qui a pu faire une chose pareille à cette pauvre bête ? »

Quand Eve vit à son tour le chat, elle en eut la nausée. Le persan, couvert de sang, était à peine reconnaissable. Tom-Tom appartenait à leur voisine, mais il passait le plus clair de son temps dans leur jardin, à chasser les oiseaux attirés par le chèvrefeuille.

« Mme Dobbins va en avoir le cœur brisé. » Sandra entra dans la pièce. « Ce vieux chat était ce qu'elle avait de plus cher au monde. Mais comment... » Elle balaya la pièce du regard. « Oh ! Eve ! tout ton travail... »

L'ordinateur était défoncé, l'écran éclaté. Quant au crâne de Mandy, il avait été brisé en morceaux, avec la même cruauté et la même efficacité que tous les autres objets.

Eve s'agenouilla à côté des débris d'os. Seul un miracle pourrait reconstituer le crâne.

Mandy... perdue. Peut-être à jamais.

« Est-ce qu'on t'a pris quelque chose ? questionna Sandra.

— Je ne sais pas. » Elle ferma les yeux. Mandy... « On dirait qu'ils ont seulement cherché à tout casser.

— Des vandales ? Je vois mal les jeunes du quartier faire une chose pareille. Ils sont plutôt bien élevés...

— Non, ce n'est pas eux, dit Eve, rouvrant les yeux. Appelle Joe, tu veux ? Demande-lui de venir tout de suite. » Elle regarda le chat et eut les larmes aux yeux. À presque dix-neuf ans, il aurait mérité une mort plus douce. « Rapporte de la maison une boîte à chaussures et une serviette, s'il te plaît. En attendant Joe, nous rapporterons Tom-Tom à Mme Dobbins et l'aiderons à l'enterrer. Nous lui dirons qu'une voiture l'a écrasé. Ce sera moins dur pour elle que de savoir qu'il a été massacré par je ne sais quel barbare.

— Tu as raison. » Sandra ressortit à la hâte.

Un barbare ? s'interrogea Eve. L'atelier avait été saccagé, mais avec une espèce de minutie semblant indiquer qu'on avait voulu la choquer et la blesser. Elle caressa un fragment du crâne de Mandy. Même dans la mort, la violence n'avait pas épargné la fillette. Cela n'aurait pas dû lui arriver, tout comme ce pauvre chat aurait dû être à l'abri d'une fin aussi brutale. Il y avait là quelque chose de profondément injuste.

Elle rassembla les pièces du crâne devenu un puzzle, mais ne sut où les ranger. Le piédestal avait été brisé également. Elle posa sa poignée de fragments d'os sur son bureau, tout en se demandant pourquoi le crâne se trouvait dans cette partie de l'atelier. On aurait dit que le vandale l'avait délibérément apporté au pied de la table de travail avant de le réduire en miettes à coups de talon. Pourquoi ?

Soudain, elle vit le sang qui gouttait du tiroir supérieur de la table. Seigneur, quoi encore ? S'armant de courage, elle se risqua à ouvrir.

Ce qu'elle découvrit lui arracha un cri : un rat mort gisait dans son sang. Elle referma le tiroir.

« Voilà, j'ai la boîte et la serviette. » Sa mère était revenue. « Veux-tu que je le fasse ? »

Eve secoua la tête, inquiète de la pâleur de Sandra. « Non. Tu as appelé Joe ?

— Oui, il arrive tout de suite. »

Eve prit le linge et le carton à chaussures. « Je vais te ramener chez toi, Tom-Tom. »

Joe l'attendait à l'entrée de l'atelier quand elle revint près de deux heures plus tard de chez la voisine. Il lui tendit son mouchoir. « Tu as une tache de boue sur la joue.

— On vient d'enterrer Tom-Tom. » Elle s'essuya. « Maman est encore auprès de Mme Dobbins. La pauvre femme adorait ce chat. C'était comme son enfant.

— Je crois que je serais capable de tuer si on faisait du mal à mon chien. Impossible de relever la moindre empreinte. Le type devait porter des gants. Il y a quelques marques de chaussures dans le sang. Une grande pointure, appartenant à un homme. Un seul type de trace, ce qui semble indiquer qu'il était seul. As-tu remarqué qu'il te manquait quelque chose ? Un objet ? Un dossier ?

— Difficile de savoir s'il a emporté quoi que ce soit. Apparemment, il s'est borné à détruire.

— Je n'aime pas ça. Il a pris son temps pour tout casser et n'a rien laissé au hasard.

— Oui, je l'ai remarqué. On croirait qu'on a cherché à me faire mal.

— Des voyous du quartier ?

— Non, je ne pense pas.

— Tu as appelé ta compagnie d'assurances ?

— Pas encore.

— Ne tarde pas trop. »

Elle acquiesça d'un signe de tête. Elle se souvenait d'avoir confié à Logan qu'elle ne redoutait pas de laisser l'atelier ouvert pendant la journée. Elle ne savait pas alors ce qui pourrait lui arriver. « J'en ai la nausée.

— Je comprends ça. » Il lui serra doucement le bras. « Je vais poster l'un de mes hommes devant la maison. À moins que, ta mère et toi, vous ne veniez vous installer chez moi pendant quelques jours ? »

Elle fit un geste de dénégation.

« D'accord, dit-il. Il faut que je retourne au bureau. Je vais voir s'il n'y a pas eu récemment d'actes de vandalisme similaires dans le voisinage. Tu es sûre que ça ira ?

— Oui. Merci d'être venu, Joe.

— Je regrette de ne pouvoir faire plus. Nous interrogerons les voisins.

— Oui, mais pas Mme Dobbins. Nous ne lui avons rien raconté, si ce n'est qu'une voiture a écrasé Tom-Tom.

— D'accord, c'est noté. Appelle, si tu as besoin de moi. »

Elle le regarda s'éloigner, puis se tourna vers l'atelier. Elle n'avait pas envie d'y entrer de nouveau et de revoir toute cette violence et cette laideur. Pourtant, elle devait vérifier si on lui avait volé quelque chose avant d'appeler la compagnie d'assurances. Rassemblant son courage, elle franchit le seuil.

Encore une fois, la vue du sang la frappa comme un coup de poing. Seigneur, elle avait eu si peur quand elle avait cru que ce pouvait être celui de sa mère ! Elle repensa à Tom-Tom, au rat dans le tiroir du bureau. Soudain, sentant la panique l'envahir, elle ressortit. Les jambes coupées, elle s'accroupit près de la porte et serra les bras autour d'elle en tentant vainement de contenir le froid qui venait de la saisir.

« Il y a une voiture de police devant chez vous. Ça ne va pas ? »

Elle leva les yeux. Logan se tenait à quelques pas d'elle. Il était bien le dernier qu'elle avait envie de voir. « Allez-vous-en.

— Qu'est-il arrivé ?

— Laissez-moi.

— Il est arrivé quelque chose, n'est-ce pas ?

— Oui.

— Ne bougez pas. » Passant devant elle, il entra dans l'atelier, en revint deux minutes plus tard. « C'est moche.

— Le sang est celui du chat de ma voisine, et Mandy a été brisée en morceaux.

— Oui, j'ai vu les fragments sur votre bureau. C'est là que vous les avez trouvés ?

— Non, ils étaient par terre, au pied de la table.

— Mais ni votre mère ni vous n'avez été blessées ? »

Elle aurait bien aimé s'arrêter de grelotter. « Je vous en prie, allez-vous-en, je n'ai pas envie de vous parler.

— Où est votre mère ?

— Chez Mme Dobbins. Son chat... laissez-moi.

— Je partirai quand il y aura quelqu'un pour prendre soin de vous. » Il la releva. « Venez, allons dans la maison.

— Je n'ai pas besoin qu'on veille sur moi. » Il l'entraînait presque de force. « Lâchez-moi. Ne me touchez pas !

— Je vais vous laisser, mais pas avant que vous ayez avalé quelque chose de chaud. »

Elle dégagea son bras brusquement. « Je n'ai pas le temps. Je dois appeler ma compagnie d'assurances.

— Je m'en chargerai. » Il la prit doucement par le coude et l'aida à monter les marches du perron. « Je m'occuperai de tout.

— Vous ne m'avez pas entendue ? Ça fait plusieurs fois que je vous demande de vous en aller !

— Oui, je m'en irai, mais après vous avoir préparé une boisson chaude. » Il l'installa à la table de la cuisine. « C'est le meilleur moyen de vous débarrasser de moi.

— Mais je ne veux pas m'asseoir et... » Épuisée, elle abandonna. « Alors, faites vite.

— Oui, m'dame. » Il se tourna vers le buffet. « Où est le café ?

— Dans la boîte bleue sur le comptoir. »

Il remplit d'eau la cafetière électrique. « Quand cela s'est-il produit ?

— Dans la nuit.

— Vous aviez fermé votre atelier à clé ?

— Bien sûr. »

Il versa quelques cuillers de café moulu dans le filtre et mit l'appareil en marche.

« Vous n'avez rien entendu ?

— Non.

— C'est étonnant, vu le carnage.

— Joe a dit que l'homme savait très bien ce qu'il faisait.

— Vous soupçonnez quelqu'un ? »

Elle secoua la tête. « Pas d'empreintes. Le type devait porter des gants. »
Il décrocha un chandail de la patère derrière la porte et en entoura les épaules d'Eve. « Des gants. Alors, ce n'était pas un amateur.
— Je vous l'ai déjà dit, et ce chandail appartient à ma mère.
— Elle ne trouvera rien à redire, je pense, et il vous réchauffera. »
Il avait raison, elle continuait de trembler comme une feuille. Elle le vit ensuite décrocher le téléphone. « Que faites-vous ?
— J'appelle mon assistante, Margaret Wilson. Quelle est votre compagnie d'assurances ?
— Security America, mais vous n'allez pas...
— Allô, Margaret ? Ici, John. J'ai besoin de... oui, je sais qu'on est samedi. » Il écouta patiemment. « Oui, Margaret. Je sais parfaitement que j'abuse de votre gentillesse et de votre patience, mais c'est un cas de force majeure, alors est-ce que vous voulez bien m'écouter ? »
Eve le regardait avec étonnement. Elle ne s'attendait pas à ce que Logan se fasse rabrouer par sa propre assistante. Conscient qu'Eve l'observait, il lui adressa un clin d'œil, qui ne réussit pas à masquer son air penaud. « Alors ? » demanda-t-il au téléphone.
Apparemment, la réponse fut affirmative, car il dicta ses instructions. « Adressez un fax à la compagnie Security America de la part d'Eve Duncan. » Il épela le nom. « Effraction, vandalisme, et peut-être vol. Si vous avez besoin de détails, contactez Joe Quinn, de la police d'Atlanta. Je veux qu'un expert de la compagnie vienne faire le constat dans les plus brefs délais, et envoyez une équipe de nettoyage. Que les lieux soient comme neufs avant minuit. » Il poussa un soupir. « Non, inutile de sauter dans un avion pour venir balayer vous-même, Margaret. Épargnez-moi vos sarcasmes. Contentez-vous de quelques coups de fil. Je ne veux pas que l'on dérange Eve Duncan, si ce n'est pour la faire signer au bas de la déclaration de cambriolage. Je veux également que vous envoyiez quelqu'un de Madden Security pour surveiller la maison, ainsi qu'Eve et Sandra Duncan. Appelez-moi si vous avez un problème. Non, je ne doute pas de votre efficacité, je voulais seulement... » Il écouta avec calme un moment encore, puis conclut d'une voix douce mais ferme : « Au revoir, Margaret. » Il raccrocha et sortit une tasse du placard. « Margaret s'occupera de tout.
— Ça n'a pas l'air de lui plaire.
— Elle veut seulement me signifier qu'elle n'est pas corvéable à merci, ce qu'elle n'a jamais été. Si je m'en chargeais moi-même, elle me reprocherait de ne pas avoir confiance en elle. » Il versa le café. « Lait, sucre ?
— Noir et sans sucre. Elle travaille pour vous depuis longtemps ?
— Neuf ans. » Il posa la tasse devant elle. « Il vous faut retourner

à l'atelier et rassembler tout ce que vous ne voulez pas que l'expert note dans son rapport.

— Il n'y a pas urgence. » Elle sirota une gorgée. « Aucune compagnie d'assurances ne répond si vite.

— Fiez-vous à Margaret. Quelqu'un viendra, et plus rapidement que vous ne pensez. » Il se versa une tasse et s'assit en face d'elle. « Elle se fera un point d'honneur de mener l'affaire tambour battant.

— Il est difficile d'accorder sa confiance à quelqu'un qu'on ne connaît pas. C'est valable pour vous aussi. » Elle soutint le regard qu'il posait sur elle. « De plus, je n'ai pas besoin de vigile. Il y a déjà une voiture de police devant la maison.

— Très bien, mais un excès de précautions n'a jamais nui à personne. Ce sont des professionnels qui savent être discrets. » Il continuait de la regarder, attentif et tranquille. « Vous reprenez des couleurs. J'ai bien cru, tout à l'heure, que vous alliez vous évanouir. »

C'est vrai qu'elle se sentait mieux. Elle tremblait déjà moins. « Allons, ne dites pas de bêtises. Je suis plus solide qu'il n'y paraît. Je côtoie la mort à travers mes crânes. J'étais seulement secouée.

— Et il y a de quoi. C'est une chose d'imaginer la fin horrible d'une victime inconnue, mais c'en est une autre quand cela survient chez vous. »

Il avait raison. Sa vie privée avait été sereine et à l'abri de toute violence depuis cette nuit à la prison. Elle ne s'était pas attendue au retour brutal du mal. « Oui, et c'est pire que ça, dit-elle. Cela fait de moi une victime, et c'est un sentiment que je ne supporte pas.

— Je le vois bien. »

Elle finit son café et se leva. « Si vous pensez vraiment que l'expert sera ici bientôt, je devrais retourner à l'atelier.

— Attendez encore un peu ; vous l'avez dit, il n'y a pas urgence.

— Non, je préfère y aller maintenant. » Elle gagna la porte. « Ma mère va revenir de chez Mme Dobbins, et je ne veux pas qu'elle se sente obligée de m'aider.

— Vous êtes très protectrice envers elle, remarqua-t-il, lui emboîtant le pas. Vous êtes proches l'une de l'autre ?

— Oui. Ça n'a pas toujours été le cas mais, aujourd'hui, nous sommes bonnes amies.

— Des amies ?

— Ma foi, elle n'a jamais que seize ans de plus que moi. Nous avons en quelque sorte grandi ensemble. » Elle lui jeta un regard par-dessus son épaule. « Vous n'êtes pas obligé de venir avec moi, vous savez.

— Je sais. » Il lui ouvrit la porte de l'atelier. « Mais Margaret m'en voudrait si je lui confiais tout le travail pendant que je me tourne les pouces. »

4

« Il y a du sang partout, observa Logan d'un ton neutre. L'équipe de nettoyage s'en occupera. » Il désigna d'un signe de tête la pile de revues éparpillées sur le sol. « Essayez de voir ce qui peut être sauvé. Il y a deux photos qui me paraissent intactes. »

Elle s'accroupit parmi les débris de la bibliothèque, prenant conscience, non sans étonnement, que la présence de Logan rendait les choses plus faciles. Son calme et son détachement apparent semblaient avoir le pouvoir de gommer les obstacles. Il y avait du sang ? On nettoierait. De la casse ? On récupérerait ce qui pouvait l'être.

Les photos de Bonnie et de Sandra n'avaient pas souffert, hormis d'infimes éraflures causées par le verre. « Elles n'ont rien, constata-t-elle, soulagée.

— Ce vandale n'est pas aussi intelligent que ça. Il n'a pas deviné à quel point il vous ferait mal en déchirant ces photos, assura Logan en s'approchant du bureau. Voyons si l'on trouve quelque chose en bon état dans ces tiroirs...

— Attendez ! Il y a... » Trop tard, Logan avait déjà ouvert le premier, mais le rat avait disparu, probablement enlevé par les policiers. Seule restait la tache de sang.

Il grimaça. « Je suis content d'avoir regardé là-dedans avant que l'équipe de nettoyage le fasse. On aurait peut-être eu du mal à les empêcher de s'enfuir. » Il sortit complètement le tiroir de sa glissière et alla le poser contre le mur, dehors. « Je le jetterai dans la première benne à ordures. »

Il n'avait pas manifesté la moindre stupeur. « Vous prenez tout ça avec un calme olympien, lui dit-elle.

— Un jour, je vous raconterai dans quel état j'ai trouvé mon bureau le lendemain de ma première OPA. Ici, au moins, personne n'a déféqué. Continuez de chercher, je reviens dans un instant. »

Il ne restait pas grand-chose à sauver, en vérité. Les livres avaient été déchirés, le sablier que lui avait offert sa mère était brisé, la colonne du piédestal cassée en deux et...

Le piédestal. Mandy.

Pourquoi s'était-on donné la peine de prendre le crâne de Mandy, situé à l'autre bout de la pièce, pour l'écraser au pied de la table de travail ? Elle s'était déjà posé cette question, mais elle était alors trop choquée pour en tirer une conclusion. Au milieu de cette destruction systématique, dans quel dessein avait-on disposé le crâne à cet endroit précis ?

Elle se releva et considéra l'écran étoilé du moniteur, le boîtier défoncé de l'ordinateur. « Mon Dieu ! murmura-t-elle.

— J'étais sûr que vous saisiriez le message, quand vous auriez la tête plus claire, dit Logan, qui l'observait depuis le seuil.

— Vous saviez ? »

Il hocha la tête. « Je l'ai compris quand vous m'avez appris où vous aviez trouvé le crâne. Le lien était manifeste : l'ordinateur Logan et le crâne. C'est une mise en garde.

— De qui ?

— Je ne sais pas, mais de toute évidence, quelqu'un ne veut pas que je vous embauche. »

Elle promena son regard dans la pièce. « Alors, tout ce carnage n'avait pas d'autre but ?

— Exact. »

Elle tourna les yeux vers lui. « Et vous ne m'auriez pas avertie ?

— Non, si vous ne l'aviez pas deviné vous-même, répliqua-t-il avec une franchise brutale. Je craignais que cela ne joue en ma défaveur. Quelqu'un a voulu vous faire peur, et il a apparemment réussi. »

Oui, elle avait eu peur, à en être malade. Elle était aussi profondément attristée par la mort de Tom-Tom et la destruction de Mandy, qui resterait à jamais une jeune morte sans identité.

Cette dévastation de son territoire n'avait eu d'autre but que de la dissuader d'accepter l'offre de Logan. Elle fut soudain prise d'une rage sourde au souvenir du chagrin de Mme Dobbins, quand elle l'avait aidée à enterrer son petit compagnon, quelques heures plus tôt.

« Maudit soit ce barbare ! s'exclama-t-elle d'une voix vibrante de colère. Je lui souhaite de crever un jour comme un chien !

— Moi aussi, renchérit Logan en la fixant de son regard aigu. Et je note que c'est à lui et non à moi que s'adresse ce vœu légitime. »

Elle lui rendit son regard et sortit de l'atelier. Jamais elle n'avait éprouvé une telle fureur, hormis le jour où elle avait appris l'arrestation de Fraser. Elle ressentait des envies de meurtre. « Le type coupable de ça, il... s'en foutait de faire mal ! Comment a-t-il pu... ? » Oh ! elle savait comment ! Il devait appartenir à l'espèce des Fraser. Des monstres froids, totalement indifférents à la souffrance d'autrui. « Je veux qu'il paie pour...

— Dans ce cas, je me ferai un devoir de découvrir qui il est », assura Logan.

Elle se tourna vivement vers lui. « Et comment comptez-vous vous y prendre ? Vous mentiez en prétendant que vous ne le connaissiez pas ?

— Je ne sais pas qui il est, mais je crois savoir qui est son employeur.

— Qui ?

— Ça, je ne peux pas vous le révéler, mais je vous promets de retrouver celui qui a profané les restes de Mandy et tué le chat de votre voisine. » Il marqua une pause. « À condition que vous veniez avec moi.

— Dites-moi qui a payé cet homme.

— Vous l'apprendrez vous-même si vous travaillez pour moi. Il vous faudra du temps pour installer un nouvel atelier. J'augmenterai de deux cent mille dollars la somme allouée à la fondation Adam et, dans la corbeille, je mettrai la tête de ce salopard. »

Une pensée soudaine vint à Eve. « Et si c'était vous-même qui aviez commandité ce sale coup pour m'obliger à accepter votre proposition ?

— Non, le coup aurait été trop risqué, il aurait pu se retourner contre moi. Et puis, j'aime les chats.

— Mais vous essayez tout de même de tirer avantage de la situation.

— Je serais idiot de ne pas en profiter. Alors, c'est d'accord ? »

Elle regarda autour d'elle et, de nouveau, sentit la rage l'envahir. « Je vais réfléchir.

— Et si je montais encore les enchères de...

— Arrêtez de jouer les marchands de tapis ! Je vous répète que j'y réfléchirai. » Elle ramassa une boîte en carton qui avait contenu une rame de papier et commença d'y ranger les fragments du crâne de Mandy. Elle tremblait encore de colère. Il fallait qu'elle se calme. « Allez-vous-en, maintenant. Je vous appellerai quand j'aurai pris ma décision.

— Je dois agir très vite si...

— Je vous téléphonerai ! »

Elle sentait le regard fixé sur elle et s'attendait à ce qu'il tente encore de la convaincre. « Je réside au Ritz-Carlton, dit-il enfin. Je ne devrais pas vous l'avouer, car cela handicape ma position de négociateur, mais je suis un homme désespéré, Eve, j'ai besoin de votre aide. Et je suis prêt à tout pour l'obtenir. Appelez-moi et indiquez-moi votre prix. Je paierai. »

Quand elle leva les yeux, il était parti.

Qu'est-ce qui pouvait désespérer un homme comme Logan ? Si son prétendu désespoir était réel, il avait été jusqu'ici bien caché. Peut-être cet aveu de vulnérabilité n'était-il qu'une manœuvre de plus.

Elle y songerait plus tard. Pour l'instant, elle devait regagner la maison ; elle n'avait pas envie que sa mère vienne la chercher ici. Les photos et les restes de Mandy sous le bras, elle gagna la porte. Peut-être pourrait-elle reconstituer le crâne, tel un puzzle. Et, même si elle ne parvenait pas à obtenir une structure cohérente, elle pourrait cependant procéder à une superposition...

Elle réalisa soudain avec rage que c'était impossible. Joe lui avait dit qu'ils ignoraient tout de la fillette, alors où pourraient-ils bien trouver une photo d'elle ? Son seul espoir, quand le crâne était intact, avait été de sculpter un visage susceptible d'aboutir un jour à une identification par un proche de la victime. En détruisant délibérément le crâne, l'homme avait anéanti cet espoir.

« Eve ? » Sa mère venait à sa rencontre. « Je viens d'avoir la compagnie d'assurances au téléphone. Un expert est en route.

— Déjà ? » Logan n'avait pas menti : Margaret savait se montrer efficace. « Comment va Mme Dobbins ?

— Mieux. Ne devrait-on pas lui trouver un petit chat ?

— Non, pas tout de suite. Attendons qu'elle ait fait le deuil de Tom-Tom. »

Sandra porta son regard en direction de l'atelier. « Je suis vraiment désolée, Eve. Tous tes dossiers, le matériel...

— Je les remplacerai.

— C'est un quartier si tranquille. Des choses pareilles ne devraient jamais arriver, ici. Ça me fait peur, de penser qu'on n'est à l'abri nulle part. Il faudrait faire installer une alarme.

— On verra. » Elle ouvrit la porte de la cuisine. « Il y a du café. Tu en veux une tasse ?

— Non, j'en ai pris avec Mme Dobbins. » Elle marqua une pause. « J'ai téléphoné à Ron. Il m'a proposé de m'emmener déjeuner dehors pour me changer les idées. J'ai refusé, bien sûr. »

Mais il était évident qu'elle avait envie d'y aller, pensa Eve. Et pourquoi n'irait-elle pas ? Elle avait eu une rude matinée et avait besoin de réconfort. « Tu n'as aucune raison de décliner son invitation. Tu ne me seras pas vraiment utile, ici.

— Tu es sûre ?

— Absolument. Rappelle-le. »

Sandra hésitait encore. « Il m'a demandé de t'amener avec moi. Il aimerait faire ta connaissance, et comme tu m'as dit que toi aussi...

— Je ne peux pas, avec l'expert qui doit venir.

— Oh ! c'est vrai ! Écoute, je serai de retour le plus vite possible. »

Eve posa sa boîte en carton sur le comptoir de la cuisine. « Allons, maman, profite de cette belle journée, et reste avec Ron aussi longtemps que tu voudras. »

Sandra secoua la tête d'un air résolu. « Non, deux heures. Pas plus. »

Eve attendit que sa mère referme la porte derrière elle pour s'asseoir à la table de la cuisine. Elle s'en voulait d'éprouver un sentiment d'abandon. Sandra avait fait ce qu'elle pouvait pour l'aider ; simplement, elle n'avait pas pris pleinement conscience qu'Eve pouvait se trouver terriblement seule.

Cesse de te plaindre. Tu as choisi de vivre ainsi, et tu as apprivoisé la solitude depuis longtemps. Elle n'allait pas commencer à s'apitoyer sur son sort parce qu'un salopard avait essayé de l'effrayer.

Fraser.

Pourquoi revenait-il hanter son esprit ? Parce qu'elle ressentait de nouveau une impuissance semblable à celle qui avait alors marqué sa vie, quand elle plaidait auprès des autorités la remise de l'exécution du monstre ayant tué sa fille. Elle s'était même rendue à la prison et l'avait supplié de lui révéler où il avait enterré Bonnie. Il lui avait adressé ce sourire enjôleur qui avait entraîné douze enfants à une mort atroce et lui avait dit non. Le salaud avait même refusé de faire appel, de manière que les dossiers soient classés le plus tôt possible et les corps des enfants à jamais introuvables. Elle avait désiré le tuer de ses propres mains, mais son silence était une défense infranchissable. Jusqu'au dernier moment, il l'avait tenue à sa merci, prisonnière de l'attente d'un aveu qu'il n'avait jamais fait.

Mais, aujourd'hui, elle n'était pas sans défense ni sans pouvoir, elle n'était pas réduite à la condition de victime, elle pouvait agir. Cette pensée la revigora soudain. Logan lui avait promis de retrouver l'homme qui avait saccagé l'atelier.

Il le ferait si elle lui indiquait son prix. Allait-elle dire oui ? Elle n'en était pas encore certaine. Il lui fallait penser de nouveau en termes rationnels et dépassionnés, avant de donner sa réponse. Logan misait certainement sur le choc émotionnel qu'elle venait de subir et comptait bien tirer profit de toute faiblesse qu'elle manifesterait.

Eh bien, il en serait pour ses frais, elle saurait éviter les pièges. Elle était aussi intelligente que lui, et savait se défendre toute seule.

Elle n'était pas une victime.

« J'accepte, annonça Eve, sitôt qu'elle eut Logan au bout du fil. Mais à mes conditions. La moitié payée d'avance et versée immédiatement sur le compte de la fondation Adam.

— Entendu. Je fais virer la somme aujourd'hui même.

— Je veux la preuve que le virement a été effectué. J'appellerai la comptabilité de la fondation dans, disons, quatre heures, pour m'en assurer.

— Très bien.

— Et je veux que ma mère et ma maison soient protégées pendant mon absence.

— Je vous ai dit que j'y veillerai.

— Vous m'avez également promis de découvrir qui a saccagé mon atelier.

— J'ai déjà mis quelqu'un sur le coup.

— Et si je m'aperçois qu'en acceptant ce travail je me rends complice de quelque crime que ce soit, je me retire aussitôt.

— O.K. !

— Je vous trouve bien conciliant.

— Je vous ai demandé votre prix, et vous m'avez répondu. » Bon Dieu, il lui aurait donné trois fois plus pour obtenir son accord ! « Préparez votre valise. Je passerai vous prendre dans la soirée.

— Je ne vous suivrai que si j'ai confirmation du virement.

— C'est noté.

— Et ma mère doit savoir où je vais.

— Prévenez-la que vous serez souvent en déplacement et que vous l'appellerez tous les soirs.

— Je devrai me déplacer, vraiment ?

— Probablement. Je serai chez vous à dix heures. »

Il raccrocha. Elle avait accepté. Après avoir pu apprécier la forte personnalité de cette femme, il avait craint de perdre un temps précieux à la convaincre, et il serait encore en train d'essayer si le saccage de l'atelier ne l'avait mise en fureur. Il devrait peut-être remercier Timwick. Ce bâtard avait commis une erreur en autorisant une action aussi stupide. Le coup qu'il avait porté à Eve avait été assez violent pour la révolter, mais insuffisant pour l'effrayer.

L'incident avait en outre permis à Logan d'en déduire que ses démarches auprès d'Eve Duncan n'étaient pas un secret pour Timwick, ce qui était fort intéressant. Ce type était rusé et il commettait rarement une faute. Quand il apprendrait comment cette femme avait réagi, il corrigerait son erreur et placerait la barre plus haut.

Cette fois, il s'assurerait que ce n'était pas un chat qui mourrait.

Dans sa voiture garée à une cinquantaine de mètres de la maison d'Eve, Fiske eut un sourire en ôtant l'écouteur de son oreille. Il avait toujours aimé les gadgets, et il admirait particulièrement ce puissant amplificateur X436. Écouter à travers les murs était une activité passionnante. Dans le cas présent, il avait capté la conversation à travers les vitres, mais le sentiment d'être le maître du jeu restait le même.

Il était flatté que sa propre tête fasse partie des desiderata exprimés par Duncan. Cela lui prouvait qu'il avait bien fait son travail. Tuer le chat avait été un coup de maître. La mort des animaux de compagnie était toujours difficile à supporter, il l'avait appris quand il avait tué le chien de sa maîtresse d'école. Cette salope avait eu les yeux rouges et gonflés par les pleurs une bonne semaine.

Oui, il avait bien fait son travail, et ce n'était pas sa faute si les ordres de Timwick avaient eu l'effet inverse. Fiske l'avait bien prévenu qu'il fallait frapper plus fort, mais Timwick lui avait rétorqué que c'était prématuré et nullement nécessaire.

Couille molle.

« L'ampoule du porche est grillée, annonça Logan quand Eve ouvrit la porte. Vous en avez une de rechange ?

— J'en ai dans le tiroir du buffet. Je vais en chercher une, mais c'est curieux car je l'ai changée la semaine dernière. »

La lumière brillait pourtant quand elle revint avec une ampoule neuve. « Oh ! ça marche ?

— Elle était seulement dévissée. Est-ce que votre mère est ici ?

— Dans la cuisine. » Elle leva les yeux vers Logan. « Elle a très bien pris mon départ, elle veut en profiter pour repeindre l'atelier.

— Est-ce que je pourrais la voir ?

— Bien sûr. Je vais la...

— Monsieur Logan ? » Sandra venait vers eux. « Je suis Sandra Duncan. Je suis tellement contente que vous emmeniez Eve. Après ce qui vient de se passer, elle a besoin de prendre un peu de repos.

— Je ne l'emmène pas vraiment en vacances, mais ça lui fera un changement. J'essaierai de ne pas la tuer à la tâche. » Il eut un sourire désarmant. « Elle a de la chance d'avoir quelqu'un comme vous pour s'occuper d'elle. »

Logan jouait de son charme, et Sandra fondait à vue d'œil.
« Nous veillons l'une sur l'autre, précisa-t-elle.
— Eve m'a dit que vous projetiez de repeindre son atelier. Quel terrible saccage, n'est-ce pas ? »
Sandra approuva tristement de la tête. « Mais l'équipe de nettoyage a tout lessivé. À son retour, Eve se demandera si tout ça n'a pas été qu'un mauvais rêve.
— Je me sens un peu coupable de vous l'enlever et de vous laisser seule, avant qu'on ait pu arrêter ce vandale. Eve vous a mise au courant ? J'ai pris des dispositions pour votre sécurité.
— Oui, mais Joe sera là pour...
— Deux précautions valent mieux qu'une. Si vous n'y voyez pas d'inconvénient, quelqu'un passera tous les soirs pour s'assurer que vous allez bien.
— Ça ne me dérange pas du tout, mais ce n'est peut-être pas nécessaire. » Elle serra Eve contre elle. « Ne travaille pas trop. Repose-toi.
— Ça ira, maman ?
— Bien sûr, et je suis même contente de ne plus t'avoir dans mes jambes. Je pourrai enfin inviter Ron à dîner sans redouter que tu lui fasses subir un examen de passage.
— Jamais je ne... » Eve sourit. « Bien sûr, je lui aurais posé quelques questions.
— Tu vois ?
— Prends soin de toi. Je t'appellerai aussi souvent que possible.
— C'était un plaisir de vous rencontrer, madame Duncan. » Logan serra la main de Sandra et prit la valise d'Eve. « Je saurai veiller sur elle et vous la ramènerai le plus tôt possible.
— Je n'en doute pas. Au revoir, monsieur Logan. »
Il sourit. « John. »
Elle lui rendit son sourire. « John. »
Elle se tint sur le pas de la porte pour les regarder descendre l'allée, puis elle leur fit un dernier signe d'adieu et disparut dans la maison.
« Pourquoi cette offensive de charme ? demanda Eve.
— Offensive de charme ? répéta-t-il en lui ouvrant la portière.
— Oui, vous avez sécrété une telle quantité de miel que maman ne pouvait plus bouger.
— J'étais simplement poli.
— Non, charmeur.
— Le charme est le lubrifiant des rapports humains. Vous n'êtes pas de cet avis ?
— Non, ce n'est qu'un masque trompeur. »
Elle avait dit ces mots avec une amertume qui surprit Logan. Puis

il comprit. « Fraser, hein ? On m'a raconté qu'il était comme Ted Bundy, un charmeur. Merde, je ne suis pas Fraser, Eve. »

Il n'avait pas besoin de le préciser. Personne n'était comme Fraser, hors Lucifer lui-même. « Excusez-moi, mais parfois des images remontent, et je ne sais plus ce que je dis.

— Puisque nous sommes appelés à travailler ensemble, je veillerai désormais à me montrer sous mon aspect le plus rude.

— Parfait.

— Attendez avant de vous en réjouir. J'en connais qui gardent un très mauvais souvenir de ma rudesse. » Il démarra. « Interrogez donc Margaret.

— J'ai le sentiment que vous ne l'impressionnez pas.

— Rien n'est plus vrai. Mais c'est parce qu'elle est encore plus dure que moi.

— Où allons-nous ?

— Qu'avez-vous dit à votre mère ?

— Que pouvais-je lui dire, si ce n'est que vous étiez basé sur la côte Ouest, et elle en a déduit que nous allions en Californie. Elle et Joe Quinn ont mon numéro de portable, en cas d'urgence. Mais je vous ai posé une question.

— Nous allons à l'aéroport, où mon avion nous attend pour nous emmener en Virginie ; j'y ai une maison.

— J'aurai besoin de matériel. Presque tout ce que j'avais a été détruit, à part quelques outils.

— Pas de problème. Je vous ai déjà fait installer un véritable laboratoire.

— Quoi ?

— Il vous faut un lieu pour travailler, non ?

— Et si j'avais refusé votre offre ?

— Dans ce cas, j'aurais cherché quelqu'un d'autre. » Il marqua une pause. « Ou je vous aurais fait enlever et vous aurais enfermée jusqu'à ce que vous vous avouiez vaincue. »

Elle se demanda malgré elle s'il plaisantait, ainsi qu'il en avait l'air.

« Excusez-moi, ajouta-t-il. Je ne faisais que tester votre sens de l'humour. Mais vous n'avez pas ri.

— Cela ne signifie pas que je manque d'humour.

— Ça me rassure. » Il engagea la voiture sur la bretelle menant à l'autoroute. « De toute façon, ne vous inquiétez pas, notre contrat n'exige pas que vous en ayez.

— Je ne m'inquiète pas, et je me fiche de ce que vous pensez de moi. J'attends toujours que vous m'expliquiez quel sera mon travail...

— Nous en parlerons quand nous serons en Virginie.

— C'est maintenant que je veux en parler.

— Plus tard. » Il jeta un regard dans le rétroviseur. « C'est une voiture de location, et je n'ai pas eu le temps de la faire vérifier. »

Elle ne comprit pas tout de suite ce qu'il entendait par là. « Vous voulez dire qu'il y a peut-être un micro caché ?

— Je ne sais pas, mais je ne veux pas courir le risque. »

Elle resta silencieuse un moment. « Et vos véhicules sont toujours... vérifiés ?

— Oui, car il m'arrive de traiter des affaires au cours de mes déplacements en voiture, et je dois me protéger contre l'espionnage industriel. Les fuites coûtent cher.

— Surtout quand on joue avec un squelette enterré quelque part.

— Je ne joue pas. » Il jeta de nouveau un coup d'œil dans le rétroviseur. « Croyez-moi, Eve. »

C'était la seconde fois qu'il regardait derrière, et il y avait peu de circulation. « Serions-nous suivis ?

— Peut-être, je n'en sais rien.

— Vous me le diriez si vous le saviez.

— Non, si je pensais que cela puisse vous effrayer et vous inciter à renoncer. » Il tourna la tête vers elle. « Ce serait le cas ?

— Non. J'ai accepté, et je ne reviendrai pas là-dessus. Je ne romprai notre accord que si je découvre que vous m'avez menti. Je ne supporte pas le mensonge, Logan.

— Je ne l'oublierai pas.

— Je ne parle pas à la légère. Vous frayez avec des politiciens, qui pratiquent le double langage. Je ne suis pas comme ça.

— Seigneur, que vous aimez faire la morale aux autres !

— Pensez de moi ce que vous voulez. Je suis franche avec vous, et je ne voudrais pas que vous vous mépreniez à mon sujet.

— Je me souviendrai de cela aussi. Mais je vous assure que vous ne risquez pas de passer pour une politicienne, encore moins une diplomate, dit-il sèchement.

— Je le prends comme un compliment.

— Vous n'aimez pas les politiciens, n'est-ce pas ?

— Je ne suis pas la seule. Il semblerait qu'aujourd'hui nous n'ayons pas d'autre choix que de voter pour les moins mauvais.

— Il y en a quand même qui font du bon travail.

— Si vous essayez de me convertir, abandonnez tout de suite. Je n'apprécie pas plus les républicains que les démocrates.

— Pour qui avez-vous voté lors de la dernière élection présidentielle ?

— Pour Chadbourne. Mais certainement pas parce qu'il est démocrate. Je pensais qu'il ferait un honnête président.

— Et il a répondu à votre attente ? »

Elle haussa les épaules. « Il aurait réussi à faire passer son projet d'aide sociale aux familles en difficulté si le Congrès ne s'y était aussi fermement opposé.

— Il y a des cas où il faut faire sauter l'opposition à la dynamite.

— Vos collectes de fonds pour le Parti républicain n'ont rien d'explosif.

— Ça, c'est votre point de vue. Je fais ce que je peux. J'ai toujours pensé que tout individu devait prendre position. Si l'on veut changer les choses, il faut composer avec le système.

— Personnellement, je me contente de voter le jour des élections.

— Non, vous vous enfermez dans votre atelier avec des ossements.

— Pourquoi pas ? Je préfère la compagnie d'un squelette à celle de n'importe quel homme politique.

— C'est vrai, vous avez un certain sens de l'humour. » Il gloussa. « Alors, acceptons d'être en désaccord sur cette question. Mon père me disait toujours qu'il valait mieux s'abstenir de parler de politique ou de religion avec une femme.

— C'est parfaitement sexiste.

— C'était un brave homme, mais il vivait dans un monde différent. Il n'aurait jamais su comment se comporter avec une femme comme vous ou comme Margaret.

— Il est toujours en vie ?

— Non, j'étais encore étudiant quand il est mort.

— Ferai-je la connaissance de Margaret ? »

Il hocha la tête. « Je l'ai appelée cet après-midi. Sauf imprévu, elle arrivera avant nous.

— N'est-ce pas un peu cavalier de votre part ? Je veux dire, de la faire venir d'aussi loin que la Californie ?

— J'ai besoin d'elle. »

Impossible d'être plus franc... et plus abrupt, pensa-t-elle. Il pouvait toujours feindre de courber l'échine devant Margaret, il fallait qu'elle accoure sitôt qu'il l'appelait.

« Je devine ce que vous pensez, dit-il. Mais je l'ai gentiment priée de venir. Je ne montre jamais le fouet.

— Vous n'avez peut-être plus besoin de le brandir.

— Écoutez, je vous promets de ne jamais utiliser contre vous la moindre coercition, visible ou pas. »

Elle tourna vers lui un regard légèrement amusé. « C'est une excellente résolution, Logan, parce que je ne vous conseille pas d'essayer. »

« Ils embarquent, en ce moment, annonça Fiske. Que voulez-vous que je fasse ? Découvrir son plan de vol et le suivre ?

— Non, sa secrétaire a téléphoné à son papa pour l'avertir qu'elle se rendait dans la maison de son patron, en Virginie. C'est un véritable bastion qu'il a là-bas, mieux gardé que Fort Knox. Nous avons une équipe de surveillance sur place, mais nous n'aurons plus aucun moyen de l'atteindre une fois qu'il sera dedans.

— Alors, je ferais bien d'intervenir avant qu'il arrive à destination.

— Non, je vous l'ai déjà dit, toucher à Logan ferait trop de bruit. Nous n'attenterons à sa personne qu'en cas d'absolue nécessité.

— Alors, je pourrais retourner chez les Duncan. La mère est encore là-bas...

— Nous savons qu'elle n'ira nulle part. Vous vous occuperez d'elle si nous avons besoin de faire diversion. En attendant, nous avons une mission plus urgente pour vous. Revenez ici. »

5

Le jet atterrit sur un aérodrome privé près d'Arlington, en Virginie. Leurs bagages furent immédiatement transportés dans une longue limousine garée à proximité du hangar.

Eve regardait d'un œil désabusé ce déploiement de facilités qu'offrait l'argent, et elle s'attendait que le chauffeur surgisse avec l'empressement obséquieux d'un personnage de Wodehouse [1].

L'homme qui descendit de la voiture était un rouquin athlétique au beau visage parsemé de taches de son. Il n'avait pas trente ans et portait un jean et une chemise à carreaux assortie au bleu de ses yeux.

« Salut, John. Bon voyage ?

— Plutôt. Gil Price, Eve Duncan. »

Gil serra la main d'Eve. « La dame aux ossements. Je vous ai vue dans *Soixante Minutes*. Vous êtes encore plus belle qu'à l'écran ; ils auraient dû zoomer sur vous au lieu de montrer ce crâne.

— Merci, mais je n'ai jamais eu l'intention de passer à la télé. Je n'aime pas les caméras quand je ne suis pas derrière.

— John non plus ne les aime pas. J'ai dû en casser une, l'an passé à Paris. » Il grimaça. « Et John s'est retrouvé en correctionnelle, parce que le type prétendait que c'était son portrait que j'avais démoli, pas son appareil. Je déteste les paparazzi.

— Les paparazzi ne savent même pas que j'existe, alors vous n'aurez pas ce problème.

— Attendez un peu de sortir avec John. » Il ouvrit la portière

1. Sir P. G. Wodehouse (1881-1975), écrivain et humoriste populaire né en Angleterre. *(N.d.T.)*

arrière. « Montez, que je vous emmène à Barrett House en quatrième vitesse.

— Barrett House ? On se croirait dans un roman de Dickens.

— C'était une auberge, du temps de la guerre de Sécession. John l'a achetée l'année dernière et l'a fait entièrement restaurer.

— Est-ce que Margaret est arrivée ? demanda Logan en suivant Eve dans la voiture.

— Il y a deux heures, et d'une humeur exécrable. Je devrais toucher une prime de risque chaque fois que je vais la chercher. » Gil s'installa au volant. « Je ne comprends pas pourquoi elle ne m'aime pas. Elle est bien la seule.

— C'est certainement sa faute, répliqua Logan. Parce que tout le monde s'accorde à te trouver parfait, n'est-ce pas ?

— C'est bien ce que je disais. » Gil démarra et glissa un CD sur la platine. La limousine fut immédiatement envahie des accents plaintifs de *Lonesome Cowboy*.

— La vitre, Gil, fit Logan.

— Oh ! d'accord ! » Il sourit à Eve par-dessus son épaule. « John avait une Jeep Cherokee, mais il ne supporte pas la musique country, alors monsieur a acheté ce corbillard pour pouvoir s'isoler derrière sa cloison vitrée.

— J'aime bien la country ! protesta Logan. C'est ces chansons geignardes qui me tapent sur le système, avec leur cortège de jeunes mariées abattues par un jaloux, de chiens qui pleurent sur la tombe de leur maître...

— C'est parce que tu as une âme de fleur bleue et que tu n'oses pas le montrer. Tu crois que je ne t'ai pas vu pleurer en écoutant Johnny Cash ? Tiens, prends *Lonesome*...

— Prends-le, toi. Et ferme cette vitre.

— À vos ordres. » La séparation vitrée glissa sans bruit, étouffant net la musique.

Logan s'adressa à Eve. « Vous n'êtes pas frustrée, j'espère ?

— Non, je n'aime pas trop les chansons tristes. Mais je vous imagine mal verser des larmes dans votre bière en les écoutant. »

Il haussa les épaules. « Je ne suis qu'un homme. Et ces chanteurs de country savent faire vibrer la corde sensible. »

Eve tourna les yeux en direction de Gil. « Il est sympathique, et je dois avouer que je me faisais une autre idée des gens à votre service.

— Une idée plus conformiste ? s'enquit-il, amusé. Gil est spécial, mais c'est un excellent chauffeur.

— Et un garde du corps ?

— Oui, et redoutable. Il a servi un temps dans la police militaire de l'aviation, ça ne l'a pas discipliné pour autant.

— Et vous ?

— Si je suis discipliné ? Non, cependant je préfère la discussion à l'échange de coups de poing. » Il fit un geste vers le paysage qui défilait. « Nous serons arrivés dans quelques minutes. C'est une très jolie campagne, avec beaucoup de bois et de prairies.

— Ah oui ? » On ne distinguait pas autre chose que le mur végétal dressé par les arbres le long de la route. « Et que faites-vous quand il est impossible de... discuter ?

— Ma foi, je cogne. » Il sourit. « C'est pourquoi nous nous entendons si bien, Gil et moi, nous sommes du même bois. » La voiture quitta la chaussée pour s'engager sur un chemin de terre et s'arrêta bientôt devant d'imposantes grilles en fer forgé.

Eve vit Gil presser un bouton sur le tableau de bord, après quoi le portail s'ouvrit lentement.

« La clôture est-elle électrifiée ? demanda-t-elle.

— Oui, et la propriété est sous surveillance vidéo. Le poste de contrôle est situé dans la grange. »

Elle frissonna malgré elle. « Je veux ma propre télécommande pour ouvrir cette grille. »

Il la regarda.

« C'est une chose de décourager les intrus, c'en est une autre d'enfermer ses invités, expliqua-t-elle. Je n'aime pas l'idée d'être en cage.

— Je n'ai pas l'intention de vous garder prisonnière, Eve.

— Peut-être, mais supposons que je ne réponde pas à ce que vous attendez de moi ?

— Je ne peux pas vous forcer à travailler.

— Alors, je dois pouvoir aller et venir en toute liberté.

— Vous aurez une télécommande demain. Le temps de la programmer. » Il grimaça un sourire. « En attendant, j'ai intérêt à ne pas trop vous bousculer.

— Exact. » Elle se pencha en avant quand la maison fut en vue. La lune était sortie de derrière les nuages. Barrett House était une bâtisse d'un étage tout en longueur. La façade, parfaitement restaurée, n'avait rien perdu de son caractère ancien. L'ensemble n'était nullement prétentieux, et le lierre recouvrant les murs adoucissait la pierre. Comme Gil arrêtait la limousine devant la porte d'entrée, Eve questionna : « Pourquoi acheter une vieille demeure, au lieu d'en faire bâtir une moderne ? »

Logan était déjà dehors et lui tendait la main pour l'aider à descendre. « Parce que cette vieille demeure avait quelques attraits qui me plaisaient énormément.

— Laissez-moi deviner... son propre cimetière ? »

Il rit. « Oui, le cimetière de famille Barrett est sur la propriété. Mais ce n'est pas cela qui m'a séduit. » Il ouvrit la lourde porte d'acajou. « Je n'ai pas de personnel sur place. Une équipe d'entretien vient deux fois par semaine. Nous devrons donc nous débrouiller pour les repas.

— Ça m'est égal. Je ne suis pas habituée à avoir des domestiques, et je n'attache pas beaucoup d'importance à la nourriture. »

Il la regarda de la tête aux pieds. « Je le vois bien. Vous êtes maigre comme un lévrier.

— J'aime les lévriers, intervint Gil en arrivant avec les bagages. Ils sont élégants et ont de grands yeux mélancoliques. J'en ai eu un. J'en ai été malade quand il est mort. Où dois-je déposer les valises de madame ?

— La première porte à droite à l'étage, répondit Logan.

— D'accord, mais vous auriez été plus à l'aise dans l'ancienne grange, Eve, commenta-t-il en se dirigeant vers l'escalier.

— Le labo est ici, ce sera plus pratique pour elle », fit observer Logan.

Et surtout plus pratique pour me surveiller, pensa Eve.

« Margaret doit être déjà en train de dormir, reprit Logan. Vous la verrez demain matin. Vous trouverez tout ce dont vous avez besoin dans votre chambre.

— Je voudrais voir l'atelier que vous m'avez installé.

— Maintenant ?

— Oui. Je ne doute pas que vous l'ayez équipé correctement, mais il y manque peut-être une chose ou deux.

— Alors, venez avec moi. Nous avons utilisé l'une des chambres situées derrière. Je ne l'ai pas vu moi-même. C'est Margaret qui s'est chargée de trouver du matériel.

— Toujours l'efficace Margaret.

— Pas seulement efficace. Exceptionnelle. »

Elle lui emboîta le pas. Ils traversèrent un immense salon orné d'une cheminée monumentale ; le plancher était recouvert de sisal tressé et les fauteuils de cuir semblaient conçus pour des géants. Confortable et dépouillé à la fois.

Il ouvrit une porte au bout d'un couloir. « Voilà, c'est ici. »

C'était froid, stérile, tout en verre et acier inoxydable.

« Hum ! fit Logan en grimaçant. Ce doit être l'idée que se fait Margaret du paradis des sciences. J'essaierai de donner un peu de chaleur à tout cela.

— C'est sans importance, vu le peu de temps que j'y passerai. » Elle s'approcha du piédestal. Il était lourd et réglable. À côté, les trois caméras vidéo, ainsi que l'ordinateur, le mixer, l'imprimante et le magnétoscope étaient les plus perfectionnés du marché. Elle gagna l'établi. Là aussi, les instruments étaient de la meilleure qualité, mais elle préférait ceux qu'elle avait apportés avec elle. Elle ouvrit le coffret de bois posé sur une étagère. Seize paires d'yeux de verre la regardèrent. Il y avait là toutes les variations de marron, gris, vert, bleu et noisette. « Des bleus et des marron auraient largement suffi, dit-elle.

— J'ai demandé à Margaret de vous fournir l'équipement le plus complet possible.

— Je dois avouer qu'elle a réussi. » Puis, se tournant vers lui : « Quand pourrai-je commencer à travailler ?

— Dans un jour ou deux. J'attends un appel.

— Et que ferai-je pendant ce temps-là ? Du fauteuil à bascule en me roulant les pouces ?

— Voulez-vous que je déterre l'un des Barrett pour que vous vous exerciez ?

— Non, laissez-les reposer en paix. Je souhaiterais seulement accomplir ce mystérieux travail et rentrer chez moi.

— Vous m'avez accordé deux semaines, ne l'oubliez pas. » Il se dirigea vers la porte. « Venez, vous devez être fatiguée. Je vais vous montrer votre chambre. »

Oui, elle était très fatiguée. Elle avait l'impression qu'il s'était écoulé une éternité depuis qu'elle avait quitté son atelier, ce matin-là. Sa maison lui manqua soudain. Que faisait-elle, dans cette demeure perdue dans les bois, en compagnie d'un homme dont elle se méfiait ?

La fondation Adam, telle était la réponse. Elle avait une tâche à mener à bien. Les bénéfices qu'elle en tirerait n'avaient pas de prix, même si cela ne ramenait qu'un seul enfant dans son foyer. « Cela m'ennuie de me répéter, précisa-t-elle en le rejoignant sur le pas de la porte, mais ne comptez pas sur moi pour prêter la main à un acte criminel.

— Au risque de me répéter moi-même, je vous assure que vous n'avez rien à craindre de ce côté-là. »

En passant devant lui elle éteignit la lumière que dispensait le plafonnier. « Allez-vous enfin m'apprendre pourquoi vous m'avez amenée ici et au nom de quoi je devrais remplir cette tâche dont je ne sais toujours rien ?

— Ma foi, par devoir patriotique, répondit-il avec un sourire.

— Que me racontez-vous là ? » Elle marqua une pause pour le regarder avec attention. « Une affaire politique ?

— Qu'est-ce qui vous le fait penser ?

— Votre engagement sur la scène et dans les coulisses de la politique n'est un secret pour personne.

— Je suis soulagé que vous ne me suspectiez plus d'être un tueur en série.

— Je n'ai jamais dit ça. Alors, c'est bien ce que je suppose ? Politique ?

— Peut-être. »

Une pensée soudaine vint à Eve. « Bon Dieu, êtes-vous en train de monter je ne sais quel coup contre un politicien de l'autre bord ?

— Non, ce genre de manœuvre n'est pas dans mon style. Ce que je veux, c'est faire triompher la vérité.

— À la condition qu'elle vous... avantage ? »

Il hocha la tête en souriant. « Bien évidemment.

— Alors, je ne suis pas preneuse.

— Laissez-moi vous prouver que je ne vous ai pas fait venir ici pour rien. Maintenant, si je me suis trompé, vous n'aurez plus qu'à rentrer chez vous et nous oublierons que nous nous sommes rencontrés. » Il la précéda dans l'escalier. « Est-ce assez équitable pour vous ? »

Peut-être tout cela n'avait-il rien à voir avec la politique, pensa-t-elle, peut-être était-ce une affaire exclusivement personnelle. « Nous verrons, répondit-elle.

— Vous ne croyez pas si bien dire. Bonne nuit, Eve.

— Bonne nuit. » Elle entra et referma la porte derrière elle. La chambre, grande et confortable, avait un lit à baldaquin. Les couleurs lui rappelèrent son atelier : tons dominants rouille et beige. Le mobilier était simple, en bois de pin. Le seul objet à retenir son attention fut le téléphone sur la table de nuit. Elle s'assit sur le lit et composa le numéro de Joe Quinn.

« Allô ? » La voix était endormie.

« C'est Eve. »

Son ton perdit aussitôt toute trace de somnolence. « Tout va bien ?

— Oui. Désolée de te réveiller, mais je voulais te dire où je suis et te donner le numéro d'ici. » Elle lui dicta les chiffres inscrits sur le combiné. « Tu as noté ?

— Oui. Mais où diable es-tu ?

— Barrett House, le repaire de Logan en Virginie.

— Et tu ne pouvais pas attendre demain matin pour m'appeler ?

— Si, bien sûr, mais je me sens un peu... perdue.

— Je m'en rends bien compte à ta voix. Tu as accepté le travail, alors ?

— Oui, sinon je ne serais pas ici.

— Qu'est-ce qui te fait peur ?
— Je n'ai pas peur.
— Tu parles ! Tu ne m'as pas appelé en plein milieu de la nuit depuis Bonnie...
— Je voulais juste que tu saches où j'étais... et te demander si tu pouvais te renseigner sur un certain Gil Price. C'est le chauffeur de Logan. Il a été un temps dans la police militaire de l'aviation.
— C'est noté.
— Et tu veilleras sur maman pendant que je ne serai pas là ?
— Bien entendu. J'ai demandé à Diane de passer la voir demain après-midi.
— Merci, Joe. Tu peux te rendormir.
— Ouais, c'est ça. » Il marqua une pause. « Je n'aime pas cette histoire, Eve. Sois prudente.
— Je ne pense pas courir un danger quelconque. Bonne nuit, Joe. »
Elle raccrocha et se leva. Elle allait prendre une douche, se laver les cheveux et se coucher. Elle n'aurait pas dû réveiller Joe, mais le seul fait d'entendre sa voix l'avait rassérénée. Tout ici, à Barrett House, semblait paisible et inoffensif, y compris l'aimable Gil Price, mais elle restait tout de même sur la défensive. Le mystère entourant le travail pour lequel elle avait été engagée n'était pas de nature à la rassurer. Par ailleurs, elle n'aimait pas être isolée comme ça dans cette maison. Heureusement, il y avait Joe. Il savait maintenant où elle se trouvait, et il serait son filet de protection pendant qu'elle avancerait sur la corde raide.

« C'était Eve ? demanda Diane en se tournant vers Joe. Ça va ?
— Je pense, mais je n'en suis pas sûr. Elle a accepté un travail qui pourrait... Oh ! après tout, je n'en sais rien ! Il n'y a probablement pas lieu de s'inquiéter. »
Mais Joe s'inquiéterait, pensa Diane. Il s'inquiétait toujours pour Eve.
Il se recoucha et remonta la couverture. « Tu voudras bien rendre visite à sa mère, demain ?
— Bien sûr. » Elle éteignit la lampe de chevet et se blottit contre lui. « Dors, maintenant.
— Oui, toi aussi. »
Mais elle savait qu'il ne se rendormirait pas. Il resterait là, dans le noir, à se tracasser pour Eve. Pas la peine d'en éprouver du ressentiment. Elle avait contracté un bon mariage. Joe avait hérité assez d'argent de sa famille pour qu'ils vivent dans le confort, sans même avoir à toucher à son salaire. Il était plein d'attentions envers elle, généreux

et amant passionné. Elle avait su qu'en épousant Joe elle devrait compter avec Eve, comme si celle-ci avait fait partie du contrat de mariage. Il ne lui avait pas fallu longtemps pour comprendre que le lien unissant ces deux-là était indestructible. Ils étaient tellement proches que, parfois, l'un commençait une phrase et l'autre la finissait.

Mais ce lien n'avait rien de sexuel et ne le serait probablement jamais. Au moins le corps de Joe lui appartenait-il. Aussi s'exhorta-t-elle une fois de plus à la bienveillance et à l'acceptation de cette étrange fraternité entre Eve et son mari. Sois l'amie d'Eve et l'épouse de Joe, se dit-elle. Pas le choix, de toute façon. Elle ne pouvait être l'une sans être aussi l'autre.

« Elle a appelé Joe Quinn il y a une demi-heure. » Gil posa une feuille de papier devant Logan, assis à son bureau. « Mark a transcrit leur conversation. »

Logan parcourut le texte, un mince sourire aux lèvres. « Elle ne nous fait guère confiance, constata-t-il.

— Ça prouve qu'elle est intelligente. » Gil se laissa choir dans un fauteuil, une jambe sur l'accoudoir. « À la vérité, je ne suis pas surpris qu'elle se méfie de toi. Tu es plutôt transparent, mais elle doit être quelqu'un d'infiniment intuitif pour me soupçonner.

— Ce n'est pas à cause de tes capacités de dissimulation, mais de tes taches de rousseur. » Logan fronça les sourcils. « J'ai essayé en vain de prendre contact avec Scott Maren, en Jordanie. Il y a des appels ?

— Non, aucun. » Gil claqua soudain dans ses doigts. « Excuse-moi, il y en a un. De ton avocat, Novak.

— Il peut attendre.

— Veux-tu que Mark brouille la ligne si jamais Eve appelait de nouveau Joe Quinn ?

— Non, elle se servirait de son portable. C'est ce qu'elle fera de toute façon si elle soupçonne que le téléphone de sa chambre est sur écoute.

— Comme tu voudras. Quand est-ce qu'on passe à l'action ?

— Bientôt. »

Gil haussa les sourcils. « Tu ne me cacherais pas quelque chose, par hasard ?

— Je dois d'abord m'assurer que la voie est libre. Timwick me serre de beaucoup trop près.

— Tu sais que tu peux me faire confiance, John.

— J'ai dit que j'attendrai.

— D'accord, salopard. » Gil se leva et se dirigea vers la porte. « Mais je n'aime pas aller à l'aveuglette.

— Je te dirai tout au moment voulu.

— Je prends ça pour une promesse. Essaie de dormir un peu.

— Ouais. »

Quand la porte se referma derrière Gil, Logan jeta un regard à la transcription de l'appel d'Eve. Joe Quinn. Il ne commettrait pas l'erreur de sous-estimer le lieutenant de police. Eve avait su s'assurer la loyauté de l'ancien agent du FBI. La loyauté, l'amitié, et quoi d'autre ? Quinn était marié, mais ça n'empêchait rien. Après tout, la vie sentimentale d'Eve Duncan lui importait peu dès l'instant où elle ferait ce qu'il attendait d'elle. De toute façon, il avait d'autres sujets d'inquiétude.

Scott Maren errait quelque part en Jordanie et il pouvait à tout moment être descendu. Si Timwick avait deviné les intentions de Logan, il en avait nécessairement tiré des conclusions. Et celles-ci devaient l'avoir suffisamment effrayé pour qu'il prenne des mesures de protection.

Logan savait que le temps jouait contre lui, et Maren n'était pas son seul souci. Il sortit son répertoire téléphonique et l'ouvrit à la dernière page. Trois noms y étaient notés, et trois numéros de téléphone.

Dora Bentz.

James Cadro.

Scott Maren.

Les lignes de Bentz et de Cadro étaient probablement surveillées, mais il pouvait toujours appeler et vérifier s'ils étaient encore de ce monde. Ensuite il enverrait quelqu'un les chercher.

Il tendit la main vers le combiné et composa le premier numéro, celui de Dora Bentz.

Le téléphone sonnait.

Fiske finit d'attacher les jambes de la femme aux colonnes du lit et releva la chemise de nuit jusqu'à la taille.

Elle avait une cinquantaine d'années, et encore de très belles jambes. Dommage qu'elle ait eu la taille un peu épaisse. Elle aurait dû faire des abdominaux. Lui-même n'en effectuait pas moins de deux cents tous les matins, et il avait un ventre dur comme du fer. Il alla chercher un balai dans le placard de la cuisine et revint à la chambre.

Le téléphone sonnait toujours.

Il enfonça le balai dans le vagin de la femme. Le meurtre devait passer pour un crime sexuel, mais il ne prendrait pas le risque d'éjaculer en elle ; son sperme le trahirait. De nombreux tueurs en série avaient des difficultés d'éjaculation, et le balai constituait une touche éloquente. Elle disait la haine des femmes et la profanation de leur sexe.

Quoi d'autre ?

Six coups de couteau dans les seins, la bande adhésive en travers de la bouche, la fenêtre ouverte... Rien ne manquait. C'était du bon boulot. Il aurait aimé rester un peu plus longtemps, histoire de jouir de l'excellence de son intervention, mais la sonnerie commençait à lui taper sur les nerfs. Et celui ou celle qui appelait avec une telle insistance risquait fort de raccrocher... pour appeler la police.

Il procéda à un dernier tour d'inspection, s'approcha de la tête du lit et regarda sa victime. Elle avait les yeux ouverts et la même expression de terreur qu'au moment où il lui avait planté son couteau de chasse dans le cœur.

Il sortit de sa poche l'enveloppe contenant les photos et la liste tapée à la machine que Timwick lui avait remise à l'aéroport. Il aimait bien les listes, elles étaient garantes de l'ordre.

Trois clichés. Trois noms. Trois adresses.

Il barra le nom de Dora Bentz.

Le téléphone sonnait encore quand il quitta l'appartement.

Pas de réponse. Il était trois heures et demie du matin. Elle aurait dû se trouver là.

Logan raccrocha lentement. Cela ne signifiait pas grand-chose. Dora Bentz avait des enfants mariés qui vivaient à Buffalo, dans l'État de New York. Elle leur avait sans doute rendu visite ou était partie en vacances.

Elle pouvait aussi être morte.

Logan n'écartait pas l'idée d'une intervention de Timwick. Ce dernier s'était peut-être résolu à éliminer tous les obstacles restants. Jurant tout bas, il comprit qu'il avait eu tort de penser avoir du temps devant lui. À présent, son intuition lui criait qu'il y avait péril en la demeure. Mais envoyer Gil chez Dora Bentz présentait le risque de confirmer les soupçons de Timwick. Que devait-il faire ? Tenter de sauver Dora ou ne pas bouger et bénéficier d'un répit de quelques jours ?

Il hésita, puis attrapa de nouveau le combiné et composa le numéro de Gil, à la grange.

Des phares balayèrent la chambre, juste au moment où Eve sortait de la salle de bains. Elle gagna la fenêtre et vit la limousine s'engager sur l'allée menant au portail. Logan ? Gil Price ? Il était près de quatre heures du matin. Où pouvait-on aller à une heure pareille ? Elle doutait que Logan l'éclaire à ce sujet, mais elle lui poserait tout de même la question.

6

Eve s'endormit à cinq heures d'un sommeil agité. Réveillée à neuf, elle se força à rester au lit, et il n'était pas encore dix heures quand on frappa bruyamment à la porte.

Avant qu'elle ait le temps de répondre, une femme de petite taille et tout en rondeurs entra dans la chambre. « Bonjour, je suis Margaret Wilson. Voici la télécommande que vous avez demandée. » Elle posa l'appareil sur la table de nuit. « Pardonnez-moi si je vous ai réveillée, mais John m'a avertie que je m'étais plantée au sujet de votre labo. Comment diable pouvais-je savoir que vous vouliez quelque chose de cosy ? Que faut-il ajouter ? Des coussins ? Des tapis ?

— Mais rien du tout. » Eve se redressa dans le lit et regarda avec curiosité l'assistante de Logan. Celle-ci devait avoir un peu plus de quarante ans. S'il ne parvenait pas à affiner sa silhouette rondouillarde, le tailleur-pantalon en gabardine grise seyait à ses cheveux châtains coiffés à la garçonne et à ses yeux noisette. « J'ai précisé à M. Logan que ça n'avait pas d'importance, vu le peu de temps que j'y passerais, ajouta Eve.

— Pas d'importance ? John a le souci du détail, et moi aussi. Quelle est votre couleur préférée ?

— Euh... le vert.

— J'aurais dû m'en douter ; les rousses sont tellement prévisibles.

— Je ne suis pas rousse.

— Presque. » Margaret balaya la pièce du regard. « Cette chambre est-elle assez confortable ?

— Oui, c'est parfait. » Eve repoussa les couvertures et se leva.

« Eh bien, il ne me reste plus qu'à appeler cette boutique de décoration à Arlington et leur dire de... mais vous êtes une géante ! s'exclama-t-elle en jaugeant Eve de la tête aux pieds.

— Comment ? dit Eve, amusée.

— Combien mesurez-vous ? s'enquit Margaret d'une voix soudain chagrine.

— Euh... un mètre soixante-quinze.

— C'est bien ce que je disais... une géante. J'ai l'impression d'être une naine à côté de vous. Je déteste les femmes qui sont grandes et minces. Elles me tapent tellement sur le système que j'en deviens agressive.

— Mais vous n'êtes pas si petite que ça... pour une femme.

— Vous cherchez à m'amadouer. » Elle eut une grimace. « Et ça me met sur la défensive. Oh ! il faudra que je lutte contre ça ! Je me consolerai à la pensée que je suis beaucoup plus intelligente que vous... Habillez-vous et venez me rejoindre dans la cuisine. Nous mangerons quelques céréales et je vous emmènerai visiter la propriété.

— Ne vous donnez pas cette peine.

— J'en serai contente, et John m'a prévenue que vous n'auriez rien à faire, aujourd'hui. Si vous êtes comme moi, il y a de quoi devenir folle. » Elle se dirigea vers la porte. « Alors, nous nous occuperons. Dans un quart d'heure en bas ?

— D'accord », répondit Eve en se demandant quelle aurait été la réaction de Margaret si elle avait refusé. Les manières de l'assistante de John Logan tenaient du rouleau compresseur.

Toutefois, il était difficile de ne pas éprouver de sympathie pour elle. Margaret n'avait pas souri une seule fois, mais il se dégageait d'elle une énergie et une chaleur communicatives. Avec sa simplicité, sa franchise brutale, elle apportait un souffle d'air frais contrastant avec la grande tension qu'Eve avait perçue chez Logan.

« Le cimetière de famille des Barrett, annonça Margaret en désignant le petit carré ceint d'une clôture en fer forgé. La tombe la plus récente date de 1922. Voulez-vous entrer ? »

Eve secoua la tête.

« Tant mieux. Je n'aime pas trop ces endroits, mais je pensais que cela vous intéresserait.

— Pourquoi donc ?

— Ma foi, les ossements, c'est tout de même votre rayon, non ?

— Oui, mais pas au point de courir les tombes afin d'en déterrer les cadavres. » Elle remarqua que le cimetière était parfaitement entretenu.

Toutes les sépultures avaient été fraîchement fleuries. « D'où viennent ces fleurs ? Y a-t-il encore des Barrett dans la région ?

— Non, la famille s'est dispersée au fil des ans. » Margaret désigna l'une des pierres tombales. « Randolph Barrett a été le dernier à être enseveli ici, en 1922, comme je vous le disais. L'endroit était dans un triste état quand John a acheté le domaine. C'est lui qui tient à ce que le cimetière soit entretenu et les fleurs changées toutes les semaines.

— Je n'aurais pas cru M. Logan aussi sentimental.

— Il est surtout imprévisible. Mais je suis contente qu'un jardinier paysagiste s'en occupe, parce que les cimetières me dépriment. »

Eve se détourna et redescendit la colline. « Moi pas. Ils m'attristent, peut-être. Surtout les tombes d'enfants. Avant que la pédiatrie fasse les progrès que l'on sait, le taux de mortalité des bébés était considérable. Vous avez des enfants ? »

Margaret secoua la tête. « J'ai été mariée, mais nous étions trop occupés par nos carrières respectives pour songer à procréer.

— Votre travail pour Logan doit être très absorbant.

— C'est le moins qu'on puisse dire.

— Et varié. » Eve marqua une pause. « Comme en ce moment. En effet, une chasse au squelette n'entre pas précisément dans les attributions d'une secrétaire.

— Je ne chasse rien, je fais ce qu'on me demande de faire.

— Cela pourrait être dangereux.

— John veille toujours à ce qu'il ne m'arrive rien de... fâcheux.

— Il s'est déjà lancé dans ce genre de recherche ?

— Les ossements ? Non, mais il est souvent sur le fil du rasoir.

— Et vous avez confiance en lui.

— Pardieu, oui.

— Même si vous ne savez rien de ce qu'il cherche ? Comme maintenant ? »

Margaret eut un grand sourire. « Arrêtez avec vos questions. Je ne sais rien et, de toute façon, saurais-je quelque chose, je ne vous le dirais pas.

— Vous ne voulez même pas me dire si c'est Logan qui est parti en plein milieu de la nuit ?

— John est ici. Je l'ai vu avant qu'il s'enferme dans son bureau, tout à l'heure. C'est Gil qui a pris la voiture.

— Pourquoi ? »

Margaret haussa les épaules. « Demandez-le à John. Vous êtes venue ici parce que vous avez accepté son offre. C'est moi qui me suis occupée de transférer les fonds sur le compte de la fondation

Adam. Et il vous révélera tout quand il jugera le moment venu. Vous pouvez lui faire confiance.

— Je n'ai pas en lui la même foi que vous. » Elle jeta un regard vers la grange. « C'est là que se trouve le poste de contrôle vidéo ?

— Oui, et il y a des caméras cachées dans toute la propriété. C'est Mark – Mark Slater – qui s'en occupe.

— Je ne l'ai pas encore rencontré.

— Il ne quitte pas ses écrans quand John est là, aussi je doute que vous le rencontriez.

— Est-ce que la maison de Logan en Californie est aussi protégée que celle-ci ?

— Naturellement. Vous ne pouvez pas savoir le nombre de cinglés qui vivent là-bas. Les hommes comme John sont des cibles de prédilection. » Elle accéléra le pas. « J'ai du travail. Ça ne vous ennuie pas si je vous laisse seule cet après-midi ?

— Non, pas du tout. Vous n'êtes pas obligée de me tenir compagnie, Margaret.

— Allons, c'est un plaisir pour moi. Vous ne correspondez pas à l'image que je me faisais d'une femme vivant entourée de squelettes.

— Ils ont le mérite d'être inoffensifs, répliqua Eve, amusée par la franchise de Margaret.

— Peut-être, mais je m'attendais à quelqu'un de distant, de froid, de très sérieux. D'où mon erreur avec votre atelier. C'est la faute de John. Je lui ai dit qu'il aurait dû me donner plus de précisions, me parler de vous. Ça ne lui vaut rien de s'apercevoir que je ne suis pas aussi parfaite qu'il le souhaite, ça le perturbe.

— J'imagine mal Logan perturbé par quoi que ce soit, rétorqua Eve en souriant.

— Tout le monde a ses moments de faiblesse, même moi, avoua Margaret avec gravité. Mais seulement quand je suis à côté d'une géante comme vous. Que voulez-vous, j'ai eu quatre frères qui mesurent tous un mètre quatre-vingt-dix. Est-ce que votre mère est grande ?

— Non, elle est de taille moyenne.

— Donc, vous êtes une anomalie et, à ce titre, je vous pardonne. Je n'en parlerai plus.

— Merci. J'apprécie...

— Où étiez-vous passées, toutes les deux ? » Logan venait à leur rencontre. « Avez-vous bien dormi ? demanda-t-il à Eve.

— Non.

— Bon, je vous laisse, j'ai du travail. À plus tard, Eve, s'empressa d'intervenir Margaret avant de s'éclipser.

Eve hocha la tête, le regard fixé sur Logan. Vêtu d'un jean et d'un polo noirs, il paraissait différent de l'homme qui, deux nuits plus tôt, était venu la voir. Ce n'était pas seulement à cause des vêtements ; il semblait avoir abandonné l'image du riche homme d'affaires à laquelle il s'était conformé jusque-là.

« Mauvaise nuit, donc, reprit-il. Le fait de changer de lit ?

— En partie. Pourquoi Gil Price est-il reparti si peu de temps après notre arrivée ?

— J'avais une course pour lui.

— À quatre heures du matin ?

— Oui, c'était urgent. Il devrait être de retour ce soir. » Il marqua une pause. « J'espérais vous laisser un jour ou deux, le temps de vous acclimater à votre nouvel environnement, mais nous allons probablement commencer plus tôt que prévu.

— Tant mieux. Apportez-moi les ossements et je pourrai enfin me mettre au travail.

— Il se peut que vous deviez aller les chercher. »

Elle se raidit. « Quoi ?

— Il serait préférable que vous les examiniez rapidement sur le lieu de l'excavation, pour voir si cela vaut la peine d'apporter le squelette ici. Mon informateur m'a peut-être menti, et le crâne est peut-être trop endommagé pour que vous puissiez reconstituer le visage.

— Vous voulez que je sois sur place quand vous le déterrerez ?

— C'est possible.

— Ne comptez pas sur moi pour ça.

— Je vous le répète, il se peut que votre présence soit nécessaire. C'est sans doute le seul moyen de...

— Non, pas question.

— Nous en reparlerons. » Il observa un silence. « Avez-vous apprécié le cimetière ?

— Décidément, tout le monde me pose la même question... » Elle le regarda avec un regain d'attention. « Mais comment savez-vous que je suis allée au... ? Ah ! oui, bien sûr, les caméras ! Je n'aime pas qu'on m'espionne, Logan.

— Les caméras ne font pas de distinction. Elles vous ont filmées, Margaret et vous, quand vous êtes passées dans leur champ de vision. »

Eve hocha la tête. Que pouvait-elle répondre à cela ? « Eh bien, oui, j'ai apprécié les fleurs sur les tombes.

— Cette terre a appartenu à la famille Barrett, et il est naturel que je respecte leurs morts.

— Peut-être, mais c'est chez vous, maintenant.

— Vous savez, les Barrett ont construit cette auberge, ils y ont vécu et travaillé pendant plus de cent soixante ans ; ils ont été les témoins de l'histoire de notre pays. Saviez-vous qu'Abraham Lincoln a séjourné ici, juste avant la fin de la guerre de Sécession ?

— Encore un républicain. Je ne m'étonne plus que vous ayez acheté la propriété.

— Il y a certaines résidences où est passé Lincoln dont je ne voudrais pas même si on me les offrait. J'attache trop d'importance à mon confort. » Il ouvrit la porte et s'effaça devant Eve. « Vous avez appelé votre mère ?

— Non, je le ferai ce soir, quand elle rentrera du travail. » Elle sourit. « Si toutefois elle n'est pas partie quelque part en week-end. Elle sort avec un avocat du bureau du procureur.

— Il a bien de la chance, c'est une femme délicieuse.

— Oui, et intelligente. Après la naissance de Bonnie, elle a repris ses études. Elle est maintenant chroniqueuse judiciaire.

— Elle a repris ses études après la naissance de votre... » Il se tut. « Excusez-moi, je suis sûr que vous n'avez pas envie de parler de votre fille.

— Non, le sujet n'est plus aussi douloureux qu'autrefois. Dès l'instant où Bonnie est entrée dans nos vies, tout a changé. L'amour a ce pouvoir, vous savez.

— Oui, il paraît.

— C'est la vérité. J'avais beau essayer d'arracher ma mère du crack, je n'y parvenais pas. Peut-être étais-je moi-même trop amère et irritée. Je la haïssais parfois. Et puis Bonnie est née, et j'ai changé, je me sentais pleine d'espoir. Ma mère aussi a changé. Je ne sais pas si c'était le bon moment pour elle de décrocher de la drogue ou si elle s'est fait violence parce qu'elle voulait m'aider à élever Bonnie. Elle aimait cette petite. À vrai dire, tout le monde l'aimait.

— Oui, je comprends. J'ai vu sa photo.

— Elle était belle, n'est-ce pas ? » Un sourire lumineux éclairait son visage. « Et tellement heureuse. Toujours contente et... » Elle dut s'interrompre, la gorge soudain serrée. « Excusez-moi, ça devient difficile d'en parler.

— Vous n'avez pas à vous excuser, dit-il, plus rudement qu'il ne l'aurait souhaité. Je n'aurais pas dû aborder ce sujet.

— J'ai bien voulu vous répondre. Elle est toujours présente en moi, je ne peux ni ne veux l'oublier. C'est une partie de moi, sans doute la meilleure. » Elle se détourna de Logan. « À présent, je vais travailler un peu au labo, voir ce que je peux faire de Mandy. »

Il la regarda avec étonnement. « Vous avez apporté ces fragments d'os avec vous ?

— Bien sûr. Il est possible que je ne puisse rien en tirer, mais ça vaut la peine d'essayer. »

Il sourit. « Vous avez raison. »

Elle s'éloigna, consciente du regard de Logan sur elle. C'était peut-être une erreur de lui montrer combien elle pouvait être vulnérable, mais la conversation était passée d'un sujet à l'autre tout naturellement. Logan l'avait écoutée avec une attention et une sympathie apparemment sincères. Alors, était-il vraiment le manipulateur qu'elle le soupçonnait d'être ?

Et, si oui, quelle importance cela avait-il ? Elle n'avait pas honte de ses sentiments envers Bonnie et n'avait rien dit qu'il pût utiliser contre elle. Son seul avantage tenait au fait qu'elle lui avait parlé comme à un ami. Cela ne signifiait pas, loin de là, qu'une amitié venait de naître entre eux.

Elle poussa la porte de l'atelier et gagna la table sur laquelle reposait le coffret de bois contenant les restes de Mandy. L'ayant ouvert, elle entreprit de sortir les fragments un à un pour les étaler comme les pièces du puzzle qu'elle ambitionnait de recomposer. Certains morceaux n'étaient guère plus gros que de fines échardes. La tâche lui parut soudain folle et quasi impossible.

Elle se reprocha aussitôt une telle attitude ; plus qu'un travail, c'était sa mission de reconstituer ce crâne, et elle trouverait le moyen d'y arriver.

« Salut, Mandy. » Elle s'assit à la table et choisit une partie de l'arête nasale, le plus gros fragment du lot. « Nous allons commencer par ça. Ne t'inquiète pas. Cela prendra du temps, mais tu ne seras pas déçue du résultat. »

« Dora Bentz est morte, annonça Gil quand Logan décrocha le téléphone.

— Merde. » Sa main se crispa sur le combiné.

« Tuée à coups de couteau et apparemment violentée. Elle a été découverte par sa sœur venue la chercher pour leur séance d'aérobic. La sœur avait une clé et elle est entrée, après avoir sonné en vain. La fenêtre était ouverte et la police y voit l'œuvre d'un sadique ou d'un tueur en série.

— Ouais, tu parles !

— En tout cas, la mise en scène est parfaite.

— Comme l'acte de vandalisme dans l'atelier d'Eve. Tu as été suivi ?

— Oui, et ça ne m'a pas étonné.

— Pourrais-tu t'informer auprès de tes anciens copains sur l'homme de main de Timwick ?

— Je vais essayer. Veux-tu que je rentre à Barrett House ?

— Non. J'ai tenté toute la matinée de joindre James Cadro. D'après ce que j'ai appris à son bureau, il serait parti camper avec sa femme dans les Adirondacks. » Il marqua une pause. « Dépêche-toi, Gil, j'ai appris aussi que je n'étais pas le seul à avoir demandé où il était.

— Mais tu sais où, dans les Adirondacks ?

— Quelque part près de Jonesburg.

— Super ! Près de Jonesburg, pas de problème. Ça ne fait jamais que quelques milliers de kilomètres carrés à fouiller ! s'exclama Gil d'un ton railleur. J'adore les instructions précises. J'y vais, je te rappelle dès que j'ai du nouveau. »

Logan raccrocha. Dora Bentz était morte. Il aurait pu la sauver s'il était intervenu plus tôt. Seulement voilà, il avait pensé qu'il préserverait mieux la vie de ses trois témoins en feignant d'ignorer leur existence, de manière à ne pas attirer l'attention sur eux.

Il s'était trompé. Dora était morte, mais il n'était peut-être pas trop tard pour les deux autres. Il lui fallait trouver une diversion pour sauver ces hommes dont il avait désespérément besoin.

Toutefois, passer à l'action sans Eve Duncan était impossible. Elle était la clé. Il devait être patient avec elle et gagner sa confiance, ce qui prendrait probablement du temps. Intelligente, elle comprendrait vite que le travail qu'on attendait d'elle lui ferait courir ainsi qu'à sa mère des dangers auprès desquels le saccage de son atelier passerait pour une joyeuse plaisanterie.

Il lui fallait trouver rapidement le moyen de vaincre la défiance d'Eve et de s'en faire une alliée. Il se renversa dans son fauteuil et commença d'examiner divers scénarios.

« Ohé ! » Margaret passa la tête par la porte entrebâillée. « Les décorateurs sont ici. Est-ce que vous pourriez leur laisser la place pendant une heure ?

— Je vous ai dit que ce n'était pas nécessaire, répliqua Eve.

— Trop tard. Ils sont là et ne repartiront pas sans avoir fait leur travail, et moi le mien.

— Juste une heure ?

— Je leur ai précisé que vous ne vouliez pas être dérangée et qu'ils pourraient repartir avec leurs articles s'ils mettaient plus longtemps. De toute façon, c'est le moment de vous alimenter. » Elle consulta sa montre. « Il est presque sept heures. Que diriez-vous d'une soupe et d'un sandwich, en attendant qu'ils aient fini ?

— D'accord, je vous rejoins, mais recommandez-leur de ne pas toucher aux fragments d'os qui sont sur la table, sinon ce n'est pas leur vente qui sera en danger, mais leur vie.

— Très bien », dit Margaret, et elle disparut.

Eve ôta ses lunettes et se frotta les yeux. Une pause lui ferait le plus grand bien. Il y avait plus de trois heures qu'elle travaillait, et elle n'avait guère avancé. Mais c'était mieux que rien. Elle reprendrait sa tâche après avoir mangé.

Dans le couloir, elle croisa quatre hommes, les bras chargés d'articles de mobilier, et dut se plaquer contre le mur pour les laisser passer.

« Venez ! l'appela Margaret de l'entrée de la cuisine. Vous verrez, tout sera installé dans une heure, et ce sera le plus bel atelier du monde.

— Je ne suis pas à une heure près, fit Eve en la rejoignant.

— Vous n'avez pas l'air très en forme, remarqua Margaret avec une moue de compassion. Soupe à la tomate et sandwiches au fromage, ça vous ira ?

— C'est parfait, dit Eve en s'asseyant à la table. Je n'ai jamais eu un gros appétit.

— Pas comme moi. Mais je suis au régime et j'essaie de m'y tenir. » Elle prit place en face d'Eve et la regarda d'un air de reproche. « Vous ne devez pas savoir ce que c'est... d'être au régime.

— Je suis désolée, répliqua Eve avec un sourire.

— Vous pouvez. » Elle tendit la main vers la télécommande du téléviseur encastré dans le mur. « Ça ne vous ennuie pas si j'allume la télé ? Le Président donne une conférence de presse, et j'ai l'ordre de John d'enregistrer toutes les apparitions de Chadbourne.

— Je vous en prie, répondit Eve en commençant à manger. La politique n'est pas ma tasse de thé.

— Pour moi non plus mais, chez John, c'est une véritable obsession.

— Oui, il semblerait. Pensez-vous qu'il ait l'intention de faire une carrière politique ? »

Margaret secoua la tête. « Non, il ne pourrait jamais supporter un tel cirque. » Elle se tut pour observer le Président, qui discourait devant un parterre de journalistes. « Ce Chadbourne est excellent. Quel charme ! Savez-vous qu'il a la réputation d'être le Président le plus charismatique depuis Reagan ?

— Non, mais l'importance de sa tâche exige plus que du charisme.

— Peut-être. Pourtant, c'est grâce à leur charme qu'ils se font élire. Regardez-le. Tout le monde affirme qu'il se pourrait bien qu'il ait le Congrès derrière lui, cette fois-ci. »

Eve regarda. Grand, élancé, Ben Chadbourne approchait de la cinquantaine. Il avait un beau visage et des yeux gris qui brillaient de vitalité et d'humour. Il donna un exemple de cet humour en répondant à l'un des journalistes, provoquant un éclat de rire général dans la salle.

« Impressionnant, commenta Margaret. Et Lisa Chadbourne sait tenir sa place. Vous avez vu sa robe ? Valentino, je parie.

— Je ne sais pas.

— Dites que vous vous en fichez. » Margaret fit la grimace. « Pas moi. Elle ne rate pas une seule conférence de presse, et j'adore ses tenues. Un jour, j'aurai tellement maigri que je pourrai m'habiller comme elle.

— Elle est très séduisante, admit Eve. Et je lui suis reconnaissante d'avoir su recueillir de l'argent pour les enfants maltraités.

— Ah oui ? fit Margaret d'une voix distraite. Non, cette robe n'est peut-être pas de Valentino. »

Eve sourit, amusée. Elle n'aurait jamais soupçonné qu'une femme aussi dynamique que Margaret pût se passionner pour la robe de la Première Dame du pays.

Ladite robe mettait en valeur le corps élancé de Lisa Chadbourne, et la couleur beige clair contrastait avec sa peau bronzée et ses longs cheveux noirs. La femme du Président souriait, admirative et aimante.
« Elle est vraiment belle, reconnut Eve.

— Pensez-vous qu'elle ait fait un lifting ? Elle doit avoir quarante-cinq ans, mais n'en paraît même pas trente.

— C'est possible, dit Eve en terminant sa soupe. Peut-être qu'elle vieillit bien, tout simplement.

— Je ne sais pas si j'aurai cette chance. J'ai repéré deux nouvelles rides sur mon front. Pourtant, je me garde du soleil et je fais mon possible pour retarder l'échéance, mais ça me déprime quand je la vois, avoua Margaret en éteignant le poste. Quant à Chadbourne, il raconte toujours les mêmes choses... qu'il va baisser les impôts, trouver du travail à tout le monde, aider les enfants...

— Il n'y a pas de mal à ça.

— Peut-être, mais allez dire ça à John. Je dois reconnaître tout de même que nous avons un bon Président. Sa femme donne plus dans la charité qu'Eva Peron, et c'est tout juste si elle ne lave pas elle-même sa vaisselle. Le parti de John aura du mal à vaincre une administration devenue aussi populaire que celle de Kennedy. »

À moins qu'il ne trouve le moyen de compromettre le parti adverse, songea Eve. Et cette pensée lui déplaisait profondément. « Où est Logan ?

— À son bureau, dans la bibliothèque. Il passe des coups de fil. » Margaret se leva. « Café ?

— Non, merci, j'en ai pris un tout à l'heure, à l'atelier.

— Alors, j'ai bien fait de vous installer une cafetière là-bas.

— Oui, je vous en remercie. J'ai tout ce dont j'ai besoin, il ne me manque rien.

— Vous avez bien de la chance, s'il ne vous manque rien. » Elle se versa une tasse de café. « Tout le monde ne peut pas en dire autant. Il nous faut lutter, faire des compromis... » Elle se tut soudain. « Bon Dieu, je suis désolée. Je ne voulais pas insinuer que vous n'aviez jamais souffert...

— Ce n'est rien, la rassura Eve en se levant. Les décorateurs vont avoir bientôt fini et, moi aussi, il faut que je téléphone.

— Je vous ai fait fuir ?

— Allons, ne dites pas de bêtises. J'ai bien compris que vous parliez de mon travail, pas du reste. De plus, je ne suis pas aussi sensible que...

— Oh ! que si ! l'interrompit Margaret. Mais vous ne le montrez pas. Vous savez, je vous admire. À votre place, je ne sais pas si je pourrais... » Elle haussa les épaules. « Je ne voulais pas vous blesser.

— Vous ne l'avez pas fait, murmura Eve d'une voix douce. Sincèrement. Je vous laisse. À plus tard.

— Pendant que vous téléphonez, je vais asticoter mes décorateurs.

— Merci. » Eve quitta la cuisine et monta dans sa chambre. Ce qu'elle avait confié à Margaret était vrai, en partie. Le temps avait cicatrisé ses blessures et, dans un certain sens, elle avait vraiment de la chance : elle exerçait une profession qu'elle aimait, s'entendait merveilleusement avec sa mère et avait de bons amis.

Surtout, elle avait Joe et allait l'appeler tout de suite pour voir s'il avait pu dénicher autre chose sur Logan. Elle n'aimait pas beaucoup la tournure que prenait la situation.

Non, d'abord Sandra. Ce ne fut qu'à la sixième sonnerie que sa mère répondit, et Eve l'entendit rire aux éclats. « Allô ?

— Inutile de te demander si tu vas bien. Qu'est-ce qui est si drôle ?

— Ron vient de se verser de la peinture sur son... » Elle pouffa. « J'aimerais que tu sois là pour voir ça.

— Vous êtes en train de peindre ?

— Oui, l'atelier, je t'avais dit que je m'en chargerais. Ron s'est proposé de m'aider.

— Quelle couleur ? s'enquit Eve.
— Bleu et blanc. Ça ressemblera à un ciel avec des nuages. On essaie ce procédé avec des sacs-poubelle.
— Des sacs-poubelle ?
— Oui, j'ai vu ça à la télé. Ça donne de jolis effets... attends une seconde. » Eve perçut quelques mots adressés à Ron. « Non, pas ça, tu abîmes les nuages... Il faut d'abord faire les coins... » Elle revint en ligne. « Comment vas-tu ?
— Bien. J'ai travaillé sur...
— Tant mieux. » Elle riait de nouveau. « Pas d'angelots, Ron. Eve aurait une attaque.
— Des angelots ?
— Non, non, promis, seulement des nuages. »
Bon sang, des angelots, des nuages, un ciel bleu. Elle se demanda si chez sa mère l'amour ne s'accompagnait pas d'une régression. « Écoute, je vois que tu es occupée. Je te rappellerai demain ou après-demain.
— Je suis contente que tout se passe pour le mieux de ton côté. Ça te fait le plus grand bien d'être partie un peu. »
C'était surtout à sa mère que son absence réussissait. « Pas d'autres ennuis ?
— Des ennuis ? Oh ! tu parles du saccage de l'atelier ! Non. Le calme total. Joe est passé ici après son travail, avec de la cuisine chinoise, mais il est parti juste après l'arrivée de Ron. Ils se connaissaient, figure-toi. Après tout, ce n'est pas si étrange que ça, vu que Ron travaille au bureau du procureur, et Joe... Ron, ajoute un peu de blanc à ce bleu. Eve, il faut que je te laisse, il est en train de gâcher tous mes nuages.
— Ce serait dommage. Au revoir, maman. Prends bien soin de toi.
— Toi aussi. »
Eve souriait en raccrochant. Sandra semblait avoir rajeuni de vingt ans depuis que le sieur Ron était entré dans sa vie. Eve n'avait rien contre cette nouvelle jeunesse due à l'amour, elle était heureuse que sa mère trouve enfin le bonheur avec un homme. Oui, elle était contente, mais pourquoi se sentait-elle soudain vieillie d'un siècle ? Parce qu'elle était stupide et peut-être un peu envieuse, se dit-elle.
Il était temps d'appeler Joe. Elle tendait la main vers le téléphone quand elle se ravisa. Logan savait qu'elle avait visité le cimetière, et cette grange près de la maison était une véritable ruche électronique. Cela ne signifiait pas que la ligne téléphonique était sur écoute, elle se faisait sans doute des idées. Mais, depuis son arrivée à Barrett

House, elle ne pouvait chasser cette impression d'être espionnée. Attrapant son portable dans son sac, elle composa le numéro de Joe.

« J'allais t'appeler, dit-il. Comment ça se passe ?

— Justement, il ne se passe rien, je me tourne les pouces. Il ne m'a toujours pas expliqué ce qu'il attendait exactement de moi, mais il cherche à gagner ma confiance... ce qui n'est pas pour me rassurer. Et toi, tu as découvert quelque chose ?

— Peut-être, mais c'est assez bizarre.

— Tout est bizarre dans cette histoire.

— Il semblerait qu'il s'intéresse depuis peu à John Kennedy.

— Kennedy ?

— Oui. Logan est républicain. C'est ça le plus étrange. Il s'est rendu lui-même à la bibliothèque Kennedy, où il a demandé des photocopies du rapport de la commission Warren sur l'assassinat du Président. Il est allé aussi à Dallas et à l'hôpital de Bethesda. Il a même rencontré Oliver Stone et l'a interrogé sur les recherches effectuées pour son film *JFK*. Et tout cela sans se presser, avec discrétion, comme pour satisfaire une simple curiosité.

— Kennedy. » C'était en effet étrange. « Je ne vois pas le rapport avec le travail qu'il doit me confier. Autre chose ?

— Non, mais je continuerai à m'informer. » Il changea de sujet. « J'ai rencontré l'amoureux de ta mère. Je connais Ron, c'est un chic type.

— Elle ne jure plus que par lui. Continue de la surveiller pour moi, tu veux ?

— Oh ! je veux bien, mais Ron monte une véritable garde autour d'elle !

— Je ne le connais pas. Maman craignait que je ne lui fasse peur.

— Je la comprends.

— Quoi ? Tu sais que j'ai toujours souhaité qu'elle rencontre quelqu'un.

— Oui, mais à condition que ce soit toi qui le choisisses.

— Ce n'est pas vrai... enfin, pas tout à fait.

— Écoute, je dois te laisser. Diane compte sur moi pour aller au cinéma à la séance de neuf heures. Je t'appellerai dès que j'aurai du nouveau.

— Merci, Joe.

— Ne me remercie pas, je n'ai vraiment pas trouvé grand-chose. »

C'est probablement vrai, se dit Eve en reposant le combiné. L'intérêt de Logan pour JFK devait être une coïncidence. Quelle relation pouvait-il bien y avoir entre l'ancien Président et la situation actuelle ?

Coïncidence ? Elle ne pouvait prétendre tout savoir de Logan, mais voilà assurément un homme qui ne faisait rien sans un but précis. Sa curiosité et ses recherches concernant Kennedy étaient bien trop récentes pour être innocentes. Par ailleurs, s'il s'était montré aussi discret que Joe le disait, c'est qu'il devait avoir une bonne raison.

Laquelle ? La pensée qui s'imposa soudain à elle la figea sur place. Non, impossible. « Oh ! mon Dieu ! » murmura-t-elle.

7

Quelques minutes plus tard, elle entrait dans la bibliothèque. Refermant la porte sans bruit, elle fit de la lumière et s'approcha du bureau de Logan. Il n'y avait que des papiers et des carnets d'adresses dans le tiroir de droite. Celui de gauche contenait des livres. Elle les sortit et les posa devant elle.

Se trouvaient là le rapport de la commission Warren, l'ouvrage de Crenshaw sur l'autopsie de Kennedy et un bouquin aux pages écornées intitulé *La Conspiration Kennedy : questions et réponses.*

« Je peux vous aider ? » Logan se tenait sur le seuil.

« Seriez-vous fou ? questionna-t-elle en pivotant vers lui. Kennedy ? Vous avez certainement perdu la tête. »

Il approcha et s'assit à son bureau en face d'elle. « Qu'avez-vous ? Vous paraissez en colère.

— Pourquoi le serais-je ? Parce que vous m'avez entraînée jusqu'ici pour me faire participer à cette farce macabre ? Faut-il que vous soyez tordu !

— Pourquoi ne pas vous asseoir et respirer un grand coup ? » Il lui sourit. « Vous m'impressionnez quand vous jouez les furies.

— Ce n'est pas drôle, Logan. »

Son sourire disparut. « Je vous l'accorde, ça ne l'est pas. J'espérais ne pas en arriver là, mais ma prudence n'a servi à rien. Je suppose que vous n'avez pas fouillé dans mes tiroirs par simple curiosité. Joe Quinn ?

— Oui.

— Je sais de bonne source qu'il est très intelligent, mais c'est pourtant vous qui l'avez aiguillé sur moi. Pourquoi ne pas le laisser tranquille ?

— Vous vous attendiez à ce que je continue d'errer dans le noir ? »

Il resta silencieux un moment. « Non, mais je l'espérais. Je voulais que vous entrepreniez votre travail sans la moindre idée préconçue.

— Même quand je possède l'identité et la photo de la personne, j'aborde toujours la reconstitution de son crâne comme si je ne savais rien d'elle. C'est l'essence même de ma tâche. Ce qui me révolte, c'est que vous attendiez de moi que je vous aide à déterrer le squelette de Kennedy.

— Non. J'ai seulement besoin que vous vérifiiez...

— C'est ça, et que je me fasse descendre ? Enfin ! Kennedy est enterré dans le cimetière d'Arlington !

— Vraiment ? »

Eve se tut. « Que voulez-vous dire ? interrogea-t-elle d'une voix blanche.

— Je vous en prie, asseyez-vous.

— Je ne veux pas m'asseoir, j'attends vos explications.

— D'accord. » Il marqua une pause. « La question est donc : et si ce n'était pas Kennedy qui est enterré à Arlington ?

— De nouvelles métastases de la théorie du complot ?

— C'est en effet un complot, mais particulièrement vicieux. Imaginez que ce soit l'un des sosies de Kennedy qui ait été tué à Dallas. Imaginez que le vrai Kennedy soit mort avant le voyage à Dallas. »

Elle le considéra d'un air incrédule. « L'un des... sosies, dites-vous ?

— Oui. La plupart des grands de ce monde ont des sosies, qui leur servent de doublures pour protéger leur vie privée ou leur propre personne. Saddam Hussein, pour ne citer que lui, en aurait au moins six.

— Mais c'est un dictateur d'un pays du tiers monde. Ici, personne ne pourrait étouffer une affaire pareille.

— Pas sans aide, évidemment.

— Et l'aide de qui ? demanda-t-elle d'un ton sarcastique. De papa Joseph ? De frère Robert[1] ? » Elle le regarda, les mains sur les hanches. « Vous délirez, Logan. Je n'ai jamais rien entendu d'aussi extravagant ! Et qui accusez-vous ?

— Je n'accuse personne. Je me borne à envisager toutes les possibilités, partant de l'hypothèse que c'est son sosie qui a été tué à Dallas. Le Président avait toutes sortes de problèmes de santé. Il aurait très bien pu décéder de causes naturelles.

1. Joseph Patrick et Robert Francis Kennedy, respectivement père et frère du Président assassiné. *(N.d.T.)*

— “Aurait”, dites-vous ? Êtes-vous en train d’insinuer qu’il serait mort de maladie ?

— Vous ne m’écoutez pas. Je ne sais pas de quoi il est mort. Je sais seulement qu’une supercherie de cette taille a nécessité la complicité de pas mal de personnes.

— Un complot élaboré à la Maison-Blanche ? » Elle eut un rire amer. « N’est-ce pas bien commode pour vous que Kennedy ait été démocrate ? Vous pourrez accuser l’opposition de n’être qu’une bande de conspirateurs sans scrupules, indignes de remporter les prochaines élections. Et quel heureux hasard si cette affaire pouvait se traduire par une victoire de votre parti !

— Ça se pourrait bien.

— Salopard ! Je n’aime pas qu’on fasse de la diffamation un instrument de campagne politique. Et je n’aime pas non plus être utilisée, Logan !

— C’est compréhensible. Bon, maintenant que vous m’avez exprimé toute votre réprobation, voulez-vous m’écouter un instant ? » Il se pencha en avant dans son fauteuil. « Il y a huit mois, j’ai reçu un coup de fil d’un certain Bernard Donnelli, un entrepreneur de pompes funèbres qui possède un petit établissement dans la banlieue de Baltimore. Il m’a proposé de venir le voir, m’en disant juste assez pour m’intriguer et me faire prendre le premier avion pour Baltimore. Le bonhomme avait peur, et il m’a donné rendez-vous à cinq heures du matin dans un parking. » Il haussa les épaules d’un air vaguement amusé. « Pas très imaginatif. Il avait dû voir ça dans un mauvais film de gangsters. Il s’est révélé qu’il était plus cupide que peureux. L’information qu’il détenait était, bien entendu, à vendre. Il y avait aussi un objet qui, selon lui, valait son pesant d’or : un crâne.

— Seulement un crâne ?

— Le reste du corps avait été incinéré par le père de Donnelli. Il semble que la maison ait été de longue date utilisée par la mafia et Cosa Nostra pour les débarrasser des cadavres encombrants. Les Donnelli avaient dans la pègre une réputation d’hommes discrets et fiables. Une nuit, deux individus sont arrivés avec un cadavre mais, en dépit de l’importante somme qu’ils proposaient pour l’incinération de ce dernier, le vieux patron n’a pas aimé leur allure. Visiblement, ils n’appartenaient pas au milieu, dont Donnelli connaissait bien les règles. Ils ont essayé de l’empêcher de voir le corps, mais le peu qu’il a aperçu lui a foutu une frousse du diable. Devenu dès lors un témoin gênant, il redoutait que les deux types ne reviennent pour lui trancher la gorge. Alors, il a préservé le crâne et l’a caché, pour s’en faire une espèce de police d’assurance.

— Il a préservé le crâne ?

— Peu de gens savent qu'il faut une température de deux mille cinq cents degrés et au moins dix-huit heures de crémation pour réduire un squelette en cendres. Donnelli s'est arrangé pour disposer le corps de manière que la tête échappe en partie aux flammes des brûleurs. Les deux hommes ont assisté à l'incinération pendant un peu moins d'une heure, et dès leur départ Donnelli a récupéré le crâne et a brûlé le reste. Par la suite, il s'en est servi comme instrument de chantage et, peu de temps avant sa mort, il a confié à son fils, Bernard, où il avait enterré le crâne. Un héritage plutôt macabre mais profitable, très profitable.

— Donnelli est mort ?

— Oui, mais il n'a pas été assassiné. Il était âgé et avait le cœur fatigué.

— Qui pouvait-il faire chanter ?

— Je ne sais pas, reconnut Logan avec un haussement d'épaules. Le fils Donnelli ne m'en a rien dit lorsqu'il m'a proposé de me vendre le crâne.

— Et vous n'avez pas cherché à savoir sur qui il exerçait son chantage ?

— J'ai essayé, bien sûr... sans résultat. Il n'avait pas le cran du père et n'aimait pas courir de risques. Il m'a juste offert de m'indiquer l'endroit où était enterré le crâne et les informations que je viens de vous rapporter, en échange d'assez d'argent pour aller vivre en Italie avec un nouveau visage et une nouvelle identité.

— Donc, vous avez conclu l'affaire ?

— Oui. Il m'est arrivé de payer bien plus cher des renseignements qui avaient dix fois moins d'intérêt.

— Et, maintenant, vous attendez que je fasse fructifier cet intérêt.

— Oui, si ce que m'a dit Donnelli est vrai.

— Ça ne peut pas l'être. Cette histoire ne tient pas debout.

— Alors, pourquoi ne pas venir avec moi ? Où est le mal ? Si ce n'est pas vrai, vous aurez récolté une jolie somme d'argent, et moi une tomate en pleine poire. » Il sourit. « Et les deux devraient vous réjouir.

— Ce n'est qu'une perte de temps.

— Pour laquelle vous êtes grassement payée.

— Oui, mais si cette histoire est véridique, ce ne serait pas très malin de ma part de m'en mêler.

— Pourtant vous disiez que ce n'était qu'un tissu de mensonges.

— C'est trop insensé pour que ce soit Kennedy, mais ce pourrait être Jimmy Hoffa ou quelque parrain de la mafia.

— À la condition, toutefois, que je n'aie pas payé pour le plus beau canular jamais vu.

— Ce qui est probablement le cas.

— Alors, venez avec moi et découvrons ensemble si je me suis fait avoir ou pas. » Il regarda Eve au fond des yeux. « À moins que vous ne pensiez ne pas pouvoir mener à bien ce travail en sachant à l'avance de quoi ou plutôt de qui il retourne ?

— Je vous ai déjà expliqué que cela n'avait aucune importance pour moi. N'essayez pas de me manipuler, Logan.

— Pourquoi pas ? Je suis assez bon à ce jeu-là. Bon sang, n'êtes-vous pas curieuse de vérifier si Donnelli a dit ou non la vérité ?

— Non, ce serait aussi stupide que de partir à la recherche de la Toison d'or.

— Stupide au point qu'on ait cherché à vous effrayer ? Auriez-vous oublié ce qui est arrivé à votre atelier ? »

La manipulation, de nouveau. En frappant au point sensible. Elle détourna la tête. « Je n'oublie jamais rien, mais je ne crois pas que...

— Je double ma contribution à la fondation Adam. »

Elle le scruta. « Incroyable ! vous payez beaucoup trop pour bien peu ! Même si votre supposition s'avérait, cela est arrivé voilà plus de trente ans. Il y a de fortes chances que les électeurs se fichent pas mal que quelques hauts responsables du Parti démocrate se soient rendus coupables d'un tel acte. Il y a prescription.

— Et s'ils ne s'en fichaient pas ? Le public en a plus qu'assez des pratiques politiciennes.

— Quel est votre but, au juste ?

— Comment, vous ne le savez pas ? Mais foutre la pagaille, rien que ça ! »

Elle secoua la tête, dépitée. Que répondre à cela ?

« Alors, vous y réfléchirez ? insista-t-il d'une voix douce.

— Non.

— Allons, cette histoire ne peut pas vous laisser indifférente. Donnez-moi votre réponse demain matin.

— Et si elle est négative ?

— Pourquoi pensez-vous que j'aie acheté une propriété avec un cimetière ? »

Elle se raidit malgré elle.

« Je plaisantais ! » Il souriait. « Si c'est non, je vous renverrai chez vous. »

Elle se dirigea vers la porte.

« Et je n'exigerai pas le retour de l'argent donné à votre chère fondation. Même si vous n'honorez pas le contrat moral que nous avons passé, ce qui fera de moi quelqu'un de bien plus estimable que vous, n'est-ce pas ?

— Je vous ai averti que je ne participerais à rien d'illégal.

— Je ne cherche absolument pas à vous entraîner dans une action criminelle. Nous n'allons pas nous livrer à une opération commando au cimetière d'Arlington. Il s'agit seulement d'une brève visite dans un champ de maïs du Maryland.

— Ce qui n'en est pas moins une violation de propriété privée.

— Une transgression bien mineure, comparée à celle commise par certains, si l'on en croit Donnelli. Songez-y. Vous êtes une femme de raison, vous admettrez donc que je ne vous demande rien qui soit contraire à votre code de l'éthique.

— Si vous ne mentez pas. »

Il hocha la tête. « Si je ne mens pas. Je n'ai pas l'intention de vous convaincre que je vous dis la vérité, cela ne servirait à rien. À vous de vous faire une opinion. » Il ouvrit l'un des tiroirs de son bureau et en sortit un calepin relié de cuir. « Bonne nuit. Et informez-moi de votre décision sitôt que vous l'aurez prise. »

Il la renvoyait, réalisa-t-elle. Sans tenter de la persuader. Sans protester. La balle était dans son camp.

« Bonne nuit. » Elle quitta la bibliothèque et monta rapidement dans sa chambre.

Kennedy.

C'était impossible. Kennedy était en terre, à Arlington, et certainement pas dans un champ quelque part dans le Maryland. Logan s'était laissé duper comme un nigaud.

Logan, un nigaud ? S'il avait accordé crédit à l'histoire que lui avait racontée Bernard Donnelli, pourquoi ne pas chercher elle-même à en savoir plus ? Elle avait conclu un contrat avec lui et devait reconnaître qu'il n'avait pas dévié de ses engagements. Quoi qu'il en soit, elle était trop fatiguée pour se déterminer maintenant. Elle allait se coucher en espérant y voir plus clair au lever. C'était ce qu'il y avait de plus raisonnable à...

La fenêtre.

Elle se raidit, retenant son souffle. Non, elle n'allait tout de même pas se laisser piéger par sa propre imagination. La lassitude et le découragement lui jouaient des tours et elle ne se ferait pas...

Pourtant elle avait bien cru voir... Elle traversa lentement la chambre pour aller à la fenêtre et plongea son regard dans la nuit.

L'obscurité, les moustiques, les serpents, c'était beaucoup à la fois.

L'épaisse couche de feuilles mortes détrempées par les pluies avait bousillé ses mocassins italiens. Fiske était furieux. Il n'aimait pas les forêts. Il se souvenait qu'une année ses parents l'avaient envoyé dans un camp de vacances dans le Maine, où il était resté deux semaines à se faire bouffer par les insectes. Ses parents, les salauds, l'envoyaient toujours à perpète, histoire de se débarrasser de lui.

Alors il s'était arrangé pour qu'on ne l'accepte plus jamais dans ce camp. Ils n'avaient rien pu prouver, mais le moniteur connaissait l'identité du coupable, sans le moindre doute. Oui, il avait suffi à Fiske de regarder le bonhomme dans les yeux et de le voir détourner la tête pour comprendre que cet hypocrite savait tout.

Cet été-là, il avait appris tout de même deux ou trois choses qui avaient par la suite servi sa vocation. Dans les parcs nationaux, comme celui des Adirondacks, les crétins amateurs de camping devaient toujours réserver une place où planter leur foutue tente sur l'un des sites aménagés à cet effet, et chaque réservation était dûment notée par les gardes forestiers.

La lueur d'un feu de camp trouait la nuit devant lui.

Sa cible. Qu'allait-il faire ? Y aller franco ou bien attendre qu'ils soient endormis ? L'adrénaline commençait à monter en lui. Il s'ébouriffa les cheveux et se macula le visage de boue.

Le vieux aux cheveux grisonnants était assis devant le feu. Sa femme émergea de la tente en riant et lui dit quelque chose. Il se dégageait de ce couple âgé une intimité et une affection que Fiske trouvait quelque peu agaçantes. Mais tout l'agaçait dans cette mission nocturne au milieu des bois. Il n'aimait pas exercer son art en pleine nature sauvage, et il ferait payer à ces deux-là l'inconfort qu'ils lui occasionnaient.

Il s'arrêta, respira un grand coup puis courut dans la clairière en criant : « Dieu merci ! Pourriez-vous m'aider ? Ma femme est blessée. On dressait le camp un peu plus bas, près du sentier, quand elle est tombée et s'est cassé... »

« Je sais où ils campent, assura Gil. J'y vais de ce pas, mais j'ai deux heures de retard. Le garde m'a averti que quelqu'un s'était déjà renseigné dans la soirée. »

Logan resserra inconsciemment sa main sur le combiné. « Sois prudent.

— Tu me prends pour un idiot ? Je vais faire gaffe, et plutôt deux fois qu'une, avec un adversaire comme Fiske. Si c'est lui.

— Fiske ?

— J'ai appelé mon contact au ministère des Finances, et le bruit court que Timwick fait toujours appel à Albert Fiske pour ses coups tordus. Fiske a été un élément de premier ordre à la CIA. Toujours volontaire pour les missions les plus difficiles et les plus prestigieuses. Et toujours très fier de son efficacité et de sa capacité de faire mieux que les autres. Il y a cinq ans, il s'est détaché de la CIA pour se mettre à son compte, et il a bien réussi. C'est un coriace, rapide et qui connaît suffisamment le système pour s'en servir utilement. » Il marqua une pause. « Et il aime tuer, Logan. Il aime vraiment ça.

— Merde.

— Je te rappelle dès que je les aurai retrouvés. »

Logan raccrocha lentement.

Il est coriace, rapide... et il aime tuer.

L'interphone bourdonna soudain. « Eve Duncan a quitté la maison il y a trois minutes, rapporta Mark.

— Quelle direction a-t-elle prise ? Le portail ?

— Non, la colline.

— J'arrive. »

Quelques instants plus tard, Logan entrait dans la grange. « Elle est dans le cimetière », lui annonça Mark.

Logan s'approcha du mur de moniteurs. « Que fait-elle ?

— Il fait sombre et, en plus, elle est dans l'ombre de cet arbre. Elle n'a pas bougé de là depuis plusieurs minutes. »

Dans un cimetière au milieu de la nuit ? « Tu peux zoomer ? »

Mark manipula un bouton sur la console, et Eve apparut soudain à l'écran. Le visage sans expression, elle regardait les tombes fleuries. À quoi s'attendait-il ? À une grimace de douleur, un regard de tourmentée ?

« Bizarre, non ? dit Mark. Quelle cinglée, celle-là !

— Ferme-la ! Elle est tout sauf cinglée ! » Logan se tut, surpris de son emportement. « Excuse-moi, Mark. Mais elle n'est pas folle, seulement elle a un sacré poids sur les épaules.

— C'est bon, acquiesça Mark. Je trouve ça quand même étrange qu'on aille se balader dans un cimetière en pleine nuit. Je suppose qu'elle... » Il éclata soudain de rire. « Merde, t'as raison, elle a la tête sur les épaules ! »

Eve avait levé son visage vers les frondaisons, et le majeur de sa main droite était tendu en un geste obscène vers l'objectif de la caméra.

« Apparemment, elle nous conseille d'aller nous faire mettre, constata Mark en rigolant toujours. Tu sais, John, finalement elle me plaît bien, cette nana. »

Logan souriait. Elle lui plaisait bien à lui aussi. Il aimait sa force et son intelligence. Même sa ténacité frisant l'entêtement et son imprévisibilité l'intriguaient. En d'autres circonstances, il aurait aimé l'avoir pour amie... et peut-être même pour amante.

Amante. Jusqu'à cet instant, il n'avait pas pris conscience qu'il pourrait la considérer à la lumière d'Éros. Elle était séduisante, mais il s'était davantage intéressé à son esprit et à sa personnalité qu'à son corps élancé et gracieux.

Oui, bien sûr. Qui cherchait-il à tromper ? Bon sang, le sexe était toujours important et, pour être honnête avec lui-même, il devait s'avouer que la fragilité d'Eve éveillait le désir en lui.

Ce qui faisait de lui un beau salopard, se dit-il, s'exhortant à penser à autre chose, notamment à la raison qui avait poussé Eve à cette randonnée nocturne dans ce fichu cimetière.

Un vent tiède agitait les fleurs sur les tombes et en poussait le délicat parfum jusqu'à Eve, qui se tenait accoudée à la clôture du cimetière.

Pourquoi ne s'était-elle pas couchée comme elle en avait eu l'intention, au lieu d'obéir à cette impulsion irraisonnée qui l'avait amenée ici ?

Impulsion. Le mot était juste. C'était du délire de répondre à quelque mystérieux appel venu de ces tombes. Or, elle n'était ni folle ni délirante. Elle avait déjà mené ce combat, après l'exécution de Fraser, et elle devait veiller à ne pas arpenter de nouveau ce chemin insensé. Ce serait tellement facile de se laisser sombrer. Rêver de Bonnie pendant son sommeil était compréhensible, mais elle devait s'interdire d'imaginer que l'enfant pût faire partie du monde réel.

Et puis Bonnie ne pouvait être ici, elle n'y était jamais venue. Logan avait parlé de mort et de tombes, et son esprit avait fait le reste. Non, personne ne l'avait appelée.

Ce n'était qu'une impulsion.

Elle ne fut pas étonnée de voir Logan, là, à l'attendre, lorsqu'elle regagna la maison une heure plus tard.

« Je suis fatiguée et je n'ai pas envie de parler, Logan. » Elle passa devant lui et commença de monter les marches.

Il sourit. « Je l'ai compris au geste que vous nous avez adressé.

— Vous ne devriez pas me surveiller, je n'aime pas que l'on m'espionne.

— Pourquoi le cimetière ? Ce n'est pas l'endroit le plus agréable pour faire une promenade.

— En quoi cela vous intéresse-t-il ?

— Je suis curieux. »

Elle posa la main sur la rampe. « Cessez de chercher une signification à tous mes faits et gestes. Je suis allée là-bas parce qu'il faisait nuit et que je connaissais le chemin. Juste pour ne pas me perdre.

— C'est tout ?

— Qu'imaginiez-vous ? Une petite séance de spiritisme ?

— Allons, ne montez pas sur vos grands chevaux. En vérité, j'espérais que cette balade vous avait éclairci les idées et que vous aviez pris une décision...

— Non. » Elle arriva en haut de l'escalier. « Je vous en parlerai demain matin.

— Je vais travailler tard, cette nuit. Si jamais vous...

— Ça suffit, Logan.

— Comme vous voudrez, mais, puisque vous savez que je vous surveille, je pensais qu'il serait juste de vous informer de mon emploi du temps.

— Je vous en remercie. » Elle claqua la porte de sa chambre derrière elle et se dirigea vers la salle de bains. Une douche chaude la soulagerait. Ensuite elle redescendrait peut-être à l'atelier, pour travailler sur Mandy. Elle savait qu'elle dormirait encore mal cette nuit, alors autant s'occuper.

Elle se demandait toutefois si elle ne redoutait pas le sommeil et les rêves qui l'accompagnaient. Mais pourquoi aurait-elle eu peur de rêver de Bonnie ? Comment un songe d'amour pouvait-il être un danger ?

Les deux corps gisaient dans le même sac de couchage, embrassés dans une dernière étreinte. Ils étaient nus, leurs yeux grands ouverts reflétant une même terreur, et un long piquet de tente les transperçait de part en part.

« L'enfant de salaud ! » murmura Gil entre ses dents. Non seulement cette ordure de Fiske les avait tués, mais sa mise en scène avait quelque chose de profondément obscène, comme s'il avait voulu priver leur mort de toute dignité.

Gil alluma son portable et appela Logan. « Trop tard.

— Tous les deux ?

— Oui, et c'est moche. » C'était bien plus que ça, mais Gil ne trouvait pas les mots, il n'avait même pas envie de les chercher. « Que veux-tu que je fasse, maintenant ?

— Reviens ici. Je n'ai toujours pas réussi à joindre Maren. Il doit être quelque part dans le désert. C'est sans doute une chance : si nous ne pouvons pas le trouver, Fiske non plus. Enfin, je l'espère. Nous avons peut-être un peu de temps devant nous.

— Compte pas là-dessus. » Il jeta un regard aux deux corps. « Fiske n'est pas du genre à se tourner les pouces.

— Je ne compte sur rien, mais je ne t'enverrai pas en Jordanie. J'ai besoin de toi ici.

— Le crâne ?

— Oui, on ne peut pas attendre plus longtemps, tout va trop vite. Reviens.

— J'arrive. »

C'était très satisfaisant, tout ça. Un crime parfait, avec une petite note salace dont il était assez fier.

Fiske chantonnait tout bas en montant dans sa voiture. Il s'empressa d'appeler Timwick. « Cadro est mort. Je prends le prochain avion pour la Jordanie. Autre chose ?

— Oubliez Maren pour le moment et rejoignez l'équipe de surveillance à Barrett House. »

Fiske fronça les sourcils d'un air contrarié. « Je déteste faire de la surveillance.

— Mais celle-ci, vous la ferez. Si Logan et Duncan éternuent, je veux le savoir, et je veux que vous soyez sur place.

— Je n'aime pas me détourner d'une mission alors qu'elle n'est pas complètement terminée. J'ai encore Maren à...

— Nous avons suivi Gil Price quand il a quitté Barrett House, hier dans la nuit. Il est allé directement à l'appartement de Dora Bentz.

— Et après ? Vous croyez que j'y ai laissé des empreintes ?

— Vous ne me comprenez pas. Si Price était là-bas, c'était sur ordre de Logan. Cela signifie que Logan savait tout au sujet de Dora. » Timwick marqua une pause, pour mieux souligner ce qu'il allait dire ensuite. « Maintenant, nous pouvons éliminer Logan, Price et Duncan.

— Mais vous me disiez, pas plus tard qu'hier, que c'était trop risqué.

— Je n'étais pas encore sûr que Logan soit sur la bonne piste. Désormais, il est hors de question de courir le risque de les laisser en vie. »

Enfin, Timwick montrait l'ombre de ses couilles. « Quand ?

— Je vous préviendrai. »

Fiske éteignit son portable. Le ciel s'éclaircissait enfin. Les choses sérieuses allaient commencer : de l'action et des bénéfices financiers ! Il fredonnait de nouveau quand il ouvrit la boîte à gants pour en sortir la liste de Timwick. Il barra d'un trait le nom de Cadro et, sous celui de Maren, écrivit soigneusement : John Logan, Gil Price et Eve Duncan.

Il fallait toujours tenir sa liste à jour.

8

« Réveillez-vous, Eve. Pour l'amour du ciel, êtes-vous obligée de dormir avec ces ossements ? »

Eve releva lentement la tête. « Qu... quoi ? » Elle cligna des yeux. « Quelle heure est-il ? »

Margaret se tenait devant le bureau, dans l'atelier. « Il est presque neuf heures. Je suis montée dans votre chambre mais vous n'y étiez pas. Et John qui m'affirmait hier soir que vous ne travailleriez pas cette nuit !

— J'ai changé d'avis. » Elle regarda les fragments d'os étalés sur la table devant elle. « J'ai réussi à compléter un peu le puzzle.

— Ensuite vous vous êtes endormie dessus.

— Je voulais seulement me reposer quelques minutes. J'ai surestimé ma résistance. » Elle repoussa sa chaise. « Je vais me laver les dents et prendre une douche.

— Pas avant de m'avoir félicitée pour la décoration de votre laboratoire. »

Eve sourit. « Pardonnez-moi, Margaret. C'est un travail remarquable.

— Hum, pas très enthousiaste. Si j'avais su, je leur aurais dit de faire ça avec de la toile à sac et des cageots.

— Je vous avais prévenue que ça n'avait aucune importance, vu le peu de temps que j'y passerais. » Elle se leva et se dirigea vers la porte. « Mais j'apprécie vos efforts, vous savez.

— John désire vous voir. Il m'a envoyée vous chercher.

— Je vais d'abord me doucher et me changer.

— Pourriez-vous aller vite ? Il est très nerveux depuis le retour de Gil.

— Gil est revenu ? interrogea Eve en faisant volte-face.

— Oui, il y a un peu plus d'une heure. Ils vous attendent à la bibliothèque. »

Ils sont impatients de connaître ma décision et de savoir si je vais les accompagner dans leur chasse au trésor, songea-t-elle. Kennedy. En plein jour, l'idée lui paraissait encore plus extravagante que la veille au soir !

« John m'a demandé de virer au compte de la fondation Adam ce second versement que vous avez accepté, ajouta Margaret. J'ai appelé la banque, vous pourrez vérifier dans une heure si le virement a été effectué. »

Elle n'avait pas accepté d'autre somme que celle prévue initialement. Logan cherchait à la convaincre, tentant de l'acheter sans exiger de faveur en retour. Eh bien, qu'il dépense son argent, pensa Eve, ce n'est pas pour autant qu'elle changerait d'avis ; en attendant, les enfants en profiteraient. « Je vous fais confiance, Margaret.

— John tient à ce que vous vérifiiez. Il insiste. »

Qu'il insiste. Elle accomplirait ce qu'elle avait décidé. Travailler sur Mandy cette nuit avait été bénéfique : elle se sentait parfaitement maîtresse d'elle-même ce matin. « À plus tard, Margaret. »

« Vous en avez mis du temps, remarqua Logan d'un ton réprobateur lorsqu'elle poussa la porte de la bibliothèque. Nous vous attendions.

— Je me suis lavé les cheveux.

— Vous avez bien fait, dit Gil, du fond de la pièce. Ils sont magnifiques. »

Elle lui sourit. « Ce n'est pas l'avis de Logan.

— Exact, maugréa celui-ci. Je trouve plutôt grossier de nous faire poireauter de cette façon.

— Vous m'auriez donné un rendez-vous, au lieu d'un ordre, je me serais montrée plus ponctuelle. »

Gil gloussa. « Tu n'aurais pas dû envoyer Margaret, John.

— Bon Dieu ! je n'ai jamais ordonné qu'Eve accoure au sifflet !

— Ah bon ? s'étonna-t-elle d'un ton ironique.

— Pas vraiment. » Logan désigna un fauteuil. « Asseyez-vous, Eve. »

Elle déclina d'un signe de tête. « Ce que j'ai à vous dire ne sera pas long...

— Écoutez, je ne... »

Mais Eve l'interrompit d'un geste de la main. « Laissez-moi parler,

Logan. Je suis d'accord pour me rendre avec vous jusqu'à ce foutu champ de maïs et revenir ici avec ce fameux crâne pour l'examiner. » Elle le regarda intensément. « Mais je veux que nous le fassions tout de suite. J'en ai assez de traîner ici et j'aimerais en finir au plus vite.

— Nous partirons ce soir.

— Parfait.

— Pourquoi avez-vous accepté ? » demanda Logan, alors qu'elle se dirigeait vers la porte.

Elle se retourna. « Parce que je suis persuadée que vous vous trompez, et la seule façon de le prouver, c'est de faire ce que vous attendez de moi. Je pourrai alors retourner à ce qui est important... à mes yeux. » Elle marqua une pause. « Et, oui, ça me plairait assez de vous voir le nez dans la farine. Ça me plairait au point de militer pour Chadbourne à l'occasion de la prochaine campagne présidentielle.

— C'est tout ? »

Elle veillait à ne rien laisser paraître de ses émotions. Qu'il ne devine pas la panique qui s'était emparée d'elle la nuit dernière. Il n'était pas question de lui procurer une arme dont il pourrait user contre elle. « Oui, c'est tout. Quand partirons-nous ?

— À minuit. » Il eut un sourire sardonique. « Une heure appropriée pour une entreprise aussi macabre, non ? Nous prendrons la limousine. C'est à environ une heure d'ici. »

Elle jeta un regard à Gil. « Vous viendrez avec nous ?

— Je ne manquerais ça pour rien au monde. Ça fait une éternité que je n'ai pas joué les fossoyeurs, et ce n'est pas n'importe quel crâne. » Il eut un clin d'œil. « "Hélas ! pauvre Yorick, je le connaissais, Horatio." »

Elle sourit. « Voilà une citation appropriée, parce qu'il y a plus de chances que ce crâne appartienne au Yorick de Shakespeare qu'à Kennedy. »

« Ils sont partis, annonça Fiske au téléphone. Price, Logan, et Duncan. Ils viennent juste de franchir le portail.

— Soyez discrets. Ça foutra tout en l'air si jamais ils s'aperçoivent qu'ils sont suivis.

— Pas de problème. Nous ne sommes pas obligés de leur coller au train. Kenner a placé un émetteur dans la limousine quand Price est monté à l'appartement de la Bentz. On attendra qu'ils soient sur une route déserte pour les doubler et les...

— Non, vous les laisserez d'abord aller là où ils vont avant de passer à l'action.

— Ça ne va pas nous faciliter la tâche. Il vaudrait mieux...

— Je vous le répète, Fiske, vous attendrez qu'ils soient parvenus à destination, compris ? Et puis, c'est Kenner qui mène l'opération. Je lui ai donné des instructions précises, vous ferez ce qu'il vous dira. »

Fiske raccrocha. Le fils de pute ! Non seulement il devait obéir à Timwick mais aussi à Kenner. Bon sang, ce dernier commençait à le gonfler sérieusement !

« Je t'ai prévenu que c'était moi qui commandais, marmonna Kenner, assis à côté du chauffeur. Alors, t'attends les ordres, comme les copains », ajouta-t-il avec un signe de tête vers les deux hommes partageant avec Fiske la banquette arrière.

Fiske suivit du regard les feux arrière de la limousine, qui s'éloignaient rapidement. Il respira profondément, s'efforçant de se calmer. Pas de souci. Il exécuterait son travail, avec ou sans Kenner. Il tuerait Logan, Price et Duncan, et barrerait d'un trait leurs noms sur sa liste.

Ensuite, il en dresserait une autre, de liste : une qui commencerait par le nom de Kenner.

Le champ aurait pu susciter chez Eve des images de pop-corn et de foire agricole ; au lieu de cela, il lui rappela un film d'horreur vu dans sa jeunesse, qui mettait en scène une bande d'enfants démoniaques ayant établi leur repaire dans un immense champ de maïs.

Là, point d'enfants, seulement la mort. Et un crâne enterré dans la riche terre brune. Elle descendit lentement de la voiture. « C'est ici ? »

Logan hocha la tête.

« Le champ me paraît bien entretenu. La maison de l'exploitant est loin ?

— Oui, à près de cinq kilomètres au nord.

— C'est un grand champ. J'espère que Donnelli vous a donné des indications précises.

— Bien sûr, et elles sont gravées là, dit-il, pointant un index sur son front.

— J'espère que tu n'auras pas de trou de mémoire, intervint Gil en ouvrant le coffre pour en sortir deux pelles et une grande torche halogène. Creuser la terre n'est pas ce que je préfère au monde. Pour me payer mes études, j'ai travaillé pendant tout un été comme cantonnier, et je me suis juré de ne plus jamais donner un coup de pioche de ma vie.

— Faut jamais dire jamais », conseilla Logan. Il prit la torche et l'une des pelles, et avança dans le champ.

« Vous venez ? » dit Gil à Eve en se mettant en chemin derrière Logan.

Elle ne bougeait pas, humant la forte odeur de la terre et écoutant le bruissement des hautes tiges feuillues que le vent agitait. Elle eut soudain la gorge serrée à la pensée de s'enfoncer dans cette mer végétale.

« Eve ? » Gil attendait, en bordure du champ. « John compte sur votre présence.

— Pourquoi ? s'enquit-elle, la bouche sèche.

— Demandez-le-lui.

— C'est déjà complètement stupide de m'avoir fait venir ici. Il me sera impossible de me prononcer tant que je ne serai pas de retour au labo.

— Je regrette, mais il veut que vous assistiez à l'exhumation. »

Elle haussa les épaules d'un air à la fois résigné et impatient et se mit en marche.

L'obscurité était complète. Elle ne pouvait même pas distinguer la silhouette de Gil devant elle et se guidait au bruit de ses pas. Le haut des tiges la dépassait d'un bon mètre, lui donnant l'impression d'avancer dans une tranchée. Malgré les indications précises qu'il prétendait avoir reçues, comment Logan s'y prenait-il pour se repérer ?

« Je vois une lumière devant. » C'était la voix de Gil.

Elle accéléra, impatiente d'en finir. Logan avait posé la torche par terre et commencé de creuser, pesant de tout son poids sur le fer de la pelle pour sectionner les racines armant la terre durcie.

« C'est ici ? » questionna Gil.

Logan leva la tête. « Ouais. Faut faire vite. C'est enterré assez profondément pour échapper au soc de la charrue, lors des labours. Inutile d'y aller doucement. Le crâne est dans une boîte cerclée de fer. »

Gil joignit ses efforts à ceux de Logan. Cinq minutes plus tard, Eve regrettait de ne pas avoir elle-même de pelle. Elle aurait préféré s'occuper plutôt que de rester là à regarder, en proie à une nervosité croissante.

Tout cela lui paraissait tellement idiot. Il n'y avait probablement rien d'enterré, et ils se comportaient comme des personnages sortis d'un roman de Stephen King.

« Je sens quelque chose de dur, chuchota Gil.

— Alléluia ! » murmura Logan, en pelletant plus vite.

Eve se rapprocha du trou et vit le contour d'une boîte sous la légère couche de terre. « Bon sang... »

Pourquoi tant d'émotion, soudain ? Le fait que Donnelli n'eût pas menti quant à l'existence de... quelque chose, à l'endroit qu'il avait indiqué, ne signifiait pas que le reste de l'histoire était vrai. Il n'y avait peut-être rien dans cette boîte...

Ce n'était pas une boîte mais... un cercueil. Un cercueil de bébé ! Et Logan s'apprêtait à l'ouvrir.

« Non ! » cria-t-elle.

Logan leva les yeux vers elle. « Quoi ? Qu'avez-vous ?

— Mais c'est... c'est un cercueil d'enfant... de bébé...

— Je sais. Donnelli était croque-mort.

— Et si ce n'était pas le crâne ? »

Le visage de Logan se durcit. « C'est le crâne. Nous perdons du temps. » D'un coup de pelle, il fit sauter le fermoir.

Elle espérait de tout son cœur qu'il avait raison. Elle ne pourrait supporter l'idée qu'un bébé pût être enterré là, dans la solitude d'un champ. Logan souleva le couvercle.

Il n'y avait pas de bébé, et l'épais plastique qui entourait l'objet ne laissait aucun doute quant à la nature de ce dernier : c'était bien un crâne.

« Bingo ! » s'exclama tout bas Logan. Il rapprocha la torche. « Je savais bien que...

— Chut ! fit soudain Gil. J'entends un bruit. »

Eve aussi l'entendait. Le vent. Non, pas le vent. C'était un bruissement de feuilles semblable à celui qu'ils avaient eux-mêmes provoqué en avançant dans le champ. Et le bruit venait vers eux.

« Merde ! » grogna Logan. Il referma le petit cercueil, le cala sous son bras et s'empressa de sortir du trou. « Fichons le camp, vite ! »

Eve jeta un regard par-dessus son épaule. Rien, si ce n'est le même froissement. « C'est peut-être le fermier, non ?

— Ce n'est pas le fermier. Ils sont plusieurs. » Logan courait déjà. « Gil, ne la perds pas. Nous allons faire un grand cercle pour revenir à la voiture. »

Gil prit Eve par le bras. « Courez ! »

Ils détalèrent, faisant plus de bruit que ceux qu'ils fuyaient. L'obscurité était étouffante. Eve avait les poumons en feu. Elle ne savait pas où étaient leurs poursuivants.

« À gauche ! » cria une voix derrière eux.

Sans ralentir, Logan vira à droite.

« Je crois que je vois quelque chose ! » s'exclama une autre voix.

Bon Dieu ! Eve avait l'impression qu'ils étaient dans la rangée voisine. Logan poursuivait sa course, et Gil l'entraînait avec lui. Elle ne savait plus dans quelle direction ils allaient et se demandait comment Logan parvenait à s'orienter. Il faisait tant de détours qu'elle avait l'impression de courir à travers un labyrinthe. Elle craignait qu'ils ne finissent par tomber nez à nez avec ceux qui leur donnaient la chasse.

Soudain, ils émergèrent du champ et s'élancèrent vers la route et la limousine, tache sombre dans l'obscurité.

Mais une autre voiture était garée juste devant. Une Mercedes. Impossible de savoir s'il y avait quelqu'un à l'intérieur. Eve jeta un regard derrière elle. Personne.

Ils arrivaient à la hauteur de la limousine quand la portière de la Mercedes s'ouvrit à la volée.

Gil lâcha le bras d'Eve. « Prends le volant, John », murmura-t-il en dégainant son arme. Mais l'homme qui venait de surgir tira le premier.

Eve vit avec horreur Gil tomber en avant et tenter frénétiquement de se relever. Elle ne se trouvait pas à plus de deux mètres du tueur, qui visait de nouveau Gil. Instinctivement, elle bondit, frappa d'un coup de pied la main tenant le revolver, et mit tout le poids de son buste et de son épaule dans la manchette qui atteignit la gorge. Elle sentit sous le tranchant de sa main le cartilage se briser. L'homme eut un hoquet et s'écroula comme une masse.

« Montez à l'arrière ! cria Logan, en installant Gil sur la banquette après avoir jeté le cercueil sur le sol. Essayez d'arrêter l'hémorragie. Il faut s'arracher. Ils ont dû entendre le coup de feu. »

Eve grimpa à côté de Gil et referma la portière, tandis que Logan démarrait. « Ils arrivent ! »

Par la vitre, elle vit trois hommes qui sortaient du champ en courant.

« Comment va-t-il ? » s'inquiéta Logan en accélérant.

Elle déchira la chemise et grimaça à la vue de la blessure. « Il est touché à l'épaule, mais il ne perd pas trop de sang. Et... il est en train de reprendre conscience. » Elle lança un coup d'œil par la lunette arrière. « Ils ont pris leur voiture. Vous ne pouvez pas aller plus vite ?

— J'essaie, grogna-t-il entre ses dents. Mais j'ai l'impression de barrer un bateau. »

Il avait atteint la voie goudronnée menant à l'autoroute. La Mercedes était bien plus rapide et maniable, il ne lui fallut pas trois minutes pour être derrière eux. Elle les doubla soudain et vint les heurter de côté, tentant de les pousser dans le fossé. Logan avait le plus grand mal à maintenir la lourde voiture sur la route.

« Accélérez ! cria Eve.

— Que croyez-vous que je fasse ? »

L'entrée de l'autoroute n'était pas loin. Ils avaient peut-être une chance.

La Mercedes les heurta de nouveau, avec plus de violence encore.

« Le cercueil, murmura Gil. John donne-leur le...

— Non ! »

Eve regarda la boîte à ses pieds.

« Donne-leur... »
Eve tendit la main vers la poignée de la portière.
« Que faites-vous ? demanda Logan.
— Contentez-vous de conduire, répondit-elle avec rage. Gil a raison. Ils veulent ce foutu crâne, ils vont l'avoir. Pas la peine de risquer nos vies.
— Et s'ils ne s'arrêtaient pas ? Vous le leur auriez donné pour rien.
— Je m'en fous ! Gil a manqué y laisser sa peau. Ça suffit comme ça. Ralentissez et maintenez-vous au milieu de la route. »
Logan freina, mais Eve dut lutter de toutes ses forces pour ouvrir la portière contre le vent.
« Ils reviennent à la charge ! » avertit Logan.
Elle réussit enfin à écarter suffisamment la portière pour glisser le cercueil dehors. La boîte rebondit à plusieurs reprises avant de s'arrêter au bord de la chaussée.
« Nous allons voir ce qu'ils font, reprit Eve, les yeux fixés sur la Mercedes qui les talonnait. Espérons qu'ils... Oui ! »
La voiture ralentit soudain, s'arrêta et repartit en marche arrière, tandis que Logan s'engouffrait sur la bretelle menant à l'autoroute.
L'instant d'après, ils roulaient parmi le flot des véhicules. Eve poussa un grand soupir de soulagement. « Pensez-vous que nous soyons en sécurité, maintenant ? questionna-t-elle.
— Non, répondit Logan en s'arrêtant sur le bas-côté. Votre portière est mal fermée. » Il se pencha vers Gil. « Comment ça va ?
— La blessure n'est pas grave. Ça ne saigne même plus.
— Je ne peux pas m'arrêter et appeler une ambulance. Je vais demander à Margaret de faire venir un médecin à Barrett House. Tu tiendras jusque là-bas ?
— Ouais, assura Gil d'une voix faible. Si je survis à ta manière de conduire, je peux survivre à n'importe quoi. »
Dieu merci, il pouvait encore blaguer, pensa Eve.
« Tu ne t'en serais pas mieux sorti que moi, murmura Logan. Et, rien que pour cette méchante remarque, je devrais te laisser sur le bord de la route.
— Je ne dirai plus rien. » Gil ferma les yeux. « Comme je ne vous suis plus d'aucune utilité, je crois que je vais piquer un somme.
— Ce n'est pas une bonne idée, objecta Logan. Reste éveillé. Il faut que je le sache, si tu perds connaissance.
— D'accord, mais je garde les yeux fermés, tu permets ? »
Logan rencontra le regard d'Eve dans le rétroviseur. Elle lui fit un signe de tête entendu, et il redémarra sur les chapeaux de roue.

« Qu'est-ce que tu fous ? grogna Fiske. On va les perdre.
— Ta gueule ! rétorqua Kenner. Je sais ce que je fais. C'est la boîte, le plus important.
— Connard ! Il faut les éliminer, on n'a pas fait tout ce chemin pour les laisser...
— Ce sont les ordres de Timwick. La priorité, c'était de récupérer ce qu'ils sont venus chercher dans ce putain de champ. Les poursuivre était secondaire.
— Mais on peut toujours revenir pour récupérer la boîte. Ils ont cherché à faire diversion, rien de plus.
— J'y ai pensé, figure-toi. Seulement, je ne peux pas courir ce risque. Le machin est sur le bord de la route. N'importe qui pourrait le ramasser ou l'écraser.
— Y a personne à cette heure sur cette route.
— Timwick veut ce qu'il y a dans ce coffre. »
Fiske était furieux. Ils ne pourraient jamais rattraper Logan, maintenant. Tout ça à cause de l'entêtement de Timwick et de la bêtise de Kenner, incapable de distinguer l'accessoire de l'essentiel. Quand on s'est fixé un objectif, il ne faut jamais s'en écarter.

Deux hommes en blouse blanche surgirent de la maison dès que Logan arrêta la limousine devant la porte. Gil fut aussitôt installé sur une civière et transporté à l'intérieur.
Eve descendit de voiture. Elle tenait à peine sur ses jambes et dut s'appuyer à la portière.
« Ça va ? » s'enquit Logan.
Elle lui répondit d'un hochement de tête.
« Margaret va vous préparer un café, dit-il par-dessus son épaule en se dirigeant vers la maison. Je vais voir comment va Gil. »
Elle le regarda disparaître à l'intérieur. Il s'était produit trop d'événements durant ces trois dernières heures pour qu'elle réalise que c'était fini et qu'ils n'étaient plus en danger. Elle se demandait même si elle n'avait pas rêvé.
Hélas ! le flanc défoncé de la limousine était un sinistre rappel de cette effroyable poursuite. Et la blessure de Gil était, elle aussi, bien réelle ; il aurait pu être tué. Tués, ils l'auraient tous été si elle n'avait pas jeté le cercueil que ces bandits convoitaient.
« Café. » Margaret venait de surgir devant elle avec un gobelet fumant. « Entrez.
— Dans une minute. J'ai du mal à marcher. » Elle sirota une gorgée de café. « Comment est Gil ?
— Conscient et bavard. Le médecin est prêt à le bâillonner. »

Le café fort lui faisait du bien. « Par quel moyen avez-vous réussi à convaincre un médecin de venir à cette heure de la nuit ?

— L'argent déplace les montagnes. » Margaret s'appuya de l'épaule à la voiture. « Vous avez eu peur ?

— Oui. Il y avait de quoi. Vous avez peut-être l'habitude de voir des gens se tirer dessus à coups de revolver, pas moi.

— J'ai peur, moi aussi. Je ne m'attendais pas à une chose pareille... » Elle secoua la tête d'un air navré. « D'ailleurs, je ne sais pas à quoi je m'attendais.

— Mais vous faites encore suffisamment confiance à Logan pour continuer de travailler pour lui.

— Naturellement. » Elle se redressa. « Cependant, je vais exiger une augmentation et une prime de risque. Vous voulez bien venir à l'intérieur, maintenant ? »

Eve suivit Margaret. Une prime de risque. La générosité dont Logan avait fait preuve à son égard prenait désormais tout son sens. Il ne s'agissait plus d'un acte de cruauté envers un pauvre chat et de vandalisme, mais bien de meurtre. Ils avaient tenté de tuer Gil, et ils les auraient tous abattus s'ils l'avaient pu.

« Ça va mieux ? s'enquit Logan, qui descendait l'escalier. Je vois que vous avez repris des couleurs.

— Vraiment ? Et Gil ?

— La balle lui a traversé l'épaule sans toucher l'os. Le médecin dit que ça ira. » Il se tourna vers Margaret. « Priez le Dr Braden de différer son rapport à la police de deux ou trois jours.

— C'est ça, et courir le risque d'être accusée de dissimulation de... » Margaret poussa un soupir résigné et prit l'escalier. « Je m'en occupe. »

Logan attendit qu'elle parvienne en haut des marches et se tourna vers Eve. « Nous avons besoin de parler.

— C'est un euphémisme, répondit-elle en se dirigeant vers la cuisine. Mais, pour le moment, j'ai besoin d'une autre tasse de café. »

Il la suivit et se laissa choir sur une chaise. « Je suis vraiment désolé de ce qui s'est passé.

— Et vous supposez qu'il suffit de vous excuser pour que je me sente ragaillardie ? » Sa main tremblait, alors qu'elle remplissait sa tasse. « Ce n'est pas le cas. J'ai encore peur mais, quand ça m'aura passé, je serai folle de rage.

— Je sais, c'est tout naturel. En tout cas, je voulais vous dire que, sans votre intervention, Gil serait mort. Vous lui avez sauvé la vie. Où avez-vous appris le karaté ?

— Joe. Après que Bonnie... Vous le savez, je ne serai plus jamais une victime. Joe m'a appris à me défendre. »

Il sourit. « Et à frapper fort.

— L'adrénaline a ceci de bien qu'elle décuple votre force. Gil était en danger, et vous, vous pensiez plus à ce satané cercueil qu'à votre ami. Vraiment, vous êtes un obsessionnel, Logan. Je m'étonne encore que vous ayez consenti à ralentir pour que je puisse me débarrasser de cette boîte.

— Gil aussi a été entraîné à l'autodéfense. Il avait une mission de protection. En l'occurrence, nous protéger, vous et moi.

— J'en avais une aussi, de mission. Et elle ne prévoyait pas que je me fasse tirer dessus.

— Je vous avais prévenue qu'ils essaieraient de nous empêcher de récupérer le crâne.

— Mais pas qu'ils tenteraient de nous tuer.

— Non, je ne pensais pas qu'ils iraient jusque-là.

— Menteur ! » Elle était en colère, à présent. « Cette histoire est lamentable. Vous avez mis nos vies en danger pour poursuivre je ne sais quelle chimère. J'ai failli y laisser ma peau, espèce de salopard !

— Oui.

— Et je n'avais rien à faire là-bas.

— Détrompez-vous, il y avait une raison.

— Ah bon, laquelle ? Examiner ce foutu crâne dans un champ de maïs ?

— Non.

— Alors, c'est quoi... cette raison qui vous autorise à mettre en danger mortel la vie de... ? »

Elle se tut à l'arrivée de Margaret. « Le Dr Braden s'en va, rapporta la secrétaire, et il serait bien que vous alliez le remercier et le raccompagner, John.

— J'y vais. » Logan se leva. « Vous venez avec moi, Eve ? Nous n'avons pas terminé notre conversation.

— En effet, j'ai encore beaucoup de choses à vous dire. » Elle le suivit dans le hall et l'observa qui s'entretenait avec le médecin. Il était redevenu suave comme du miel et persuasif en diable. Il ne lui fallut pas plus de deux minutes pour que le praticien affiche un sourire heureux.

« Il est fort, n'est-ce pas ? s'extasia Margaret, alors qu'elles regardaient Logan raccompagner le bonhomme à sa voiture.

— Un peu trop à mon goût. » Eve sentit sa fureur tomber soudain. Que lui importaient les manigances de cet homme ? Cela ne la concernait plus. Demain, elle serait de retour chez elle.

Logan prit congé du Dr Braden et revint vers Eve. « Vous n'êtes plus fâchée ?

— Pourquoi le serais-je ? C'est de l'histoire ancienne. Je vais préparer ma valise ; mon travail est terminé avant d'avoir commencé, et je rentre chez moi.

— Il n'est pas terminé. »

Elle se raidit. « Comment ça ?

— Je monte voir Gil », annonça Margaret, manifestement impatiente de s'éclipser.

Logan fixait Eve d'un regard aigu. « Je vous disais que ce n'était pas terminé.

— Écoutez, j'ai accepté de faire un certain travail, et ce travail a pris fin quand j'ai balancé le crâne par la portière. Si vous croyez que je vais rester ici pendant que vous tenterez de le récupérer, alors c'est que vous êtes fou.

— Je n'ai pas besoin de le récupérer. »

Elle ouvrit de grands yeux. « Que voulez-vous dire ?

— Venez avec moi.

— Quoi ?

— Vous m'avez très bien entendu. »

Et, se détournant, il s'éloigna d'un pas tranquille.

9

Il avait pris la direction du cimetière, et elle le rattrapa au moment où il poussait la petite grille.

« Que voulez-vous faire ? s'enquit-elle.

— Récupérer le crâne », répondit-il en s'arrêtant devant la sépulture de Randolph Barrett. Il dégagea la jardinière de fleurs et prit la courte pelle dissimulée dessous. La terre, récemment retournée, était meuble et facile à creuser. « Puisque vous me l'avez demandé, il faut bien que je vous fournisse un crâne. »

Elle le regarda avec stupeur. « Seriez-vous fou ? Exhumer un vieux cadavre pour... » Elle se tut, traversée par une pensée soudaine. « Bon Dieu ! »

Il leva la tête vers elle et chassa les derniers doutes de son esprit. « Oui, j'ai déterré le crâne dans ce champ de maïs il y a deux mois.

— Pour l'enterrer ici. Et vous avez fleuri toutes les tombes pour que ça ne se remarque pas. »

Il acquiesça d'un signe de tête tout en continuant de pelleter. « La meilleure façon de cacher une chose, c'est bien sûr de la mettre bien en vue. Mais j'ai tout de même chargé Mark d'installer une alarme sur la boîte. Alarme qu'il a débranchée tout à l'heure.

— Alors, à qui appartient le crâne du champ de maïs ? À Randolph Barrett ?

— Non. Barrett est mort à l'âge de soixante-quatre ans. Je voulais un crâne plus jeune, alors je m'en suis procuré un dans une faculté de médecine en Allemagne. »

Eve avait le vertige. « Attendez une minute. Pourquoi vous êtes-vous donné tout ce mal ?

— Je savais qu'ils finiraient par découvrir ce que je faisais et que j'aurais alors besoin d'une diversion. J'espérais pourtant ne pas en arriver là. Je me suis efforcé de ne pas dévoiler mon jeu, mais il a dû se produire une fuite quelque part. Vous n'aviez même pas encore commencé à travailler. Les événements s'accéléraient, et il fallait que je brouille la piste.

— De quels événements s'agit-il ? Je ne comprends pas un mot de tout ce que vous me racontez.

— Et c'est bien mieux pour votre sécurité. » Il posa la pelle, se pencha et sortit du trou une boîte métallique revêtue d'une couche protectrice de plomb. « Contentez-vous d'exécuter le travail pour lequel je vous ai payée.

— Sans rien savoir ? » Elle semblait abasourdie. « Pourquoi vous obéirais-je, espèce de salaud ? »

Il posa le coffret et reprit la pelle pour reboucher le trou. « Vous pouvez toujours m'insulter, ça ne changera rien.

— Vous m'avez embarquée dans cette escapade nocturne alors que vous saviez pertinemment que cela ne servirait à rien !

— Au contraire, ça a servi à quelque chose. Ils avaient appris que j'avais acheté vos services, et j'avais besoin de vous comme vitrine afin de chasser leurs derniers doutes.

— Quitte à me faire tuer ?

— Vous m'en voyez désolé. J'ai mal évalué les risques.

— Désolé ? C'est tout ce que vous trouvez à dire ? Et Gil Price ? Il s'est ramassé une balle en s'efforçant de récupérer ce crâne qui n'était même pas le bon.

— Gil était parfaitement au courant de ce qu'il faisait. C'est même lui qui s'est chargé d'acheter le crâne en question.

— Il était au courant ? J'étais donc la seule à être dans l'ignorance ?

— Oui. » Il reposa la pelle et remit les fleurs en place sur la tombe. « Vous ne deviez être qu'une spectatrice. Je ne pensais pas qu'on courrait de tels dangers.

— Une spectatrice, hein ? » Elle était furieuse. « Vous m'avez piégée, Logan. Je me demandais sans cesse pourquoi vous vouliez que je vous accompagne, mais jamais je n'aurais soupçonné que vous puissiez vous servir de moi comme d'un vulgaire appât.

— Le leurre, c'était le crâne, pas vous. Comme je vous l'ai dit, votre présence rendait seulement la chose crédible. J'avais besoin de m'assurer qu'ils attacheraient assez d'importance à notre expédition pour nous filer le train.

— Si je comprends bien, vous vouliez qu'ils nous poursuivent pour avoir le prétexte de leur abandonner ce que, précisément, vous étiez venu chercher. »

Il hocha la tête. « Oui, je devais leur faire croire que je cédais uniquement pour sauver ma peau. Dans le scénario initial, c'était même moi qui devais jeter le cercueil, mais Gil était blessé et j'ai dû prendre le volant.

— Et dire que c'est Gil qui m'a soufflé l'idée ! Bon sang ! vous avez même voulu m'en empêcher !

— Je savais que la meilleure manière de vous y contraindre, c'était encore de vous l'interdire. Vous étiez bien trop en colère contre moi pour m'obéir.

— Quand je pense que vous avez mis en danger la vie de Gil et la mienne dans le seul dessein de tromper ces assassins !

— Vous oubliez que j'étais, moi aussi, dans la voiture.

— Si vous voulez vous suicider, c'est votre affaire, mais n'entraînez pas les autres dans votre mort.

— Il me semblait qu'il n'y avait pas d'autre solution.

— D'autre solution ? Merde ! vous êtes tellement obsédé par votre foutue politique que vous perdez tout sens commun !

— J'avais besoin de gagner du temps.

— Eh bien, vous avez fait tout ça pour rien, assena-t-elle, ulcérée. Si vous croyez que je vais travailler pour vous, vous êtes idiot. J'aimerais mieux vous étrangler et vous enterrer au côté de Randolph Barrett. » Elle se détourna. « Ou plutôt vous ensevelir quelque part où on ne puisse jamais vous retrouver. C'est tout ce que vous méritez, pauvre débile.

— Eve. »

L'ignorant, elle commença de descendre la colline.

« Vous êtes en droit de m'en vouloir, mais vous devez réfléchir. Laissez-moi vous expliquer la situation, afin que... »

Elle accéléra le pas. Ce n'était qu'un sale manipulateur, et elle ne voulait plus l'écouter. Elle arriva à la maison juste au moment où Margaret s'apprêtait à se retirer dans sa chambre. « Gil dort, dit celle-ci. Alors je crois que je vais en faire...

— Vous voulez bien m'appeler un taxi et me réserver une place d'avion pour Atlanta ? lui demanda sèchement Eve.

— Hum ! j'en déduis que John n'a pas été très convaincant. » Elle eut une grimace de dépit. « Je ne vous reproche rien, mais vous pouvez faire confiance à John pour...

— Épargnez-vous cette peine, Margaret. Prenez-moi ce billet d'avion... s'il vous plaît.

— Je ne peux pas sans consulter John.

— Dans ce cas, j'irai à pied ! » Eve claqua la porte de sa chambre derrière elle et éclaira. Puis, sortant son sac de voyage de la penderie, elle entreprit d'y ranger ses affaires.

« Il faut que vous m'écoutiez », dit la voix de Logan derrière elle. Il avait ouvert la porte sans bruit et se tenait sur le seuil. « Je sais qu'il vous est difficile de voir les choses clairement, bouleversée comme vous l'êtes, mais je ne peux pas vous laisser partir sans vous prévenir de ce qui vous attend.

— Ce que vous avez à m'apprendre ne m'intéresse pas. » Elle jeta une brassée de sous-vêtements dans le sac. « De toute façon, vous m'avez beaucoup trop menti pour que je vous croie encore. Vous m'avez trompée, et j'ai failli mourir par votre faute.

— Je n'ai jamais eu l'intention de vous mettre en danger. » Il se tut un instant pour la regarder ouvrir un autre tiroir de la commode. « Très bien, examinons la situation. Vous ne pensiez pas que cette histoire pouvait prendre une tournure aussi dangereuse. À présent, vous savez qu'ils sont décidés à tuer pour récupérer ce crâne. C'est donc que celui-ci a bien l'importance que je lui ai donnée depuis le début. »

Elle l'écoutait tout en continuant d'empaqueter ses vêtements. « Ce n'est pas le crâne de Kennedy, n'est-ce pas ?

— Prouvez-le.

— Je n'ai rien à prouver.

— Je crains que vous n'ayez pas le choix. »

Elle se retourna vers lui. « C'est vous qui le dites !

— Je le répète, vous n'avez pas d'autre solution si vous tenez à la vie. » Il marqua une pause. « Pas seulement à la vôtre d'ailleurs, à celle de votre mère également.

— C'est une menace ?

— Pas du tout. Je vous expose les choses telles qu'elles sont. La situation s'est aggravée au point que votre alternative est la suivante : soit vous prouvez que j'ai raison et vous me laissez m'occuper de ces salauds, soit vous démontrez que je me suis trompé et vous faites une déclaration aux médias, pour vous laver de tout soupçon et poursuivre des jours tranquilles. » Il la fixa. « Sinon, ceux que vous avez vus à l'œuvre cette nuit vous descendront à la première occasion. Ils s'en foutent de savoir si l'histoire de Donnelli est vraie ou fausse. Ils ne courront pas ce risque.

— Je pourrais obtenir une protection policière.

— Oui, pendant quelque temps.

— Je pourrais tout raconter à la police, et Joe se fera un plaisir de vous arrêter.

— Et après ? Que pourrait-on me reprocher ? Recel de crâne ? Le crâne de qui ? On me relâchera dans l'heure. » Il observa un silence et reprit d'une voix calme : « Je ne veux pas me disputer avec vous, Eve. J'ai un seul désir : que vous restiez en vie.

— Non, vous attendez uniquement de moi que je fasse ce prétendu travail pour lequel vous m'avez engagée... quel que soit le prix que cela pourrait me coûter.

— Ce qui est arrivé à votre atelier, à Atlanta, n'était qu'un avertissement, nous savons à présent qu'ils ont sorti les couteaux.

— Peut-être.

— Réfléchissez. » Il la regarda avec la plus grande attention et secoua la tête d'un air de dépit. « Vous refusez de m'entendre, n'est-ce pas ? Très bien, je voulais éviter de vous le dire, mais d'autres témoins ont déjà été éliminés : trois d'entre eux ont été tués au cours des deux derniers jours.

— Des témoins ?

— L'affaire a été jalonnée de morts inexplicables depuis l'assassinat de Dallas, vous le savez ? Or, ça recommence. C'est la raison pour laquelle je tenais à cette diversion, cette nuit, avec l'espoir qu'elle mettrait fin, temporairement, au massacre.

— Pourquoi vous croirais-je ?

— Je peux vous donner les noms et les adresses des trois dernières victimes. Vous pourrez vérifier auprès de la police locale. Dieu m'est témoin, c'est la vérité. »

Il était manifestement sincère, et elle le crut. Elle aurait toutefois préféré un mensonge, car c'était une vérité épouvantable. « Il n'y a pas de raison qu'ils s'en prennent à ma mère.

— Non, s'ils parviennent à s'en prendre à vous. Sinon, ils n'hésiteront pas à se servir d'elle comme moyen de pression. Ils ont déjà commencé avec le chat et votre atelier. »

Elle revit tout ce sang, et la peur s'empara de nouveau d'elle. « Qui sont ces gens dont vous parlez ? J'en ai assez de marcher dans le noir. Qui sont ces hommes qui nous ont poursuivis ? Qui est à leur tête ? »

Logan laissa passer quelques secondes avant de répondre. « Celui qui mène la danse n'est autre que James Timwick, le nom doit vous dire quelque chose.

— Non.

— C'est un haut fonctionnaire du département du Trésor.

— Il était dans la Mercedes ?

— Non, il n'y avait que ses hommes de main. Ils n'ont probablement aucun statut officiel. Dans une conspiration de cette importance, moins de gens savent, mieux cela vaut. Il y aurait nécessairement des fuites s'il employait des agents du gouvernement. J'en déduis qu'il a recours à des tueurs à gages. »

Des tueurs à gages. On se serait cru dans un mauvais film de série B. « Vous savez donc qui a saccagé mon atelier ?

— Gil soupçonne un certain Albert Fiske. Ce type a déjà travaillé pour Timwick. »

Fiske. Ce sang et cette horreur avaient donc un nom. « Je veux que Joe le sache. Il saura traquer ce salaud.

— Désirez-vous vraiment mêler Quinn à cette affaire avant d'avoir la moindre preuve ? Timwick est un poids lourd. Il lui suffirait d'un coup de fil pour rendre la vie de votre ami très difficile. » Il baissa la voix pour se faire plus persuasif. « Et cette preuve, vous pouvez l'obtenir, Eve. En faisant ce travail. Alors, vous faciliterez les choses à Quinn tout en vous préservant vous-même.

— Mais surtout en vous donnant satisfaction, n'est-ce pas ?

— C'est le revers de la médaille. Après tout, il vous suffirait de prouver que je me suis trompé pour vous venger de tous les problèmes que je vous ai causés.

— Vous appelez "problème" une tentative d'homicide ?

— Je me suis déjà expliqué sur ce point, et je vous ai avertie des dangers que vous courez. À vous de prendre votre décision, maintenant.

— C'est toujours ainsi que j'ai procédé.

— Alors, faites le bon choix. J'aurai besoin d'un peu de temps pour organiser votre sécurité pendant votre voyage de retour. Je vais dire à Margaret de vous réserver un billet pour Atlanta, cet après-midi.

— Et si je voulais partir tout de suite ? »

Il secoua la tête. « J'ai fait de vous une cible, par conséquent j'entends vous protéger du mieux possible. Je doublerai la surveillance de votre maison. » Il la regarda une dernière fois avant de sortir. « Oubliez votre colère, Eve, et pensez à vous et à votre mère. »

Il referma la porte derrière lui, avant qu'elle puisse répondre. Frapper et s'esquiver. Éternel manipulateur.

Vous et votre mère.

Il avait soigneusement pesé ses mots. Eve essaya de maîtriser la panique qui menaçait de s'emparer d'elle. Mieux valait oublier ce qu'il avait dit et ficher le camp de cette maison. Il l'avait délibérément trompée et embarquée dans une affaire...

Doucement. Elle devait refréner son envie de lui tordre le cou. Faisant face désormais à un danger bien réel, il lui fallait agir.

Prouvez-le, que j'ai tort.

Si elle travaillait d'arrache-pied, elle pourrait détenir cette preuve d'ici deux jours. Et céder à Logan ?

Pensez à vous et à votre mère.

Elle s'approcha de la fenêtre. Le jour se levait, elle pourrait être de retour chez elle dans l'après-midi. Comme elle désirait retrouver son cocon ! « Cocon », ce mot n'avait plus de sens depuis quelques heures. En acceptant la proposition de Logan, elle avait détruit une paix et une sécurité qu'elle avait mis des années à rétablir, après l'exécution de Fraser. Et elle se trouvait de nouveau entraînée dans ces eaux sombres qui avaient failli l'engloutir après la mort de Bonnie.

Soudain, elle se ressaisit. Elle avait survécu à la disparition de Bonnie, elle survivrait au reste.

Barrett House
Mardi après-midi

Logan était dans le salon quand elle redescendit peu après une heure de l'après-midi.

« Et votre valise ? demanda-t-il avec un sourire circonspect.

— Elle est bouclée, je partirai dès que j'aurai terminé. J'ai décidé que le meilleur moyen de sortir de ce bourbier, c'était encore de faire ce travail. » Elle prit la direction du couloir menant à l'atelier. « Où est le crâne ?

— Là où vous allez... au labo. Vous trouverez la boîte sur votre bureau. » Il la suivit. « Mais vous feriez bien de dormir un peu avant de vous y mettre.

— Je suis parfaitement reposée. Je me suis douchée et j'ai dormi, après avoir pris ma décision.

— Vous auriez pu m'en informer, histoire de me soulager l'esprit.

— C'est le cadet de mes soucis.

— Oui, je comprends. En tout cas, vous avez fait le bon choix.

— Si je n'en étais pas persuadée moi-même, j'aurais déjà pris la porte. » Elle lui jeta un regard glacé. « Que les choses soient bien claires, Logan : dès que j'aurai prouvé que ce crâne n'est pas celui de Kennedy, je contacterai la presse et dirai quel crétin vous êtes.

— D'accord.

— Et j'appellerai chaque jour ma mère et Joe.

— Je ne vous en ai jamais empêchée. Vous n'êtes pas ma prisonnière, et si je puis vous être d'une aide quelconque...

— Pas question. » Elle poussa la porte de l'atelier et alla tout droit à la boîte posée sur le bureau. « Je travaille seule.

— Pourrais-je savoir pour combien de temps vous en aurez ?

— Cela dépend de l'état du crâne. Si ce n'est pas un puzzle, deux jours, peut-être trois.

— Il m'a paru assez intact. » Il marqua une pause. « Quarante-huit heures, Eve.

— Je déteste qu'on me presse.

— Cependant je dois le faire. Nous avons un répit, mais de combien ? Timwick vérifiera s'il détient ou non le bon crâne en le faisant examiner par l'un de vos homologues, et il découvrira bientôt la supercherie.

— Pourquoi prendrait-il un tel risque dans une affaire touchant à un secret d'État ?

— Parce qu'il y est obligé. Une expertise d'ADN l'exposerait à des fuites, en raison de l'importance du personnel et des moyens exigés, mais il fera sûrement appel à un sculpteur médico-légal. Et si l'homme est bon, combien mettra-t-il... deux jours ?

— Cela dépend s'il opère sur un moule du crâne ou sur le crâne lui-même. Et s'il met du cœur à la tâche.

— Timwick saura le convaincre de cravacher. Qui est le meilleur... après vous ?

— Il y en a quatre ou cinq d'excellents dans le pays.

— Oui, c'est ce que j'ai appris quand j'en cherchais un. Mon avocat n'a pas eu grand mal à établir une liste. »

Elle ouvrit la boîte. « Dommage que votre choix se soit porté sur moi.

— Vous êtes la meilleure. Qui vient après vous ?

— Simon Doprel. Il a le feeling.

— Le feeling ?

— Oui, il y a d'abord la phase technique de reconstitution mais, dans les dernières étapes de votre sculpture, il faut compter avec l'instinct, ou le feeling si vous préférez. Vous devez pouvoir sentir si vous avez raison ou tort. Certains d'entre nous ont cette qualité, d'autres pas.

— Intéressant. Et... un peu étrange.

— Ne soyez pas stupide, c'est tout simplement ce qu'on appelle le talent, ça n'a rien de paranormal.

— Et Doprel a ce talent ?

— Oui. » Elle sortit délicatement le crâne. Blanc, mâle, les os faciaux presque entièrement intacts. Une portion de la calotte à l'arrière manquait.

« Plutôt moche, non ? dit Logan.

— Vous ne seriez pas plus beau si vous aviez subi une incinération.

Donnelli a eu de la chance. Le cerveau aurait pu exploser par le front au lieu de la nuque, et il n'y aurait jamais eu ni chantage ni... reconstitution.

— C'est le feu qui fait exploser la cervelle ?

— Oui, ça arrive presque toujours chez les victimes d'incendie. »

Il revint à leur précédent sujet de conversation. « Donc Doprel serait un excellent choix ?

— Encore faut-il que Timwick puisse l'engager. Doprel exerce presque à temps plein pour le département de police de New York.

— Oh ! Timwick le débauchera sans problème. » Il regarda le crâne. « Deux jours, Eve. S'il vous plaît. »

Elle eut un soupir d'agacement. « Je ne peux pas prévoir quand j'aurai fini, mais ne vous inquiétez pas, je n'ai pas l'intention de perdre du temps. Plus vite ce sera terminé, mieux je me porterai. » Elle posa le crâne sur le piédestal. « Maintenant, laissez-moi.

— Bien, m'dame. »

C'est tout juste si elle entendit la porte se refermer, tant elle était déjà tout à son travail. D'abord, établir un lien. Ce serait peut-être plus dur, car c'était un adulte, pas un enfant. Elle prit quelques mesures de la calotte, nota les données sur un calepin. « Tu n'es pas celui qu'il pense, dit-elle tout bas, mais ça n'a pas d'importance, Jimmy. »

Jimmy ? Ça lui était venu sans réfléchir. Peut-être était-elle en face de Jimmy Hoffa ou de quelque mafieux. Et dire qu'elle avait précisé à Logan qu'elle ne ferait jamais rien qui ait un rapport quelconque avec un crime !

Mais Jimmy était un prénom comme un autre.

« Je vais devoir te malmener, Jimmy, mais c'est pour la bonne cause, murmura-t-elle. Alors, reste avec moi, d'accord ? »

Chevy Chase, Maryland
Mardi soir

« Je n'ai pas le temps, Timwick, protesta Simon Doprel. Vous m'avez interrompu, alors que j'étais sur une importante affaire qui doit passer au tribunal le mois prochain. Trouvez quelqu'un d'autre.

— Ce n'est que pour quelques jours, et vous avez accepté.

— Mais pas de quitter New York pour venir jusqu'ici en pleine cambrousse. Vos hommes m'ont proprement enlevé. Pourquoi ne m'avez-vous pas envoyé le crâne ?

— Parce que cela doit rester secret. Allons, vous n'allez pas vous désister, maintenant. Découvrir si c'est bien le terroriste que nous cherchons a la priorité sur une affaire criminelle.

— Et depuis quand le département du Trésor poursuit-il les terroristes ? demanda Doprel d'une voix sourde.

— Toute menace concernant la Maison-Blanche est de notre ressort. Si vous avez besoin de quoi que ce soit, Fiske y pourvoira. Il sera votre ombre jusqu'à ce que vous ayez terminé. » Timwick sourit. « Nous veillerons à ce que vous ne manquiez de rien tant que vous serez parmi nous. » Sur ces paroles, il quitta la pièce et referma la porte derrière lui.

Timwick se félicitait de la réticence de Doprel à effectuer ce travail. Impatient de retourner à New York, le bonhomme irait plus vite, et cela lui convenait parfaitement. Quand il avait appris les circonstances dans lesquelles Logan leur avait abandonné le crâne, il avait aussitôt flairé une embrouille. Logan avait peut-être eu peur pour sa vie au point de sacrifier ce qu'il était venu chercher, mais ce pouvait être aussi une diversion. Pourquoi ne s'était-il pas contenté de jeter le cercueil, sans le crâne ? Aurait-il paniqué ?

Logan n'était pas un froussard. D'accord, il était au volant ; Kenner avait rapporté que c'était la femme qui avait lancé la boîte. De toute façon, il en aurait bientôt le cœur net, et, en attendant, ils continueraient de surveiller Barrett House.

« Comment ça va ? » demanda Logan en entrant dans la chambre où reposait Gil. Il prit place sur une chaise à côté du lit.

« Ça irait mieux si le toubib ne m'avait pas gavé de somnifères, grogna Gil. Je n'ai plus mal à l'épaule, mais j'ai la tête comme un tambour.

— Il fallait que tu dormes.

— Peut-être, mais pas douze heures d'affilée. » Il s'efforça de se redresser. « Alors, que se passe-t-il ? »

Logan se pencha en avant pour arranger les oreillers contre la tête de lit. « Eve s'est mise au travail.

— Ah oui ? J'étais persuadé que tu avais fait une belle gaffe de l'emmener avec nous dans le Maryland et qu'au retour elle prendrait ses jambes à son cou.

— Sa colère a triomphé de sa peur, mais tu as raison, elle aurait pu filer. Je n'avais pas le choix, tu sais bien, il fallait que je persuade les autres que notre petite virée était importante. Mon erreur, c'est d'avoir mal évalué les risques.

— Tu parles, tu savais très bien comment ils réagiraient.

— Peut-être, mais ça ne m'empêche pas de regretter ce qui t'est arrivé.

— Eh ! j'étais là pour ça, non ? Mais j'ai manqué de rapidité. Un vrai gland. Et je serais mort si Eve n'était pas intervenue. Merde, elle est drôlement balèze, la p'tite dame !

— Oui, tu peux le dire. C'est Quinn qui lui a appris à se défendre contre les Fraser et consorts.

— Quinn ? Encore lui ? »

Logan hocha la tête. « Eve et lui sont comme des jumeaux, j'ai l'impression. » Il se leva. « Je descends. Il y a des heures qu'elle n'a pas quitté le labo, je vais lui apporter un sandwich.

— Elle va être contente que tu l'autorises à s'alimenter un peu.

— Remballe tes sarcasmes, Gil.

— Je te dis ce que je pense. Maintenant que tu as réussi à la mettre au travail, tu n'as plus qu'à claquer ton fouet de temps à autre, non ?

— Elle n'est pas du genre à aimer le fouet. Tu as besoin de quelque chose ?

— Oui, de ma platine et de mes CD. » Il eut un sourire espiègle. « Les murs sont suffisamment épais ? J'aimerais bien mettre à fond *Lonesome Cowboy* !

— Alors je demanderai à Margaret de venir te faire une danse du ventre.

— Tu n'oserais pas, je suis blessé. » Il cessa de sourire. « On dispose de combien de temps, à ton avis, avant que ça pète ?

— Trois jours au plus. Dès qu'ils découvriront qu'on s'est payé leurs tronches, ils vont lâcher la meute, et on aura intérêt à être loin quand ça se produira. » Il regagna la porte. « Alors, repose-toi bien pour être d'attaque.

— Demain, je serai sur pied, et j'irai donner un coup de main à Mark dans la grange. »

Logan sortit et descendit à la cuisine. Un quart d'heure plus tard, il frappait à la porte du labo, portant un plateau avec un sandwich au jambon et un bol de soupe de légumes.

Pas de réponse.

« Puis-je entrer ?

— Non, je suis occupée.

— Je vous apporte une petite collation. Vous devez vous alimenter.

— Laissez-la devant la porte. Je la prendrai plus tard. »

Logan hésita puis posa le plateau sur la console dans le couloir. « Ne tardez pas trop. La soupe sera froide. »

Bon Dieu ! il se comportait comme une épouse attentionnée ! Il ne se reconnaissait plus. Heureusement que Margaret n'était pas dans le coin. Si elle avait entendu leur échange, nul doute qu'elle serait morte de rire.

10

« Tu n'as pas mangé, m'man. Tu ne pourras pas travailler si tu ne manges pas. »

Eve leva la tête. Bonnie était assise par terre près de la porte, les bras passés autour de ses genoux. « Et c'est idiot de dormir sur ton bureau alors que tu as un lit.

— Je voulais seulement fermer les yeux quelques minutes, dit-elle, comme si elle était prise en faute. J'ai du travail.

— Je sais. » Bonnie regarda le crâne sur le piédestal. « Tu as bien travaillé.

— Tu crois ?

— Oui. » Bonnie plissait le front d'un air perplexe. « Enfin, je pense que c'est important. C'est pourquoi je t'ai appelée du cimetière.

— Tu ne m'as pas appelée. Je suis venue sur une impulsion. »

Bonnie sourit. « Vraiment ?

— Ou peut-être que toutes ces fleurs sur les tombes ont eu chez moi je ne sais quel écho subconscient. Je savais que Logan avait l'esprit tortueux et je soupçonnais... Arrête de sourire comme ça.

— Excuse-moi. En vérité, je suis très fière de toi. Tu as de la chance d'avoir trouvé un homme aussi intelligent. Peut-être tortueux, comme tu dis, mais brillant. » Elle regarda de nouveau le crâne. « Tu as l'air de bien t'entendre avec Jimmy, n'est-ce pas ?

— Oui, mais je rencontre quelques problèmes.

— Tu les résoudras. Et je t'aiderai.

— Quoi ?

— Tu sais bien que j'ai toujours essayé de t'aider.

— Oh ! serais-tu devenue mon ange gardien ? Je suppose que tu veillais sur moi quand j'étais dans la limousine, la nuit dernière.

— Non, je ne pouvais rien faire, et j'avais très peur. Je voudrais bien être à tes côtés, mais ce n'est pas encore le moment. Cela fausserait l'équilibre.

— Quel équilibre ? Celui de l'univers ? S'il y en avait un, personne ne t'aurait arrachée à moi.

— Je ne peux pas te répondre sur ce point. Mais je ne veux pas qu'il t'arrive malheur, maman. C'est pour cela que tu dois être très prudente.

— Je le suis, et j'essaie de m'arracher de ce bourbier dans lequel j'ai mis les pieds. C'est pour ça que je m'active sur Jimmy.

— Oui, Jimmy a une grande importance, et c'est bien dommage, soupira Bonnie. Je devine que tu vas travailler jusqu'à l'épuisement durant les prochains jours. Si tu n'as pas envie de monter dans ta chambre, repose ta tête sur ton bureau et rendors-toi.

— Mais je dors.

— Oui, bien sûr. Parfois, j'oublie que je ne suis qu'un rêve. Alors, fais comme je te dis, parce que je trouve bizarre que tu dormes assise toute droite sur ta chaise. »

Eve obéit. Elle reposa doucement sa tête dans ses bras croisés sur la table. « Tu me quittes ? demanda-t-elle au bout d'un moment.

— Non. Je reste encore un peu. J'aime bien te regarder quand tu dors et que tu ne penses plus à rien. Ton visage devient si paisible, alors. »

Eve sentait les larmes brûler ses yeux sous ses paupières closes. « Quelle étrange fillette... »

Barrett House
Mercredi matin

« Vous n'avez rien mangé hier soir, déclara Logan en poussant la porte, un plateau à la main. Je déteste qu'on gaspille la nourriture. Cette fois, je vais rester et attendre que vous ayez tout avalé. »

Eve leva les yeux de sa tâche. « Votre sollicitude serait touchante, répliqua-t-elle tout en se lavant les mains à l'évier, si je ne la savais intéressée. Vous avez peur que je tombe d'inanition et que vous perdiez votre temps à me ranimer ?

— Précisément. » Il se laissa choir dans un fauteuil. « Allons, faites-moi plaisir... »

Elle s'assit à sa table de travail et tira le plateau vers elle. « Je vais manger parce que j'ai faim et besoin de forces. Point final.

— Vous avez l'art de me remettre à ma place, mais ça m'est égal, du moment que vous vous alimentez. » Il la regarda avec attention. « Comment réussissez-vous à avoir l'air aussi reposée alors que votre lit n'a pas été défait ?

— J'ai dormi ici. » Elle but le verre de jus d'orange. « Et je vous interdis de fouiner dans ma chambre, Logan. Vous avez déjà suffisamment envahi ma vie.

— Je me sens responsable de vous et ne désire que vous aider.

— M'aider à aller plus vite ?

— En partie. Je ne suis pas totalement mauvais. »

Dédaignant de répondre, elle prit un morceau d'omelette.

« Je considère votre silence comme un assentiment. Décidément, vous avez eu raison de dormir un peu. Cela vous a radoucie.

— Détrompez-vous, je n'ai ni le temps ni l'envie de m'intéresser à vos qualités et défauts. Je travaille.

— Je sais, et je vois, dit-il en se tournant vers le piédestal, que vous en êtes au stade de la poupée vaudoue. Lui auriez-vous donné un nom ?

— Jimmy. »

Il gloussa. « Ce n'est pas Hoffa, Eve.

— Nous verrons. » Elle se surprit à sourire. Après la tension de ces dernières heures, c'était bon de se détendre un peu... même en compagnie de Logan. « À vrai dire, je ne vous imagine pas mêlé aux affaires d'un leader syndical.

— Oh ! je ne considérerais pas sa réapparition comme un événement capital ! » Il reporta son attention sur le piédestal. « Comment peut-on reconstituer un visage à partir de si peu ? Quel est le secret ?

— En quoi cela vous intéresse-t-il ?

— Je suis né curieux, est-ce si étrange ? »

Elle haussa les épaules. « Non, et ce n'est pas votre pire défaut. »

Il ignora le sarcasme. « Comment appelle-t-on ces petites pastilles ?

— Des indicateurs de profondeur de derme. Je me sers de petits bâtonnets de gomme. Je les découpe en rondelles d'une épaisseur précise et les colle sur chaque point spécifique de la peau. Il y en a plus de vingt sur le crâne, et on a pu établir l'épaisseur du derme de chacun d'eux. La profondeur du tissu conjonctif est en effet pratiquement invariable sur des individus d'âge, de race, de sexe et de poids identiques. Il existe des graphiques anthropologiques qui indiquent l'exacte mesure selon chacun desdits points. Par exemple, chez un Blanc de sexe masculin et de poids moyen, l'épaisseur du derme entre la lèvre supérieure et la base du nez est de dix millimètres. L'architecture des os de la face détermine si le menton est fuyant ou pas, si les yeux sont saillants ou enfoncés.

— Une fois que vous avez évalué l'épaisseur du derme sur tous les points connus, que faites-vous ?

— J'applique de la pâte à modeler entre les différents indicateurs, jusqu'à avoir une idée assez précise du derme du sujet. La difficulté consiste à maintenir exactes les différentes mesures tout en tenant compte des muscles faciaux et de leur influence sur les contours du visage.

— Et la taille et la forme du nez ?

— C'est l'un des traits les plus difficiles à reconstituer. La largeur et la longueur sont encore affaire de calculs. Pour un Blanc comme Jimmy, je mesure les fosses nasales à leur point le plus large et j'ajoute cinq millimètres de chaque côté des narines. Cela me donne la largeur. La longueur dépend, elle, de la dimension de l'arête nasale. Je n'ai qu'à la multiplier par trois pour obtenir la longueur du nez, à laquelle vient s'ajouter l'épaisseur du tissu conjonctif. »

Logan gloussa doucement. « Si j'ai bien compris, c'est le... pif, le plus difficile à estimer.

— Vraiment très drôle.

— Excusez-moi, j'ai toujours tendance à plaisanter quand les choses me dépassent. Mais je vous en prie, continuez.

— L'arête nasale délimite aussi l'angle du nez. Elle m'apprendra s'il est retroussé, aquilin ou droit. Une fois le nez terminé, il est facile d'avoir les oreilles. Elles sont généralement aussi longues que le nez.

— Cela m'a l'air très précis.

— En apparence. On a beau disposer de paramètres établis scientifiquement pour reconstituer un nez, on ne peut jamais être sûr de reproduire l'original. Mon seul espoir est de m'en rapprocher le plus possible.

— Et la bouche ?

— Toujours les mesures. On fixe la hauteur des lèvres en mesurant la distance entre le haut et le bas du bord alvéolaire du maxillaire supérieur. La largeur correspond généralement à la distance entre les canines, qui coïncide aussi avec celle entre les yeux. Ce sont les diagrammes anthropologiques qui nous indiquent l'épaisseur des lèvres. Comme pour le nez, je n'ai pas d'indices quant à leur forme et, là encore, c'est l'intuition qui... » Elle repoussa soudain son plateau et se leva. « Je n'ai vraiment pas le temps de poursuivre, Logan. Je dois reprendre ma tâche.

— J'en déduis que vous me mettez à la porte. » Il se leva à son tour et prit le plateau. « Est-ce que je pourrais revenir et vous regarder faire ou bien y verriez-vous une invasion intolérable de votre territoire ?

— Auriez-vous peur que je donne à ce crâne la bouille de Jimmy Hoffa ?

— Non. » Il hésita. « À vrai dire, je n'en sais rien.

— Alors vous ne m'avez pas écoutée. Ce sont les mesures, et rien que les mesures, qui nous fourniront la clé de l'énigme. Aussi, vous n'avez pas besoin de garder l'œil sur moi, Logan.

— Ce n'était pas mon intention. Si je vous disais qu'en vérité je suis plutôt inquiet, est-ce que vous me laisseriez regarder ?

— Auriez-vous des doutes, maintenant ? Vous paraissiez tellement sûr qu'il s'agissait de Kennedy.

— Eve, j'ai envie de voir le crâne prendre vie, avoua-t-il franchement. Je sais bien que je ne mérite aucune bienveillance de votre part, mais permettez-moi quand même d'assister à votre travail. »

Elle hésitait. Elle lui en voulait encore, et à juste titre. Après ce qu'il lui avait fait, elle devrait plutôt l'envoyer au diable. Par ailleurs, il était préférable d'observer une trêve, si elle tenait à sortir indemne de cet enfer. Elle pinça les lèvres d'un air résigné. « À une condition : que vous ne m'adressiez pas la parole. J'ai besoin de calme et de silence pour me concentrer. En bref, vous la fermez ou vous sortez.

— C'est entendu, dit-il en gagnant la porte. Vous ne saurez même pas que je suis là. Je vous apporterai de quoi manger et puis j'irai m'asseoir dans un coin, comme un chat bien docile.

— Vous devez confondre avec les chiens. Les chats ne connaissent pas la docilité. » Sur ce, elle se détourna de lui pour s'approcher du piédestal.

Chevy Chase
Mercredi après-midi

« Vous n'avez pas l'air d'avancer très vite, Doprel, constata Fiske. Et vous ne travaillez pas directement sur le crâne lui-même.

— Je ne travaille jamais sur les originaux, mais sur les moules que j'en fais.

— C'est une pratique courante ? J'ai plutôt l'impression que c'est une perte de temps.

— Peut-être, mais c'est ma façon de faire, répliqua Doprel, agacé par l'insistance de Fiske. Et je vais plus vite, car je n'ai pas de précautions à prendre avec un simple moule.

— Timwick se moque pas mal que le crâne soit endommagé. Nous ne pouvons nous permettre d'attendre que vous en fassiez une réplique. » Il marqua une pause. « Plus vite vous terminerez, plus tôt vous rentrerez à New York.

— Ce n'est pas comme ça que je... » Doprel hésita. « Et puis, que m'importe si ce foutu crâne se casse ? Je travaillerai directement dessus. À présent, laissez-moi, Fiske. Vous êtes censé m'apporter mes repas et pourvoir à mes besoins, pas critiquer mes méthodes. »

Ce connard arrogant le traitait comme un domestique. Fiske en avait déjà rencontré, de ces grosses têtes. Ces types se croyaient toujours plus forts que les autres. Malgré toute sa science, Doprel ne pourrait jamais faire ce dont Fiske était capable. Il n'avait ni la ruse ni le cran nécessaires.

Mais peut-être bien que Doprel comprendrait son erreur quand il aurait fini ce qu'on exigeait de lui. Timwick avait dit que tout dépendrait des résultats. Fiske sourit au spécialiste. « Je ne voulais pas vous contrarier, dit-il en s'éloignant. Je vais vous faire du café. »

Barrett House
Mercredi
22 h 50

Eve recula d'un pas, ôta ses lunettes et frotta ses yeux du revers de la main. La pose minutieuse des couches de pâte à modeler était terminée et elle était fatiguée. Elle n'osait pas continuer, de peur de commettre une erreur. Se reposer une heure ou deux, ensuite elle reprendrait.

Elle alla s'asseoir à la table de travail et, adossée à sa chaise, ferma les yeux.

« Vous allez bien ? » s'inquiéta Logan.

Elle se retourna en sursaut pour porter son regard dans le coin de l'atelier. Bon Dieu ! elle avait complètement oublié qu'il était là ! Il y avait vingt-quatre heures qu'il entrait et ressortait comme un fantôme, et elle n'avait pas le souvenir qu'il lui ait adressé une seule fois la parole. Peut-être l'avait-il fait. Sa tâche l'avait tellement absorbée qu'elle ne se souvenait de rien, hormis un coup de fil à sa mère, mais elle n'avait aucune idée de ce qu'elles avaient pu se dire.

« Ça va ? répéta Logan.

— Oui, ça va. Je me repose un peu. Je n'ai pas une très bonne vue, et mes yeux fatiguent facilement.

— Il y a de quoi. Je n'ai jamais vu personne œuvrer avec autant d'intensité. Je doute que Michel-Ange ait été aussi concentré, quand il sculptait son David.

— Il avait tout le temps devant lui.

— Comment ça se présente ?

— Je ne sais pas, il est trop tôt pour le dire. J'ai terminé le travail de fond. Maintenant, les difficultés vont commencer.

— Reposez-vous.

— C'est ce que j'étais en train de faire, répliqua-t-elle sèchement.

— Excusez-moi. Je disais ça dans l'intention de vous aider. » Il sourit. « Je craignais que vous ne finissiez par vous évanouir.

— Mais vous ne m'avez pas arrêtée.

— C'est un luxe que je ne peux me permettre. L'heure tourne. Dans combien de temps pensez-vous... ?

— Douze heures, peut-être un peu plus. » Elle se renversa de nouveau sur sa chaise. « À dire vrai, je ne sais pas, ça prendra le temps nécessaire. Arrêtez avec vos questions.

— D'accord. » Il se leva. « Je vous laisse vous détendre. Pourquoi ne pas vous allonger sur le canapé ? Je vous réveillerai.

— Je ne veux pas dormir. Seulement reposer mes yeux.

— Alors, à plus tard... si vous n'y voyez pas d'inconvénient.

— Logan, ça ne vous reste pas en travers de la gorge, tant de prévenance et de courtoisie ?

— Un peu, mais je m'en accommode. J'ai appris il y a longtemps qu'à moins d'être la puce la plus importante dans un ordinateur, il vaut mieux se contenter de graisser les rouages et de laisser faire les autres.

— C'est une assez belle métaphore pour décrire la présente situation.

— Merci. Encore une fois, vous devriez essayer de dormir. Vous serez plus apte à réfléchir au réveil.

— Mais je n'ai plus besoin de réfléchir, du moins en ce qui concerne cette phase. La seconde fait appel à l'intuition, à rien d'autre.

— Dans ce cas, je ne peux pas vous aider, si ce n'est vous apporter de quoi manger.

— Quand je suis parvenue à ce point, personne ne peut m'aider. »

La porte se referma derrière lui.

« Non, personne, répéta-t-elle tout bas. C'est rien qu'entre toi et moi, n'est-ce pas, Jimmy ? »

Chevy Chase
Mercredi soir
23 h 45

« Timwick, Doprel a presque fini, annonça Fiske. Il dit que la tâche était plus facile que prévu. Il lui faut encore une douzaine d'heures pour se prononcer.
— Vous avez vu le crâne ?
— Oui, mais impossible de se faire une idée. Il n'a pas encore de nez ni d'yeux. À mon avis, tout ça n'est qu'une perte de temps.
— Laissez-moi en être juge. Appelez-moi quand il aura terminé, je viendrai voir ça. »
Fiske raccrocha. Dans un peu plus de douze heures, il saurait si Doprel ou Logan et Duncan seraient ses prochaines cibles. Il espérait presque que ce serait Doprel. Logan et Duncan représentaient un défi intéressant, mais le spécialiste ès ossements commençait à le gonfler sérieusement.

Barrett House
Jeudi
6 h 45

Lisser l'argile. Délicatement. Avec sensibilité. Libérer ses mains, les laisser faire. Ne pas penser. Aide-moi, Jimmy.
L'argile était fraîche, mais le bout de ses doigts était chaud, tandis qu'ils malaxaient, étendaient, caressaient la pâte.
Eve ignorait si les oreilles étaient décollées ou pas, si elles présentaient des lobes plus grands. Elle fit un nez long, fin. Connaissant la largeur de la bouche mais pas la forme, elle sculpta des lèvres fermées, sans expression.
Les yeux étaient d'autant plus difficiles à recréer qu'elle disposait de peu de mesures et d'indicateurs scientifiques. Inutile de se presser. La taille des globes oculaires était sensiblement la même pour tous les individus d'une même catégorie et évoluait peu de l'enfance à l'âge adulte. Comment avaient été ceux de Jimmy ? Saillants, enfoncés, ou quelque part entre les deux ? L'angle des orbites et l'arête frontale devraient la guider.
Mais elle s'en occuperait en dernier. Les yeux concluaient toujours les reconstitutions, du moins les siennes. Certains collègues préféraient commencer par eux. Elle n'avait jamais pu s'y résoudre, ayant découvert qu'elle avait tendance à se hâter – ce qui était dangereux – quand une paire d'yeux la regardait.

Elle lissa l'enduit qui recouvrait chaque os pariétal, tout en s'exhortant à ne pas considérer le visage comme un tout. Procéder élément par élément, ne pas laisser son esprit guider ses mains, ne pas visualiser, mais construire, avoir sans cesse présentes à l'esprit les mesures qui avaient constitué le canevas sur lequel elle brodait maintenant.

Largeur du nez : 32 millimètres.

Longueur du nez : 19 millimètres.

Hauteur de la bouche : 14 millimètres. (Non, 12 millimètres lui paraissait une mesure plus exacte, car la lèvre supérieure était toujours plus mince que l'inférieure.)

Pour la bouche, elle devait prendre en compte le muscle labial. Les narines aussi avaient besoin d'une retouche. L'homme avait quarante-six ans à sa mort (si c'était Kennedy), et il devait y avoir un pli entre l'aile du nez et la joue. Mais quelle différence cela faisait-il ? Personne n'avait jamais identifié quelqu'un par cette ride particulière. Non, elle devait plutôt creuser un peu la zone autour de la lèvre inférieure.

Pourquoi ? Elle n'en savait rien. L'idée lui en était venue, et elle ne devait pas la rejeter. Alors elle pinça, lissa, réprima l'envie de se reculer pour avoir une vue d'ensemble.

Elle travaillait fébrilement depuis un moment. Ses doigts voletaient sur le visage de Jimmy. Qui es-tu ? lui demandait-elle. Aide-moi. Nous avons presque fini. Nous prendrons une photo et nous la publierons, jusqu'à ce que quelqu'un te reconnaisse, te réclame et t'offre le repos éternel auquel tu as droit...

Ne t'arrête pas. Lisse encore, peaufine. Voilà.

Cette fois, elle recula et respira à fond. Elle avait fait tout ce qu'elle avait pu. Il ne manquait plus que les yeux à poser.

Quelle couleur ? Logan préférerait sans doute les bleus. Les yeux bleus de Kennedy étaient aussi célèbres que son sourire. Mais au diable Logan, ce ne pouvait être Kennedy. Elle ferma les yeux, comme pour effacer un tableau noir, puis les rouvrit et examina le visage dans son ensemble pour la première fois. Elle utiliserait la paire de marron...

« Mon Dieu ! » s'exclama-t-elle soudain.

Elle se figea, le regard fixé sur cette face qu'elle venait de créer. Elle avait l'impression d'avoir reçu un coup dans le ventre. Non, ce n'était pas possible ! Elle finit par s'arracher à sa stupeur et gagna la table sur laquelle était ouvert le coffret contenant les globes d'agate bleue, marron, grise, noisette, verte.

Le coffret à la main, elle revint au piédestal. La fatigue la faisait probablement halluciner. Les yeux chasseraient cette idée absurde. Elle utiliserait les marron.

Sa main tremblait quand elle cueillit entre ses doigts les deux petites boules remarquablement réalistes et les inséra, d'abord dans la cavité gauche, puis dans la droite.

« Vous vous êtes trompée de couleur, remarqua la voix de Logan dans son dos. Une erreur volontaire, il me semble. »

Elle regarda le visage d'argile devant elle. « Je ne comprends pas, murmura-t-elle d'une voix faible. J'ai dû me tromper dans les mesures ou dans l'épaisseur du...

— Non, vous ne vous êtes pas trompée. Mettez donc les yeux qui appartiennent à ce visage. »

Elle ôta les billes marron pour les replacer dans le coffret et regarda sans la voir la palette d'agates. « Vous savez très bien lesquels, n'est-ce pas ? reprit Logan.

— Oui. » Elle prit deux nouveaux globes et les enfonça dans les orbites.

« Maintenant, reculez un peu et regardez. »

Elle obéit tel un automate. Dieu, ce n'est pas possible... Pourtant, il ne pouvait y avoir aucun doute.

« Espèce de salaud ! dit-elle d'une voix tremblante sans se retourner vers Logan. C'est... c'est Ben Chadbourne. C'est le Président ! »

Chevy Chase

« Alors ? demanda Doprel d'une voix aigre. C'est bien votre terroriste ? »

Timwick examina attentivement le visage reconstitué. « Vous êtes sûr de ne pas vous être trompé ?

— Pardonnez-moi, mais je connais mon métier, répliqua Doprel sans dissimuler son irritation. Puis-je rentrer chez moi, maintenant ?

— Oui, et je vous remercie de votre diligence. Je vais vous faire raccompagner à New York immédiatement. Bien entendu, je vous recommande la plus grande discrétion. Nous ne voulons pas qu'il se produise la moindre fuite.

— Je n'ai nullement envie de parler de ce travail ni surtout des conditions dans lesquelles j'ai été forcé de l'exécuter. J'ai ma dignité. Aussi, soyez tranquille, j'oublierai jusqu'à mon séjour parmi vous. » Sur ces paroles, Doprel sortit de la pièce.

« Je le ramène ? s'enquit Fiske.

— Non, rétorqua Timwick en se détournant du buste. Ce crâne n'était qu'un leurre, nous pouvons laisser Doprel retourner à sa chère police de New York. Je le ferai raccompagner par quelqu'un d'autre. Nous allons devoir agir vite, maintenant, et j'aurai besoin de vous. »

Il décrocha le téléphone. « Laissez-moi seul, j'ai quelques appels à passer. »

Il attendit le départ de Fiske pour composer un numéro privé à la Maison-Blanche. « Ce n'est pas lui. Même âge. Même structure faciale. Mais ce n'est pas lui. »

Barrett House

« Vous m'avez menti, reprocha Eve en se tournant avec colère vers Logan. Vous m'avez menti !

— Oui, il le fallait, mais ce sera mon dernier mensonge.

— Et je devrais vous croire ? Vous n'avez fait que ça : mentir. Vous n'avez pas envisagé une seule fois que ce puisse être Kennedy. Bon Dieu ! vous avez même simulé votre prétendu intérêt pour lui, glissé ces bouquins dans votre bureau pour m'appâter !

— Cette mise en scène était nécessaire. Je devais vérifier dans le plus grand secret les affirmations de Donnelli, c'est la raison pour laquelle j'ai forgé cette fausse piste Kennedy. Il me fallait tromper l'ennemi. Dans le même temps, je me suis discrètement mis en quête d'un sculpteur médico-légal, le seul spécialiste capable de prouver la véracité des dires de Donnelli.

— Et vous m'avez trouvée.

— Oui, vous étiez la clé dont j'avais besoin. »

Elle regarda le crâne, qui avait désormais une identité : celle de Ben Chadbourne, le président des États-Unis d'Amérique. Elle secoua la tête, stupéfaite. « Je me demande si je ne rêve pas. Et moi qui croyais que cette incinération, chez Donnelli, avait eu lieu il y a plus de trente ans !

— Ça s'est passé voilà deux ans.

— Vous êtes un expert dans l'art de mentir, Logan.

— Comprenez bien que je ne pouvais pas faire autrement. Vous deviez aborder votre travail sans idée préconçue. Il me fallait m'assurer que vous restitueriez à ce crâne son véritable visage en dehors de toute influence. Et c'était comme un miracle de vous observer en train de travailler, de lui donner vie. Au départ, je n'étais pas vraiment sûr que ce soit lui, mais chaque couche d'argile le faisait naître devant moi et...

— Comment est-il mort ? Assassiné ?

— Probablement. Je ne vois pas d'autre explication... pour le moment.

— Et cet homme à la Maison-Blanche... Son sosie ? »

Il acquiesça d'un hochement de tête.
« Comment est-ce possible ? Je veux dire, comment une pareille substitution peut-elle passer inaperçue alors que la fonction de président est par essence publique ?
— C'est difficile à croire, en effet, mais la preuve est là.
— Et Timwick en serait l'artisan ?
— Non, il n'est qu'un exécutant.
— Pour le compte de qui, alors ?
— De Mme Chadbourne. C'est elle qui tire les ficelles. Qui d'autre qu'elle aurait le pouvoir de protéger et de manœuvrer le sosie de son mari ? »
Lisa Chadbourne. Eve se souvenait de la conférence de presse regardée à la télé en compagnie de Margaret. La Première Dame était restée en retrait, posant sur son mari un regard aimant. « Et c'est elle qui aurait commandité l'assassinat ?
— Peut-être, mais nous ne le saurons pas avant d'avoir découvert ce qui est arrivé à Ben Chadbourne.
— Quel pouvait être son mobile ?
— Mystère... L'ambition, probablement. C'est une femme intelligente, ayant une forte personnalité et un sens redoutable de la manipulation. Elle a exercé comme avocate dans un cabinet prestigieux. Après son mariage avec Chadbourne, c'est elle qui l'a poussé à briguer la présidence. Ensuite, une fois qu'il a été élu, elle a su incarner la meilleure Première Dame qu'on ait jamais eue, dit-il avec un sourire sardonique.
— J'ai du mal à croire qu'elle soit derrière un tel complot.
— Je vous comprends, j'ai eu moi-même les plus grandes difficultés à m'en persuader. J'ai eu l'occasion de la rencontrer une ou deux fois, elle m'a beaucoup plu. Ce mélange de charme et d'intelligence peut être désarmant. »
Eve secouait la tête d'un air incrédule.
« Je sais bien que c'est un choc pour vous, poursuivit-il. Et je regrette de ne pouvoir vous laisser le temps de vous faire votre propre opinion. Mais, si vous refusez de voir en Lisa Chadbourne l'instigatrice d'une telle conspiration, reconnaissez au moins qu'elle en a été nécessairement complice, sinon rien n'aurait été possible.
— Oui, bien sûr. » Elle regarda de nouveau le crâne. « Mais qui nous garantit que ce soit Chadbourne ? C'est peut-être son sosie.
— Non, car cela n'aurait alors plus aucun sens... Et puis c'est James Timwick qui a apporté le corps à Donnelli.
— Comment en êtes-vous sûr ? Le père de Donnelli a très bien pu vous mentir.

— Oui, il aurait pu. C'était un homme sans scrupules, mais il n'était pas sot. Il avait toujours fait affaire avec des hommes dangereux et savait se protéger. Il avait équipé son crématorium de micros reliés à un magnétophone. C'est ainsi qu'il a pu enregistrer Timwick. » Il sourit. « Il a laissé cette bande en héritage à son fils, et celui-ci s'en est servi pour m'appâter. C'est cet enregistrement qui m'a décidé à confier à Gil le soin de mener une enquête.

— De quelle autre preuve aviez-vous besoin, si vous possédiez une telle bande ? Il vous suffisait de la porter au FBI ou aux médias et de les laisser... »

Logan secoua la tête. « Elle n'est pas assez compromettante. Timwick n'y dit pas : "Bonjour, je m'appelle James Timwick et je voudrais que vous incinériez le corps du président des États-Unis." Ce sont des bribes de conversation pendant qu'ils attendent dans le crématorium. On y entend Timwick ordonner à l'un de ses hommes de l'aider à porter le corps. À un moment, il demande une chaise à Donnelli. Il ajoute qu'il a eu une journée chargée et qu'il est fatigué. Bref, rien qui puisse faire l'objet d'une inculpation.

— Mais quelle preuve avez-vous qu'il s'agit bien de Timwick ?

— Je connais sa voix. Et une analyse ne laisserait aucun doute là-dessus. J'ai déjà rencontré le bonhomme, il est directeur du Service secret et a été en charge de tous les déplacements de Chadbourne, ainsi que...

— Le Service secret ? Mais vous disiez qu'il était haut fonctionnaire au département du Trésor... » Elle pinça les lèvres. « J'oubliais que le Service secret était rattaché au Trésor. Mais vous auriez pu me le préciser dès le début.

— Je suis désolé. Quoi qu'il en soit, Timwick a remarquablement mené sa carrière et il a pesé lourd dans l'élection de Chadbourne à la présidence. Il est du Massachusetts, et sa voix a un fort accent bostonien. Je le soupçonnais d'être dans le coup et, quand le fils Donnelli m'a fait parvenir la cassette, j'ai visionné quelques vidéos enregistrées lors de la campagne de Chadbourne et me suis livré à une comparaison. Pas difficile, car Timwick est du genre à l'ouvrir à tout propos. C'est peut-être un homme de l'ombre, mais il adore les micros et les caméras. Il a certainement été très déçu que Chadbourne ne lui confie pas un ministère.

— J'ai du mal à croire que Donnelli ait pu rester en vie alors qu'il les faisait chanter. Pourquoi ne l'ont-ils pas forcé à leur rendre la bande et le crâne ?

— Parce qu'il avait confié un double de la bande et une lettre d'explication à un avocat, avec ordre de rendre la chose publique s'il disparaissait ou mourait de mort non naturelle.

— Puis il est décédé d'une crise cardiaque, et vous avez aidé son fils Bernard à s'enfuir.

— Oui, et Timwick en a déduit que le fiston avait dû conclure un marché plus juteux. Il a mis le paquet pour le retrouver et, malgré toutes les précautions que j'ai prises, il a dû tomber sur quelque chose ou... quelqu'un qui les a menés jusqu'à moi. » Il haussa les épaules, perplexe. « C'est une question qui restera à jamais sans réponse ; toujours est-il que je suis devenu l'homme à abattre.

— C'est incroyable. Pourquoi auraient-ils éliminé Chadbourne ?

— Je n'en sais rien. Lisa Chadbourne est une femme remarquable. D'aucuns disent qu'elle aurait fait un meilleur président que son mari, mais le pays n'est pas encore prêt à accepter une femme pour leader, aussi doit-elle se contenter d'agir en coulisse. C'est peut-être cela qui a tout déclenché. Ben Chadbourne était lui-même une forte personnalité. Sans doute voulait-elle avoir plus de contrôle sur lui. Plus de contrôle sur le pays.

— On reste dans le domaine des suppositions.

— Nous n'avons rien d'autre à nous mettre sous la dent... pour le moment. Vous connaissez ma version de l'histoire. Voulez-vous me rendre un service ? Allez à la bibliothèque et visionnez les cassettes vidéo que vous trouverez dans le tiroir de droite de mon bureau. Trois d'entre elles sont des enregistrements des récentes conférences de presse de Chadbourne. Essayez de les regarder sans idées préconçues.

— Et que pourrais-je bien y découvrir ?

— Passez-les, vous le saurez.

— C'est idiot, vous pourriez me dire...

— S'il vous plaît. »

Elle le regarda en pinçant les lèvres, irritée par cette nouvelle énigme. « D'accord, j'y vais. »

Sitôt qu'elle fut partie, Logan appela la grange à l'interphone. « Gil ? Elle a terminé. Le crâne est bien celui de Chadbourne. »

Gil jura doucement. « On s'en doutait, mais ça file un choc, tout de même.

— Je l'ai regardée travailler et je t'assure que ça m'a fichu un coup en voyant le résultat.

— Comment encaisse-t-elle ?

— Multiplie ta propre réaction par un million, et tu pourras te faire une vague idée. Elle n'est pas encore tout à fait prête à me croire, ce qui est normal après toutes les couleuvres que je lui ai fait avaler. Cependant, elle a quand même accepté de visionner les vidéos. Quand elle aura fini, je lui annoncerai la suite du programme.

— On n'a pas beaucoup de temps devant nous.

— Je sais, mais identifier le crâne n'est que le premier coup de masse dans le mur. Nous avons encore besoin d'elle et il faut qu'elle soit persuadée que c'est bien un pantin manipulé par une veuve qui dirige ce pays. Après ça, le reste viendra tout seul. Tu es prêt à partir ?

— À la seconde.

— Dis à Mark et à Margaret de faire leurs valises. Et pronto. Je veux qu'ils s'en aillent le plus vite possible.

— O.K. »

Logan raccrocha et s'approcha du crâne de Chadbourne. Pauvre type, il ne méritait pas pareil destin. Logan avait apprécié l'homme, à défaut de sa politique. Ben Chadbourne avait d'ailleurs gagné le respect de tous, y compris de ses adversaires, en essayant de donncr unc réalité à ses idéaux. Certes, il avait souvent manqué de réalisme et aurait probablement accru la dette nationale de façon alarmante, mais peu d'êtres savaient encore rêver de nos jours.

Et ceux qui l'osaient finissaient comme cet homme qui lui renvoyait l'éclat vitreux de ses yeux d'agate.

11

Eve contemplait l'écran du téléviseur. La bande était presque terminée. Sur les trois dernières cassettes, le visage, les manières et le ton de voix étaient apparemment les mêmes que sur les premières vidéos montrant le vrai Chadbourne. Eve n'en croyait pas ses yeux ni ses oreilles.

Elle avait noté la présence de Lisa Chadbourne à chaque apparition publique depuis le mois de novembre, deux ans plus tôt, et avait porté toute son attention à la Première Dame.

Toujours charmante, ne se départant jamais d'un sourire tendre, celle-ci gardait les yeux fixés sur son mari. Il lui jetait de temps à autre un regard empreint de respect et d'affection, même en plein milieu d'une conférence de presse...

Eve se redressa brusquement dans son fauteuil.

Elle étudia un instant les images puis, à l'aide de la télécommande, fit défiler la bande en arrière pour la repasser depuis le début.

« Ils ont établi tout un code gestuel pour communiquer, déclara-t-elle à son retour à l'atelier, un quart d'heure plus tard. Quand elle lisse sa robe, il balance généralement une plaisanterie. Quand elle croise les mains sur ses genoux, il donne une réponse négative, et une positive lorsqu'elle tire sur sa jupe. J'ai relevé une dizaine d'autres gestes qui reviennent sans cesse, mais je n'ai pas eu le temps d'en déchiffrer le sens. En gros, chaque fois qu'il hésite, elle est là pour lui fournir la réponse.

— C'est exact.

— Pourquoi teniez-vous à ce que je regarde ces cassettes si vous le saviez ?

— M'auriez-vous cru si je vous l'avais dit ? »

La réplique était sensée. « Elle le contrôle comme une marionnette, déclara-t-elle, l'air songeur.

— Pensez-vous sincèrement que le Ben Chadbourne pour lequel vous avez vous-même voté accepterait d'être un pantin dans les mains de sa propre femme ?

— Non, reconnut-elle après un bref silence.

— Alors, il est raisonnable de suspecter cet homme de ne pas être Ben Chadbourne, n'est-ce pas ?

— Ce n'est pas raisonnable, c'est fou. Malheureusement, ce pourrait bien être la vérité.

— Alleluia ! s'écria Logan en levant les yeux au plafond. Et maintenant, emballez le crâne. Vous trouverez une mallette en cuir dans le placard. Il faut qu'on s'arrache d'ici, et dare-dare.

— Pas avant qu'on ait parlé. Vous ne m'avez pas tout dit, pas vrai ?

— Non, mais la conversation, ce sera pour plus tard. Si nous sommes encore en vie, car je ne sais même pas si nous aurons le temps de filer. J'ai pris le risque de rester ici jusqu'au dernier moment uniquement parce que j'avais besoin de votre entière coopération.

— Nous avons le temps. Que craignez-vous, avec cette clôture électrifiée ?

— Plus que vous ne pensez. Lisa Chadbourne et Timwick ont un pouvoir quasi absolu. Ils sont en train de vérifier si le crâne que nous leur avons abandonné est le bon, et je suis persuadé qu'ils ont fait pour cela appel à votre collègue Doprel. C'est pourquoi ils ne vont pas tarder à découvrir la supercherie et ils mettront alors tout en œuvre pour récupérer le crâne et éliminer les témoins. »

Eve tressaillit malgré elle. Si elle croyait que ce crâne sur le piédestal était celui de Ben Chadbourne, alors elle devait croire également que le danger était aussi grand que Logan le prétendait.

Il l'avait si souvent bluffée qu'elle avait des raisons de douter, mais de ses propres mains était sorti le visage du Président. Alors, pour une fois, elle pouvait se fier à lui. Elle se hâta vers le piédestal. « Allez-y. Je m'occupe du crâne. »

Chevy Chase

« Kenner et six de ses hommes seront ici dans dix minutes avec un hélicoptère, annonça Timwick à Fiske en ressortant du labo. Vous partez pour Barrett House. »

Fiske se raidit. « Ne comptez pas sur moi pour me plier de nouveau aux ordres de ce connard de Kenner.

— Vous n'aurez pas à le faire. C'est à vous de jouer, maintenant. Kenner se contentera de vous assister et de nettoyer derrière vous. »

Il était temps, pensa Fiske. « Logan et Duncan ?

— Et quiconque se trouvera là-bas. Margaret Wilson et le type chargé de la surveillance vidéo ont déjà gagné l'aéroport, nous nous occuperons d'eux plus tard ; ils n'ont pas grande importance, sinon Logan ne se serait pas séparé d'eux. Mais Price, Logan et la femme sont encore là-bas. Les trois sont vos cibles. Agissez comme bon vous semblera, mais éliminez-les. »

Voilà qui plaisait bien à Fiske. Un ordre clair et net, reçu cinq sur cinq. « Pas de témoins, donc ?

— Pas de témoins. »

« Mais qu'est-ce que vous fabriquez ? s'écria Logan en revenant dans l'atelier avec un fourre-tout. Vous auriez déjà dû emballer ce crâne ! »

Pour toute réponse, Eve vérifia de nouveau la position de l'appareil photo placé sur un trépied et braqué sur le crâne. « Je prends quelques clichés. Je pourrais en avoir besoin.

— Mais vous les prendrez plus tard.

— Aurons-nous le même équipement, là où nous allons ? »

Il hésita. « Non.

— Alors, taisez-vous. » Elle fit deux photos de plus. « Je me dépêche.

— Il faut qu'on s'en aille, Eve. »

Encore trois vues du profil gauche. « Voilà, ça devrait suffire. Où sont les épreuves que vous avez de Ben Chadbourne ? »

Il sortit une enveloppe brune du fourre-tout. « Elles datent de quatre ans. On peut y aller, maintenant ? »

Elle glissa l'enveloppe dans son propre sac, rangea le crâne dans la mallette et tendit celle-ci à Logan. « Prenez Ben, je me charge de Mandy.

— Mandy ?

— À chacun ses priorités : vous avez le Président, moi j'ai une fillette inconnue.

— Comme vous voudrez, mais pour l'amour du ciel, dépêchez-vous ! »

Gil les attendait dans le hall d'entrée. « Désolé, je n'ai qu'une seule valise pour vous. Avec cette épaule, je ne peux pas faire plus.

— Tout va bien, Gil, assura-t-elle en se dirigeant vers la porte.

— Attendez, dit soudain Gil, fronçant les sourcils d'un air inquiet. Merde ! »

Elle aussi entendit le bruit. Un sourd vrombissement qui grandissait de seconde en seconde. Le rotor d'un hélicoptère.

Logan courut à la fenêtre. « Ils seront ici dans trois minutes. Vite ! Suivez-moi ! » Il se mit à courir en direction de la cuisine, les deux autres sur ses talons.

« Où est Margaret ? demanda Eve. Il faut la...

— Elle et Mark sont déjà partis, l'informa Gil. Ils doivent être à l'aéroport, à présent. Dans trois heures, ils seront en sûreté dans une maison à Sanibel, en Floride.

— Et nous, où allons-nous ? Nous ne prenons pas la limousine ?

— Non, trop tard. Ils doivent déjà nous attendre à la sortie, répondit Logan en ouvrant le grand placard de la cuisine. Vite ! » Il tendit la main sous l'étagère du bas et, soulevant une trappe, balança le fourre-tout dans l'obscurité. « Cessez de poser des questions, Eve, et descendez l'échelle », ordonna-t-il rudement.

Elle obéit et se retrouva dans une espèce de cave au sol en terre battue. Logan la suivit. « Gil, referme tout derrière toi.

— C'est fait. Je les entends, ils sont déjà entrés dans la maison.

— Alors, fais fissa, nom de Dieu !

— Attention, les têtes ! Je balance la valise ! » L'instant suivant, après que Gil eut refermé la porte du placard et rabattu la trappe, une totale obscurité les enveloppa. Un martèlement de pas ébranla le plancher au-dessus d'eux.

« Où sommes-nous ? chuchota Eve. Dans une cave ?

— Oui, avec un tunnel. » La voix de Logan était à peine audible, tandis qu'il avançait dans les ténèbres. « Je ne peux pas allumer tant que nous n'aurons pas dépassé le prochain tournant. En arrivant, vous m'avez demandé pourquoi j'avais choisi cette maison : elle a longtemps servi de relais à la Compagnie du chemin de fer pour passer des esclaves en fuite pendant la guerre de Sécession. Les poutres ont été renforcées. Le souterrain a plus de huit cents mètres et il débouche dans les bois au nord de la propriété. Restez bien derrière moi. »

Il avançait si vite que Gil et Eve devaient presque courir pour ne pas le perdre de vue. À mesure qu'ils s'éloignaient, le bruit affolant des pas sur le plancher devenait plus indistinct. Il cessa bientôt, et Eve en éprouva un grand soulagement.

Logan alluma soudain sa torche. « Courons, car ils ne vont pas tarder à découvrir la trappe. »

Merde ! c'était quoi « courir » pour lui ? pensa Eve, qui commençait à s'essouffler. Elle entendait Gil haleter derrière elle. Elle se demandait s'il soutiendrait longtemps ce rythme quand elle vit qu'ils étaient parvenus au bout du tunnel. Une échelle s'élevait vers une plaque de fonte, trois mètres plus haut. Logan monta le premier, déverrouilla la barre de sûreté qui empêchait le regard d'être ouvert de l'extérieur.

La lumière du jour entra en même temps que tombait une pluie de feuilles mortes. Ils sortirent dans l'air frais de la forêt. L'ouverture était masquée de tous côtés par d'épais buissons, que Logan écarta. « Dépêchons, dit-il. La voiture est un peu plus loin. »

Ils le suivirent à travers le sous-bois et, contournant un roncier, tombèrent sur une vieille Ford à la peinture bleue écaillée.

« Montez tous les deux à l'arrière », ordonna Logan. Il s'installa derrière le volant et posa la mallette contenant le crâne à côté de lui sur le plancher.

Eve suivit Gil sur la banquette arrière, et elle avait à peine refermé la portière que la voiture s'ébranlait en cahotant violemment sur la piste criblée d'ornières. « Où allons-nous ? demanda-t-elle, s'attendant que cette guimbarde rende l'âme au prochain tournant.

— Il y a une petite route à cinq kilomètres d'ici. Quand nous l'aurons atteinte, nous pourrons contourner la propriété et gagner l'autoroute... » Un violent cahot l'interrompit. « On a une chance sur deux de s'en sortir, reprit Logan. Ils vont utiliser l'hélico pour nous repérer. Notre seul espoir, c'est de parvenir à l'autoroute avant qu'ils nous survolent. »

Encore faut-il qu'on y arrive, à cette autoroute, songea Eve, alors que Logan fonçait à travers les buissons.

« N'ayez crainte, dit Gil, qui l'observait et semblait avoir lu dans ses pensées. Ce n'est un vieux tacot qu'en apparence. Les amortisseurs et les pneus sont ceux d'un tout-terrain, et le moteur, un huit cylindres tout neuf.

— Comment va votre épaule ?

— Mieux. » Il eut un sourire espiègle. « Mais j'aurais l'esprit plus tranquille si ce n'était pas John qui sévissait une fois de plus au volant. »

« Il n'y a personne dans le tunnel, rapporta Kenner en remontant l'échelle. Ça mène dans les bois. J'ai envoyé deux hommes en reconnaissance.

— Si Logan a aménagé une issue de secours, il aura prévu aussi un moyen de transport », dit Fiske. Il sortit de la cuisine. « Je vais scruter la zone depuis l'hélico. Reste ici, Kenner, et fous le feu à la baraque. Il n'y a rien de mieux pour effacer les traces. »

Kenner haussa les épaules. « D'accord. J'opérerai à l'explosif. »

L'idiot ! Heureusement que Timwick m'a confié la direction des opérations, pensa Fiske. « Pas d'explosion, ça laisse des traces. Mets le feu, et sans essence. On doit soupçonner un court-circuit.

— Ça prendra du temps.

— Faut ce qu'il faut, si on veut un travail bien fait. » Il se dirigea vers l'appareil, qui attendait, moteur en marche. « À tout à l'heure. »

Il survolait les abords de la propriété et les routes avoisinantes depuis dix minutes quand il alluma son portable et appela Timwick. « Il n'y avait plus personne dans la maison. Nous quadrillons la zone en hélico, mais sans succès jusqu'ici.

— Le fils de pute !

— On peut encore le localiser. Si on n'y arrive pas, j'aurai besoin de la liste de tous les points de chute où il pourrait se réfugier.

— Vous l'aurez.

— J'ai dit à Kenner de mettre le feu à Barrett House.

— Très bien. J'allais vous l'ordonner, car ça fait partie du plan d'urgence qui m'a été communiqué. » Timwick marqua une pause. « Une chose encore. Il faut laisser un cadavre dans les ruines.

— Quoi ?

— Le corps d'un homme carbonisé.

— Mais qui voulez-vous que ce soit ?

— N'importe qui, à condition qu'il soit de la taille de Logan. Rappelez-moi quand ce sera terminé. »

Fiske éteignit son portable. C'était la première fois que Timwick mentionnait les ordres qu'il recevait lui-même. Et il était intéressant de savoir qu'ils voulaient faire passer Logan pour mort. Il se demanda seulement qui il...

Il se tourna soudain vers le pilote. « Regagnez la maison. »

Il était joyeusement impatient de concrétiser les paroles du patron. *N'importe qui. À condition qu'il soit de la taille de Logan.*

Kenner.

« Je vois que nous allons en direction du sud, constata Eve. Me ramèneriez-vous chez moi, par hasard ?

— Pas chez vous, mais pas loin. Nous allons en Caroline du Nord, dans une maison au bord de la mer. » Logan la regarda par-dessus son épaule. « J'espère que votre question n'était pas sérieuse, car si je vous déposais devant votre porte, ce serait signer votre arrêt de mort, à vous et à votre mère. »

Elle ne put s'empêcher de frémir au rappel d'une réalité désespérante. « Et qu'allons-nous faire en Caroline du Nord ?

— Il nous faut une base, répondit Gil. La maison donne sur la plage, dans une zone très touristique. Nos voisins seront des vacanciers, aussi ils ne s'étonneront pas de nous voir arriver.
— Vous aviez tout prévu, Logan, murmura-t-elle d'un ton amer. Et vous étiez certain qu'il s'agissait de Chadbourne, n'est-ce pas ?
— Disons que ma certitude était assez grande pour que je prévoie une retraite dans un lieu sûr.
— Vous vous êtes servi de moi sans l'ombre d'un scrupule, et vous m'avez délibérément attirée dans un piège. Après quoi, je n'avais pas d'autre solution que de prouver malgré moi que ce crâne était celui du président Chadbourne.
— Oui, reconnut Logan en rencontrant le regard d'Eve dans le rétroviseur. "Délibérément" est le mot juste.
— Vous êtes un beau salaud.
— Exact.
— Tu ne pourrais pas allumer la radio et trouver une station de country, John ? intervint Gil d'une voix plaintive. J'ai besoin de calme et de douceur, je suis blessé et toute cette tension n'est pas bonne pour moi.
— Si je mets ta musique préférée, c'est moi qui serai malade », répliqua Logan.
Eve se tourna vers Gil. « Vous n'êtes pas seulement un as du volant amateur de country, n'est-ce pas ?
— Je suis bien un as du volant, mais j'ai également travaillé pour le Service secret, avec la précédente administration et pendant les six premiers mois de la présidence Chadbourne. Puis j'en ai eu marre de ce petit dictateur de Timwick, et j'ai voulu me tirer le plus loin possible de Washington. Alors, je me suis dit qu'un emploi de chauffeur chez un rupin de Californie, ça serait bon pour mon moral. Vous voyez où ça m'a mené, ajouta-t-il en soulevant son bras en écharpe avec une grimace de douleur. Mais j'ai gardé quelques contacts avec mes anciens collègues, ce qui m'a permis d'aider John dans sa croisade.
— Et Margaret ?
— Margaret ? Elle n'est rien d'autre qu'elle-même : secrétaire de direction de profession, et dragon de nature.
— Elle savait pour... Chadbourne ? »
Logan secoua la tête. « J'ai fait en sorte qu'elle en sache le moins possible. Elle n'est pas au courant de la maison sur la plage, c'est moi-même qui m'en suis occupé.
— Bien aimable.
— Je ne suis pas le parfait salaud que vous aimeriez voir en moi, je ne risque la vie de personne sans nécessité.

— Ce que vous estimez nécessaire ne l'est pas forcément pour les autres. Vous vous prenez pour Dieu, Logan ?
— J'ai fait mon devoir.
— Au nom de la sainte politique ?
— Non, c'est bien plus sérieux que ça. L'homme qui est aujourd'hui à la Maison-Blanche joue avec talent les présidents, mais il n'a ni la moralité ni l'intelligence de feu Ben Chadbourne. Je ne veux pas que cet homme ait le pouvoir d'appuyer sur le bouton qui déclencherait la Troisième Guerre mondiale.
— Je ne savais pas que derrière le politicien opportuniste se cachait un patriote.
— Je ne suis ni l'un ni l'autre. Tout ce que je désire, c'est protéger mes fesses.
— Ça, je veux bien le croire.
— Vous n'avez pas besoin de me croire. L'essentiel, c'est que vous sachiez que nous sommes du même côté.
— Vous avez tout fait pour ça, que j'en aie envie ou pas. » Elle s'adossa à la banquette et ferma les yeux. « Au fait, savez-vous qui est cet homme à la Maison-Blanche ? »
Ce fut Gil qui répondit. « Kevin Detwil. Il a été l'un des trois sosies à servir durant la première année du mandat de Chadbourne. En fait, Detwil n'a jamais fait que deux brèves apparitions en public, ensuite il a démissionné. Il a déclaré qu'il rentrait chez lui dans l'Indiana pour des raisons familiales, mais en réalité il s'est rendu en Amérique du Sud, où il a subi une nouvelle opération de chirurgie esthétique.
— Il avait déjà été opéré ?
— À Washington, avant d'être engagé comme doublure du Président. Plus tard, quand il a participé à la conspiration, il a dû, pour jouer le rôle qu'on attendait de lui, parfaire sa ressemblance avec Chadbourne. Il a dû également apprendre la gestuelle, les intonations, et tant d'autres choses. Il a fallu lui enseigner non seulement la politique, mais aussi les pratiques et le cérémonial de la Maison-Blanche. Bref, il a appris son texte avant de tenir le rôle.
— Mais ce ne sont que des suppositions, fit remarquer Eve.
— Les deux autres sosies sont toujours en exercice, même si on les voit peu. Detwil n'est jamais allé dans l'Indiana. J'ai réussi à retrouver la clinique privée, près de Brasilia, où il a été admis, sous le nom de Herbert Schwartz, par le Dr Hernandez, qui avait la réputation de refaire le portrait à une clientèle d'escrocs internationaux, d'assassins et de terroristes. Peu de temps après le départ de M. Schwartz, le malheureux Hernandez faisait une chute mortelle de la terrasse de son club.

— Kevin Detwil, répéta Eve. Il faut qu'il soit passablement déséquilibré pour avoir accepté d'entrer dans un complot pareil. Mais les services de sécurité doivent avoir un dossier sur lui.

— Comme sur tout individu employé par la Maison-Blanche. Or, il n'y a pas énormément d'hommes qui ressemblent au Président, et le choix s'en trouve limité. Aussi les services de sécurité se bornent-ils à vérifier si l'homme n'a pas d'antécédents psychiatriques, s'il est capable de discrétion, bref, s'il est normal. Le dossier établi sur Detwil parle d'un enfant calme, d'une intelligence moyenne, devenu un adulte ordinaire, plutôt effacé. Il est célibataire, a été élevé par sa mère, avec laquelle il a vécu jusqu'à ce qu'elle meure, il y a sept ans.

— Et le père ?

— Parti, quand Detwil était encore petit. C'est un enfant qui a littéralement grandi dans les jupes de sa mère.

— Ce qui a facilité la tâche de Lisa Chadbourne, intervint Logan. Detwil était la proie idéale pour une femme dominatrice.

— Mais comment a-t-il pu accepter une aventure pareille, lui que vous décrivez comme un homme plutôt insignifiant ?

— Vous avez vu les cassettes. Il pétille et adore son rôle, répondit Logan. Imaginez que vous ayez passé votre vie à faire tapisserie et que, soudain, on vous offre l'opportunité d'être l'homme le plus puissant du monde. Tous s'inclinent devant vous, tous vous écoutent. C'est Cendrillon en pantalon, et Lisa Chadbourne lui a remis la pantoufle de vair.

— Une Cendrillon fantoche, commenta Eve.

— Il a toujours été manœuvré, et certains hommes s'en accommodent très bien.

— J'en déduis que la Première Dame peut compter sur lui.

— Il est certainement moins sûr de lui quand elle n'est pas à ses côtés, ce qui explique qu'elle le quitte rarement des yeux. Elle est probablement pour lui ce que la bouteille d'oxygène est au plongeur.

— Et il aurait été jusqu'à tuer Chadbourne pour elle ? »

Logan haussa les épaules. « Elle n'aurait pas pris le risque de le compromettre dans l'assassinat. Il n'a pas l'étoffe pour ça, elle le sait.

— Enfin, s'il y a eu crime. Vous n'avez pas la preuve que Chadbourne a bien été tué.

— Je comptais sur vous pour nous éclairer là-dessus. »

Elle avait déjà compris que Logan attendait d'elle qu'elle élucide ce point, mais elle n'avait pas l'intention d'accepter, du moins pour le moment. Elle avait besoin de réfléchir à tout ce qu'elle venait d'apprendre et d'en mesurer la véracité. « Ça, je m'en doutais.

— Vous n'avez guère le choix.

— C'est vous qui le dites.

— Et si on mettait de la musique, maintenant ? marmonna Logan, peu désireux de croiser de nouveau le fer avec Eve. Vous devriez essayer de dormir. Je vous réveillerai quand nous arriverons en Caroline du Nord. »

Il alluma la radio, et les accents de *Peer Gynt*, de Grieg, emplirent la voiture.

« Oh ! mon Dieu ! grogna Gil en se rencognant sur la banquette. Eve, priez-le de m'épargner. À titre de blessé de guerre, j'ai droit à des égards.

— Des égards, hein ? Décidément, pour vous comme pour Logan, ce mot ne saurait s'appliquer une seule fois à moi-même. Vous ne vous demandez même pas si j'aime ou non cette musique, n'est-ce pas ?

— Mille pardons, dit Gil. Oubliez ma requête. Un peu de classique me fera du bien. Et le temps qu'on arrive, je mettrai peut-être Grieg avant Johnny Cash sur mon hit-parade. »

12

« Vous êtes sûr, James, que cela a été fait ? demanda Lisa Chadbourne à Timwick. Vous en avez mis du temps ! Je ne peux plus me permettre la moindre erreur.

— Barrett House est en train de brûler. Et si ça nous a pris du temps, c'est parce qu'il fallait faire croire à un court-circuit.

— Vous avez une équipe pour enlever le corps avant que les pompiers et le shérif arrivent sur les lieux ?

— Je ne suis pas idiot, Lisa. Le corps sera récupéré et transporté à Bethesda. »

Il semblait irrité. Elle avait péché par excès d'autorité. Elle s'entendait bien avec tout le monde, mais avait toujours du mal à trouver un juste milieu avec Timwick. En public, il se montrait respectueux et serviable, mais en privé il semblait prendre un plaisir pervers à lui rappeler qu'ils étaient associés. Elle radoucit sa voix. « Excusez-moi, je sais que vous faites tout votre possible. Mais j'ai peur et me sens quelque peu... impuissante.

— Oui, comme un cobra royal. »

Elle tressaillit. Jamais Timwick n'avait usé de sarcasme envers elle. Ce n'était pas bon signe. Elle avait noté combien il avait été sur les nerfs ces dernières semaines, et il semblait maintenant s'en prendre à elle. « Je suis désolée, James, mais nous étions d'accord sur la nécessité d'agir, et j'ai toujours été franche avec vous. »

Il y eut un silence. « Je ne pensais pas qu'on en arriverait là, dit-il enfin. Vous m'aviez assuré que tout se passerait bien. »

Du calme. Elle avait besoin de Timwick. Il avait ses responsabilités, comme elle avait les siennes. S'efforçant de gommer toute irritation de sa voix : « Je fais de mon mieux, assura-t-elle, mais je dois vous rappeler que c'est vous qui n'avez pas attendu assez longtemps pendant l'incinération. Il n'y aurait jamais eu de problème si vous vous étiez assuré que Donnelli avait exécuté son travail.

— Je suis resté à le regarder brûler. Au bout d'une heure, j'ai cru que je pouvais m'en aller. Comment aurais-je su qu'il fallait plus d'une demi-journée pour incinérer un corps ? »

Elle, elle l'aurait su. Elle se serait renseignée et ne serait partie qu'après avoir été certaine que la besogne était achevée. Elle avait été stupide de prêter à Timwick le même esprit de diligence. « Je sais, mettons cela sur le compte des impondérables. Il nous faut faire avec... et éliminer Logan... Aucune trace du crâne, bien entendu ?

— Non, mais nous savons que Duncan a travaillé dessus, et si elle est aussi experte qu'on le dit, elle a eu le loisir de mener sa tâche à bien. »

Lisa sentit son ventre se nouer. « Même si c'est le cas, son travail ne prouve rien. Nous ferons en sorte que Logan et elle soient discrédités dans les médias avant qu'ils puissent étayer leurs accusations. Nous avons marqué le premier point aujourd'hui. À vous de les débusquer et de vous assurer qu'ils ne pourront plus nous nuire.

— Je sais ce que j'ai à faire. De votre côté, gardez Detwil en laisse. Je l'ai trouvé un peu trop démonstratif lors de la dernière conférence de presse. »

Elle contrôlait parfaitement Detwil. Si Timwick avait osé cette remarque, c'était pour se venger de la critique qu'elle lui avait adressée au sujet de Donnelli. « Trop... démonstratif, dites-vous ? Vous avez peut-être raison. J'y veillerai, James. Votre avis m'est toujours précieux. Que pensez-vous d'Eve Duncan ? Logan nous donne du fil à retordre, et je crains que cette femme ne soit tout aussi coriace.

— Je garde l'œil sur elle, mais Logan reste notre cible principale. C'est lui qui mène la barque.

— D'accord. Pourriez-vous m'adresser un rapport plus complet sur Duncan ?

— Plus complet ? Que voulez-vous savoir d'autre ?

— J'aimerais connaître l'étendue de ses relations dans la profession. Pour tenter de procéder à une expertise d'ADN, elle aura nécessairement recours à ses contacts dans le milieu médico-légal.

— Dans moins de quarante-huit heures, ils devront réfléchir à deux fois avant de refaire surface. Avec un peu de chance, nous leur tomberons dessus avant même qu'ils aient pu tenter quoi que ce soit.

— Mais nous ne pouvons compter sur la chance, n'est-ce pas ?

— Allons, combien d'ADN pourrait-il bien rester après une aussi longue exposition au feu ?
— Je n'en ai pas la moindre idée, toutefois nous ne courrons pas le risque de l'apprendre à nos dépens.
— Comme je vous l'ai dit, c'est Logan qui mène la barque. Impossible d'aller frapper à la porte d'un laboratoire avec le crâne sous le bras ; ils devront donc chercher de l'aide. J'ai déjà mis Ralph Crawford sous surveillance. S'ils ne sont pas neutralisés avant, ils iront tout droit dans notre...
— James, s'il vous plaît, dit-elle doucement.
— D'accord. » Il y avait de nouveau cette note d'irritation dans la voix. « Nous en reparlerons... Lorsque ce sera fait.
— Très bien. Et prévenez-moi quand le corps arrivera à Bethesda. »
Elle raccrocha et gagna la chambre à coucher.
C'est Logan qui mène la barque.
Elle n'en était pas certaine. Le portrait d'Eve Duncan qu'on lui avait communiqué décrivait une femme intelligente et forte, peu encline à se laisser mener contre sa volonté. Qui d'autre qu'elle-même savait combien une femme déterminée pouvait influencer le cours des événements, voire de l'Histoire ? Une fois de plus, Timwick sous-estimait l'opposition. Il lui faudrait surveiller elle-même Eve Duncan.
« Lisa ? »
Kevin se tenait sur le seuil de la salle de bains. Il portait le peignoir en cachemire qui avait appartenu à Ben. C'était l'un des rares effets du défunt président que Kevin appréciait. Il avait pour les couleurs vives un penchant que Lisa avait dû brider. Ben, lui, n'avait jamais aimé que le noir ou le bleu marine.
« Ça ne va pas ? » s'informa-t-il.
Elle se força à sourire. « Un petit problème avec Timwick.
— Je peux t'aider ?
— Non, pas pour ça. » Elle s'approcha de lui et lui passa les bras autour du cou. Il sentait l'eau de Cologne préférée de Ben, au parfum de cédrat. Une odeur chargée de souvenirs pour Lisa. Parfois, s'éveillant au milieu de la nuit, elle avait l'impression que Ben était à son côté. « Tu as été superbe aujourd'hui, à cette réunion des professeurs d'université. Tu les as littéralement charmés.
— Vraiment ? se rengorgea-t-il. J'ai pensé que je m'en étais bien tiré.
— Ben n'aurait pas fait mieux. » Elle l'embrassa. « Ton travail est remarquable. Quand je pense qu'on serait en pleine guerre mondiale si tu n'avais pas pris la relève.
— Ben était à ce point... instable ? »

Elle lui avait cent fois assené la prétendue dangerosité de Ben, mais il avait toujours besoin qu'on la lui rappelle. Kevin aimait tellement l'idée d'avoir sauvé le monde de l'apocalypse. Il était intelligent, mais aussi naïf que vaniteux. « Crois-tu que j'aurais été jusqu'au bout si je n'avais pas été persuadée de la folie qu'il s'apprêtait à commettre ? »

Il secoua la tête avec conviction.

« Et tu as été merveilleux. Je suis sûre que nous ferons passer cette loi sur l'aide sociale d'ici à la fin de l'année. Est-ce que je t'ai dit combien j'étais fière de toi ?

— Sans toi, je ne pourrais rien.

— Je t'ai aidé au début, mais tu m'as surpassée depuis que... » Elle renversa la tête en arrière pour lui sourire avec malice. « Je te sens durcir comme le fer. Décidément, la fierté te réussit... et elle fait de moi une femme comblée. » Elle s'écarta de lui pour laisser glisser sa robe à ses pieds. « Viens, murmura-t-elle, et je te dirai comment tu as su manœuvrer à merveille l'ambassadeur du Japon. »

Il gloussa et s'avança vers elle, aussi impatient qu'un jeune homme sur le point de jeter sa gourme. Elle continua de le taquiner tout en se glissant dans le lit.

Attirer Kevin dans son lit avait représenté une importante partie du plan de Lisa. Il s'était montré hésitant au début, presque timide, et elle avait dû user de tout son charme et de toute son expérience pour se l'attacher, corps et âme. Elle aurait pu employer d'autres moyens, mais y avait-il un meilleur instrument de domination que le sexe ?

L'arrogante salope !

Timwick s'adossa à son fauteuil et se frotta les yeux. Facile pour elle de lui ordonner de veiller au grain et puis d'aller au lit avec son pantin. Elle habitait la Maison-Blanche, telle une reine son palais, et lui occupait ce bureau minable, où il se tapait la sale besogne. Elle voulait des résultats, mais sans se salir les mains, et détournait le regard de ce qu'elle refusait de voir. C'était lui, et lui seul, qui gouvernait le bateau et le gardait du naufrage. Où serait-elle aujourd'hui sans lui ?

Quant à Eve Duncan, elle était l'instrument de Logan, et rien d'autre. C'était idiot d'en faire une cible privilégiée. Si Lisa n'avait été une fieffée féministe, elle aurait compris que le danger venait de Logan seul.

Il éprouvait un sentiment grandissant de menace ! Empoignant les bras du fauteuil, il s'exhorta au calme. Il s'efforçait de sauver la situation, et il y parviendrait. L'enjeu était bien trop important pour battre en retraite. Et, s'il s'en sortait, alors il obtiendrait tout ce qu'il voulait.

Il tendit la main vers le téléphone. Fais ce qu'elle te demande... pour le moment. Il avait besoin de l'aide de Lisa afin de briser à jamais l'entreprise de Logan et d'obtenir à Detwil son second mandat à la présidence. Après quoi, il aurait tout pouvoir d'imposer ses conditions. En attendant, il devait laisser croire à Lisa que c'était elle, la meneuse du jeu.

Elle désirait des informations plus complètes sur Eve Duncan ? Il allait lui en donner. Jusqu'à l'étouffement.

« Réveillez-vous, nous sommes arrivés. »

Eve ouvrit les yeux, pour voir Logan descendre de voiture. Elle bâilla. « Quelle heure est-il ?

— Minuit passé. » Gil tendit la main vers la poignée. « Vous avez dormi pendant presque tout le voyage. »

Elle avait du mal à le croire, tant elle s'était sentie nerveuse et tendue au départ.

« C'est normal, après les rudes journées que vous avez passées, poursuivit Gil, toujours intuitif. Moi aussi, j'ai roupillé. Mais je suis bien content de pouvoir enfin m'étirer. »

Ses propres membres étaient tellement ankylosés qu'elle dut s'appuyer à la portière pour sortir. Elle regarda Logan monter les marches du perron et ouvrir la porte. Il avait avec lui la mallette en cuir. Pas du genre à perdre le nord, pensa-t-elle amèrement.

« Prête ? demanda Gil en se chargeant du sac d'Eve.

— Non, laissez.

— Ça va, je peux le faire. N'oubliez pas votre Mandy. » Il disparut dans la maison.

Eve n'était pas pressée d'entrer. L'air était frais et humide, et le bruit du ressac, une pure musique. Cela faisait si longtemps qu'elle n'était pas venue sur la côte. Elle n'avait pas beaucoup de souvenirs de l'île de Cumberland, hormis ceux que lui avait laissés Joe. Joe omniprésent, Joe qui lui parlait et retenait la nuit. Il fallait qu'elle l'appelle. Elle ne lui avait pas téléphoné depuis leur mortelle expédition dans le champ de maïs. Elle ne voulait pas l'entraîner au casse-pipe mais, sans nouvelles d'elle, il était capable de foncer à Barrett House avec ses hommes.

Une faible brise soufflait, l'océan était calme. Bonnie aimait la mer. Eve et Sandra l'avaient emmenée plusieurs fois à Pensacola, et la petite n'avait cessé de courir dans le sable et de chercher des coquillages en riant.

Elle ferma la portière et se dirigea vers le ponton.

« Eve. »

Elle ne se retourna pas à l'appel de Logan. Elle n'avait pas envie d'aller à l'intérieur ni d'avoir de la compagnie, elle désirait être seule.

Ôtant ses sandales, elle s'assit sur le ponton, s'adossa à l'un des piliers et baigna ses pieds dans l'eau fraîche et soyeuse.

Alors ses pensées flottèrent jusqu'à Bonnie...

« Tu ne vas pas la chercher ? s'enquit Gil. Ça fait près d'une heure qu'elle est dehors.

— À mon avis, elle ne tient pas à nous voir, rétorqua Logan.

— Il ne faut pas qu'elle rumine, il n'en sortirait rien de bon. Elle nous en veut déjà assez comme ça.

— Merde, je suis fatigué de la cornaquer. Fichons-lui un peu la paix.

— Elle a prouvé qu'elle n'était pas du genre à se laisser mener.

— Si on bloque toutes les issues sauf une, elle sera bien obligée de la prendre », assura Logan, tout en sachant qu'il n'avait pas usé d'autre tactique jusque-là. Mais il avait plus que jamais besoin d'elle et devait regagner sa confiance. « Tu as raison, reprit-il. Je vais la chercher. » Il descendit les marches de pierre et traversa la plage pour rejoindre Eve sur le ponton.

Elle détourna la tête en le voyant arriver. « Foutez le camp, je veux être tranquille, Logan.

— Vous devriez rentrer, à présent, il commence à faire frais.

— Je viendrai quand je voudrai. »

Il hésita, puis s'assit près d'elle. « Je vous attendrai. » Il enleva ses mocassins, remonta les jambes de son pantalon et trempa ses pieds dans l'eau.

« Logan, avertit-elle d'un ton sec, je ne veux pas de vous ici.

— C'est marrant, je ne me suis pas assis comme ça au bord de l'eau depuis mon dernier séjour au Japon. » Il regarda l'océan. Le soleil disparaissait lentement à l'horizon. « J'ai perdu jusqu'au sens du mot "détente".

— Vous cherchez quoi, Logan ? À établir un lien ?

— Peut-être.

— Eh bien, n'y comptez pas.

— Non ? Dommage. Mais je peux toujours rester un moment et prendre l'air. »

Un silence passa.

« À quoi pensez-vous ? demanda-t-il.

— Certainement pas à Chadbourne.

— À votre fille ? »

Elle tressaillit. « Je vous conseille de ne pas utiliser mon enfant pour vous rapprocher.

— Je suis curieux, c'est tout. En vérité, je ne comprends pas cette passion pour l'identification des ossements. Je sais que votre fille n'a jamais été retrouvée, mais vous ne vous attendez tout de même pas à...

— Je ne veux pas en parler.

— Je vous ai observée avec Mandy et ensuite avec Ben Chadbourne. Il y avait dans vos gestes comme... de la tendresse.

— Ce qui indique que je suis peut-être un peu dérangée, mais pas que je prête une âme à ces os.

— Croyez-vous à l'âme éternelle ?

— Parfois.

— Parfois seulement ?

— La plupart du temps, disons. »

Il se tut, lui laissant l'initiative de parler si elle le désirait.

« Quand Bonnie est née, reprit-elle après un long silence, elle était... comment dire ? Elle-même. Entière et merveilleuse. Comment une telle chose serait-elle possible si on ne venait pas au monde avec une âme ?

— Une âme éternelle ?

— Comment le saurais-je ? Je ne peux que l'espérer.

— Alors pourquoi cette détermination à rendre ces ossements aux familles ? Après tout, quelle importance ?

— Il y en a une.

— Laquelle ?

— La vie. La vie devrait faire l'objet de respect ; on ne peut pas la jeter comme n'importe quel déchet. Chacun devrait avoir un foyer. Quand j'étais petite, nous allions de meublé en meublé, de motel en motel. Maman était... oh ! ce n'était pas sa faute ! J'ai essayé de donner à Bonnie une maison agréable, où je pouvais l'aimer et prendre soin d'elle. Après que Fraser l'eut tuée, j'avais des cauchemars à l'idée qu'elle gisait quelque part dans un bois et était la proie des charognards et... » Elle se tut un instant et sa voix tremblait un peu quand elle continua. « Je voulais que son corps repose en paix, dans une tombe devant laquelle j'aurais pu me recueillir, partager un moment avec elle... Il lui avait pris la vie, mais ce qui me faisait le plus horreur, c'est qu'il me prive de ces pleurs qu'on verse sur la dépouille de ceux qu'on a tant aimés.

— Je comprends. » Bon Dieu ! il comprenait bien plus qu'il n'aurait voulu ! « Et... vous avez encore des cauchemars ? »

Elle attendit un peu avant de lui répondre. « Non, pas des cauchemars. » Ramassant ses sandales, elle se releva. « Je rentre... si votre curiosité est satisfaite.

— Pas entièrement. Mais je sais que vous ne m'en direz pas plus.

— Exact. » Elle le regarda. « Surtout, n'allez pas vous imaginer que vous m'avez mise dans votre poche après cette petite conversation. Je ne vous ai rien dit de plus que je n'aurais confié à n'importe qui d'autre. Joe m'a depuis longtemps encouragée à parler de Bonnie.

— C'est de Chadbourne que nous devons nous entretenir, Eve.

— Pas ce soir. »

Il la regarda s'éloigner. Forte femme. Exceptionnelle. Elle monta les marches menant à la maison et, un instant, sa silhouette élancée se découpa dans la lumière des fenêtres. Il prit soudain conscience que ce corps magnifique était en danger d'être blessé, brisé, détruit, et qu'il en serait le responsable. Il avait essayé de renouer le lien rompu avec elle, sans doute aurait-il mieux fait de s'abstenir. Elle était sortie plus forte et plus indépendante encore de ce moment d'intimité alors que lui-même doutait plus que jamais non seulement de l'issue de cette folle aventure, mais plus encore de lui-même.

« Je songeais à une chose, murmura Kevin à l'oreille de Lisa. Peut-être qu'on devrait... je ne sais pas ce que tu en penses... faire un enfant. »

— Seigneur ! Un enfant ? »

Il se souleva sur un coude pour la regarder. « Oui, quoi de plus populaire qu'un bébé à la Maison-Blanche ? Si nous nous y mettions tout de suite, il naîtrait juste après le début de mon second mandat. » Il se tut, un peu timide, puis ajouta : « Ça... ça me plairait beaucoup. »

Elle lui caressa la joue. « À moi aussi, rien ne me ferait plus plaisir. J'ai toujours voulu en avoir un. Malheureusement, ce n'est pas possible.

— Pourquoi ? Tu disais que Ben ne pouvait pas en avoir, mais ce n'est pas mon cas.

— J'ai quarante-cinq ans, Kevin.

— Il y a des traitements pour stimuler la fécondité, aujourd'hui. »

Évidemment, la tentation était grande. C'était la vérité : elle avait toujours désiré être mère. Elle et Ben avaient tout essayé. Il disait alors, comme Kevin maintenant, qu'un bébé était un joker dans la manche d'un politicien. Mais, à l'époque, elle se fichait des atouts politiques. Elle voulait un enfant... pour elle-même.

Allons, oublie. Les larmes qui mouillaient ses yeux en cet instant n'étaient pas feintes. « Ne me parle pas de ça, ça me fait trop de peine.

— Pourquoi ne pourrions-nous pas en avoir un ?
— Ce serait trop difficile. À mon âge, je ne serais pas à l'abri d'un problème de santé. Imagine que je doive observer un repos complet pendant les derniers mois de la grossesse. Cela arrive à des femmes plus jeunes. Je ne pourrais pas être à tes côtés pendant la campagne présidentielle, et cela pourrait nous être fatal.
— Mais tu es solide et en pleine santé, Lisa. »
Il devait y penser depuis longtemps pour se montrer aussi insistant.
« C'est un risque qui nous est interdit. » Elle marqua une pause, pour mieux assener l'argument suivant, qui ôterait à Kevin toute velléité de poursuivre le sujet. « Bien sûr, nous pourrions toujours abandonner l'ambition de briguer un second mandat. Mais tu fais un très bon président, tout le monde t'admire et te respecte. Voudrais-tu abandonner cela ?
— Tu es sûre que le risque serait aussi grand ? »
La paternité lui paraissait déjà moins agréable, surtout si elle signifiait le retour à l'anonymat, après tout le pouvoir et la notoriété auxquels il s'était si bien habitué. « En tout cas, ce n'est pas le moment, affirma-t-elle. Mais nous pouvons remettre le projet à plus tard. » Elle suivit du bout du doigt les lèvres de Kevin. « Je suis très touchée que tu aies eu cette idée. Et j'aimerais tellement... »
La sonnerie du téléphone sur la table de nuit l'interrompit. Elle décrocha.
C'était Timwick. « Le corps est arrivé à l'hôpital de Bethesda. »
Le cadavre. Quelle brutale transition que de passer de l'évocation d'une naissance à la mort d'un homme !
« Très bien, dit-elle.
— Avez-vous pu prendre contact avec Maren ?
— Non, il est en déplacement en Jordanie. J'essaierai encore.
— Nous n'avons plus beaucoup de temps.
— Je vous répète que je m'en occuperai.
— Les médias font déjà le siège de l'hôpital. Est-ce que nous lâchons le morceau ?
— Non, laissez-les mijoter, et balancez-leur la nouvelle demain matin. Ils seront tellement affamés qu'ils dévoreront la moindre miette d'information. » Elle raccrocha.
« Timwick ? » interrogea Kevin.
Elle répondit d'un hochement de tête, songeuse.
« Je n'aime pas ce salaud. Est-ce que nous avons encore besoin de lui ?
— Tu devrais être un peu plus reconnaissant, dit-elle d'un ton moqueur. C'est lui qui t'a découvert.

— Il me traite toujours comme si j'étais le dernier des idiots.
— Pas en public ?
— Il ne manquerait plus que ça !
— Tu devrais peut-être te séparer de lui. Tu pourrais le nommer ambassadeur en Afrique, au Zaïre, par exemple. Après tout, c'est toi, le Président. »
Il eut un rire joyeux. « Ha ! ha ! le Zaïre ! »
Elle se leva et enfila un peignoir. « Ou Moscou. C'est devenu, paraît-il, un vrai placard pour les diplomates.
— Mais tu lui as promis la vice-présidence, dans le prochain mandat, et c'est à ce titre qu'il mènera campagne avec moi. » Il fit la grimace. « Et ça, il ne l'abandonnera pas sans combattre. »
Non, Kevin se trompait. La vice-présidence n'avait jamais été que la carotte brandie sous le nez de l'ambitieux Timwick pour l'attirer dans le complot. Il avait été très fortement déçu que Ben ne lui confie aucun maroquin, et Lisa savait qu'un appétit de pouvoir aussi fort que celui de Timwick lui poserait un jour un problème. Mais, pour le moment, elle avait d'autres chats à fouetter. « Nous verrons bien comment contourner cette difficulté, dit-elle.
— Cela aurait été beaucoup mieux si nous avions gardé Chet Mobry comme vice-président. Il ne nous a jamais causé le moindre problème.
— Il aurait pu, si nous ne l'avions pas éloigné en lui confiant toutes ces missions de bons offices. Il n'approuvait pas vraiment notre politique. Et nous pourrions exiler Timwick de la même façon.
— Tu as peut-être raison, mais... où vas-tu ?
— J'ai une petite affaire à régler. Rendors-toi.
— C'est pour ça que Timwick t'a appelée ? » Il fronça les sourcils. « Tu ne me dis jamais ce que tu fais.
— Parce que je ne veux pas t'ennuyer avec des détails. Occupe-toi du fond, et je prendrai soin de la forme. »
Il secoua la tête d'un air faussement dépité. « Tu reviendras quand tu auras fini ? »
Elle hocha la tête. « Je serai dans mon bureau. Je tiens à consulter certains dossiers en vue de ta rencontre avec Tony Blair. »
Il reposa sa tête sur l'oreiller. « Ce sera du gâteau, après l'ambassadeur japonais. »
Il devenait bien sûr de lui, pensa-t-elle. Mais cela valait mieux que cette timidité qu'il avait manifestée quand il avait endossé pour la première fois l'habit de Ben. « Nous verrons. » Elle lui envoya un baiser. « Dors. Je te réveillerai. »
Elle ferma la porte et gagna son bureau. Il ne lui fallut pas plus de

dix minutes pour avoir Scott Maren en ligne et lui expliquer l'urgence de la situation.

« Bon Dieu ! Lisa, ce n'est pas si facile. Quelle excuse pourrais-je donner pour écourter mon séjour ici ?

— Je te fais confiance pour trouver un bon prétexte. J'ai besoin de toi, Scott, ajouta-t-elle d'une voix fébrile.

— Tout ira bien, Lisa. Tiens bon. Je vais appeler l'hôpital et ordonner qu'on remette *sine die* l'autopsie. Je serai là aussi vite que possible. »

Elle raccrocha. Seigneur ! elle avait de la chance d'avoir Scott de son côté. Il était le seul à pouvoir limiter les dégâts.

Elle se tourna vers l'ordinateur, entra son mot de passe et ouvrit le dossier Eve Duncan. Tout semblait bien se présenter, et ils allaient sans doute sauver leur peau, mais elle n'arrivait pas à chasser un sentiment d'angoisse.

L'image d'Eve apparut sur l'écran. De belles boucles rousses, un maquillage presque imperceptible, des traits fins, de grands yeux marron derrière des lunettes à monture d'acier. Le visage exprimait un tel caractère qu'il fascinait encore plus qu'il ne séduisait. Mais cette femme ignorait et, probablement, méprisait les règles de base du pouvoir, car il était manifeste qu'elle se souciait peu de sa beauté ou de son charme. Lisa avait l'impression de se revoir quand, jeune étudiante, elle prenait l'intelligence et la détermination pour la clé de la réussite. Bon sang, cela paraissait si loin ! Elle devait avoir un regard aussi fiévreux que celui d'Eve. Toutefois, elle n'avait pas tardé à comprendre que l'intensité mettait les gens mal à l'aise et qu'il valait mieux dissimuler ses passions sous un sourire suave.

Les antécédents d'Eve Duncan démontraient qu'elle était une survivante. Lisa en était une elle-même, sinon elle n'aurait jamais pu tenir le coup durant ces deux dernières années. Elle eut un sourire triste et caressa doucement l'image d'Eve.

Des sœurs. Les faces opposées d'une même pièce. Dommage. Elle commença à lire le dossier, cherchant une faiblesse et le moyen de vaincre.

Elle était parvenue aux deux tiers du rapport quand elle trouva.

Gil et Logan étaient assis devant le téléviseur quand Eve entra dans le salon, le lendemain matin.

« Merde, dit Gil. J'aimais cette vieille baraque.

— Que s'est-il passé ? s'inquiéta Eve. Barrett House ? »

Gil hocha la tête. « Apparemment, il semblerait que John ait négligé d'entretenir l'installation électrique. »

L'image montrait des ruines fumantes, au milieu desquelles se dressaient deux cheminées intactes.

« Mais vous serez ravie d'apprendre qu'il a été puni de son insouciance. John a péri dans l'incendie.

— Quoi ?

— Carbonisé au point de ne pas être identifiable. Seule l'analyse dentaire et l'expertise d'ADN confirmeront. Un homme si remarquable ! Detwil vient de se fendre d'une déclaration pour regretter la disparition d'une personnalité appréciée et respectée de tous ; il a même ajouté qu'il devait se rendre sur l'invitation de John à Barrett House, le week-end prochain, pour s'entretenir avec lui de politique.

— Pourquoi un tel mensonge ?

— Comment le saurais-je ? répliqua Gil. C'est curieux... » Il éteignit le poste et passa dans la cuisine. « Je ne peux plus voir ça. John et moi étions si proches, pratiquement des frères. Petit déj pour tout le monde ? »

Eve se tourna vers Logan. « C'est complètement fou. Vous n'êtes pas exactement un inconnu. Est-ce qu'ils pensent vraiment pouvoir s'en tirer comme ça ?

— Pendant quelque temps. Ils feront en sorte que les analyses d'ADN confirment que c'est bien moi. Ils ont emmené le corps à l'hôpital de Bethesda.

— Pour quelle raison ?

— Bethesda est un hôpital militaire, autrement dit sous le contrôle du gouvernement. Ils ont certainement un homme dans la place, qui veillera à ce que tout se déroule selon leur désir. Ainsi, ils gagneront du temps.

— Qu'envisagez-vous ?

— Ma foi, je n'ai pas l'intention de me montrer pour leur prouver qu'ils se trompent. Je me retrouverais enfermé pour imposture dans une cellule de haute sécurité et je mourrais d'un regrettable accident. » Il se leva. « En outre, j'ai deux ou trois choses à faire avant de me rendre.

— Qui peut être cet homme qui a péri dans l'incendie ? »

Logan répondit d'un haussement d'épaules. Eve frissonna. Voilà, c'était l'horreur. Un homme était mort.

« Café ? » proposa Gil.

Elle refusa.

« Est-ce que nous pourrions parler de Chadbourne ? s'enquit Logan. Il me semble que la situation est en train de s'aggraver.

— Oui, parlons-en, répondit-elle avec flamme. Ma mère doit être protégée. Je ne veux pas la voir périr dans l'incendie de ma maison.

— Je vais appeler Margaret, l'avertir que je suis toujours de ce monde et trouver un lieu sûr pour votre mère.

— Tout de suite.

— Pour le moment, elle est très bien gardée. Est-ce que je peux terminer mon café ? » Il la regarda par-dessus sa tasse. « Allez-vous m'aider, Eve ?

— Peut-être. Si je n'ai pas l'impression que vous me menez une fois de plus en bateau. » Elle se tourna vers Gil. « J'aimerais en savoir un peu plus sur ce Timwick, sous les ordres duquel vous avez travaillé. »

Gil hocha la tête. « Vous savez, je n'étais pas l'un de ses proches, mais simplement un agent du Service.

— Mais comment est-il ? Vous avez pu vous faire une opinion de lui, non ?

— Il est intelligent, ambitieux, et sait tirer les ficelles pour parvenir à ses fins. Personnellement, je n'aimerais pas l'avoir derrière moi en cas de pépin. Je l'ai vu exploser trop souvent. Il a tendance à s'affoler quand il est sous pression. » Il marqua une pause. « Et il est dangereux. Très. La nervosité se transforme souvent en violence incontrôlée.

— Et Fiske ?

— Ce n'est qu'un homme de main. Calculateur, rusé, efficace. Un pervers. Il aime tuer. Autre chose ?

— Non, je vous écoute. Je ne serais pas étonnée d'apprendre qu'ils sont une bonne douzaine de plus à nos trousses.

— Sûrement pas, assura Logan, ils ne peuvent pas engager trop de monde dans cette opération. De plus, ce serait idiot de notre part de vous cacher quoi que ce soit, désormais. Vous en savez autant que nous, et toutes les cartes sont sur la table. Alors, vous nous aiderez ?

— À condition que ma mère soit à l'abri. » Elle le fixa. « Et ce n'est pas vous que je vais aider, mais moi-même. Il faudrait être débile pour ne pas comprendre que je suis désormais leur cible. La seule façon que j'aie de me protéger d'eux, c'est de prouver que Ben Chadbourne est mort. L'ADN et les dents sont les seules preuves légalement recevables. Il faut donc nous les procurer.

— Comment ?

— Je ne suis pas experte en la matière, et je ne vois pas d'autre solution que d'apporter le crâne à l'un des meilleurs anthropologues médico-légaux de la profession et de voir s'il peut extraire assez d'ADN pour établir une empreinte génétique.

— Mais le crâne a subi une chaleur intense.

— Il se peut, malgré tout, que l'analyse soit possible, mais je suis sûre que vous le savez aussi bien que moi, de même que vous devez savoir déjà à qui vous allez confier ce travail.

— Oui, le docteur Ralph Crawford, de l'université de Duke. Il a les qualifications requises. »

Elle secoua la tête. « Gary Kessler. Emory.

— C'est le meilleur ?

— Il est très bon, et je le connais.

— Il y a un pathomachin dans *Au nom de la loi*, dit Gil.

— Cette série télé fait enrager Gary. Non seulement c'est une vraie foire aux erreurs, mais elle confond les pathologistes avec les anthropologues médico-légaux. Ces derniers ne sont pas diplômés en médecine, ils ont des doctorats d'anthropologie, et quelques-uns d'entre eux se spécialisent dans le système osseux humain et son évolution au cours d'une vie. C'est la filière qu'a suivie Gary Kessler. Il exerce avec plusieurs pathologistes à Atlanta et est très respecté dans le milieu. En outre, vous n'êtes certainement pas le seul à avoir pensé à Crawford, qui est très connu.

— Vous savez, ils ont certainement enquêté de votre côté et dressé la liste de tous les spécialistes que vous connaissez.

— Oui, et ils auront découvert que j'ai travaillé avec une douzaine d'anthropologues à Los Angeles, New York et New Orleans, et que j'ai été bombardée de demandes depuis ce reportage dans *Soixante Minutes*. Ça leur prendra du temps pour vérifier la spécialité de chacun, et ils considéreront Gary comme peu probable, vu que je n'ai pas bossé avec lui depuis deux ans. »

Logan hocha lentement la tête. « Vous avez raison. Compte tenu des circonstances, il vous sera peut-être plus facile de convaincre l'une de vos connaissances de nous aider.

— Et le profil dentaire ?

— La question est plus épineuse. Le dentiste de Chadbourne était une femme du nom de Dora Bentz. » Il secoua la tête d'un air navré. « Fiske l'a tuée juste après votre arrivée à Barrett House. Et vous pouvez parier que le dossier dentaire de Chadbourne a disparu.

— C'était elle, le témoin assassiné dont vous m'aviez parlé ? » Elle leva la main. « Pas la peine de vous justifier, je ne veux plus de mensonges.

— Je n'ai pas l'intention de me justifier, mais vous devez comprendre que je ne pouvais pas à ce moment-là vous dévoiler le nom de Dora Bentz et les implications de sa mort. »

Elle se tut un instant, reconnaissant le bien-fondé de l'explication. « Alors, il ne nous reste plus que l'ADN. Mais que se passera-t-il si l'analyse se révèle impossible ? N'y a-t-il aucun moyen de forcer Detwil à faire un test pour prouver son identité ?

— Non. Il est le Président. C'est à nous d'apporter des preuves. Et son dossier médical serait falsifié, comme ils s'apprêtent à falsifier le mien.

— Mais on pourrait tout de même essayer. Il doit avoir de la famille, non ?

— En dehors de sa mère, qui est morte il y a sept ans, il avait un demi-frère.

— Avait ?

— James Cadro. Lui et sa femme ont été tués, le lendemain du meurtre de Dora Bentz. »

Bon Dieu ! « Inutile d'avoir un parent très proche. Pas de cousin, de neveu ?

— Pas à notre connaissance. Le choix de Detwil a été soigneusement planifié.

— Et la mère ? Il est possible de l'exhumer...

— Sans vouloir faire d'humour macabre, on n'a pas le temps de creuser plus profond. Quand nous nous montrerons à découvert, il nous faudra avoir la preuve en main.

— Pourquoi n'aurait-on pas le temps ?

— Parce que, sitôt sortis du bois, nous n'aurons plus que quelques heures à vivre, expliqua Gil. D'après les informations, John est déjà mort. Il ne reste donc que nous deux, et ils ont la puissance de la présidence avec eux. Je suis sûr que le scénario est déjà en place. Rapide, logique et minutieux. Timwick ne laisse jamais rien au hasard. »

Eve frissonna. « Il doit y avoir une autre piste... quelqu'un d'autre.

— Oui, il y a Scott Maren.

— Un parent ? Alors il doit être mort, lui aussi.

— Non. C'est le médecin particulier de Ben Chadbourne. Il était à l'étranger quand j'ai ouvert la boîte de Pandore. C'est sans doute ce qui lui a sauvé la vie. Mais je ne suis pas certain qu'on puisse l'utiliser. Je le soupçonne d'être impliqué dans la disparition du Président.

— De quelle façon ?

— Il y a deux ans, le 2 novembre au matin exactement, Ben Chadbourne a été admis à l'hôpital de Bethesda pour son check-up annuel. Dans la nuit du 3 novembre, Timwick a déposé le corps chez Donnelli.

— C'est donc entre le 2 et le 3 que la substitution a été opérée ?

— Oui, et l'opération a été soigneusement minutée, avec le vrai Ben Chadbourne entrant et le faux sortant vingt-quatre heures plus tard. Il est probable que Maren lui a fait une injection mortelle en lui laissant croire que c'était de la vitamine B ou je ne sais quoi.

— C'est donc lui, leur homme de confiance à Bethesda », dit Eve, songeuse. La manœuvre était diaboliquement astucieuse. « Cependant, Maren n'est pas devenu par hasard le médecin privé du Président. Il devait répondre à des critères non seulement professionnels, mais aussi moraux.

— C'est un praticien très respecté par ses pairs, poursuivit Gil, et il était l'ami personnel de Chadbourne. Lui, le Président et Lisa se connaissaient depuis l'université. Et c'est en partie à cette amitié que Maren doit son poste de chef de clinique à Bethesda.

— Pourquoi donc aurait-il participé à une telle entreprise et pris un tel risque ? »

Logan haussa les épaules, perplexe. « Je ne sais pas, mais je suis convaincu de sa complicité. C'est pourquoi j'ai voulu le joindre : pour essayer de m'en faire un allié et de le persuader de dénoncer Timwick et Lisa Chadbourne.

— Pourquoi le ferait-il, s'il a été leur complice ? Cela équivaudrait à se condamner lui-même.

— Peut-être. À moins que nous ne lui prouvions qu'il est un homme mort s'il ne les neutralise pas. De tous ceux que Lisa et Timwick ont intérêt à éliminer, Maren est de loin le plus dangereux. »

Eve resta pensive un moment. « Oui, il est en effet le seul témoin capable de révéler le lien entre Lisa Chadbourne, Timwick et la mort du Président.

— Exact. Et, en supposant que la disparition de Chadbourne soit découverte, Lisa et Timwick pourraient, en l'absence de tout témoin, crier à un complot terroriste, prétendre avoir été victimes d'une formidable machination. Après tout, personne n'a jamais relevé un quelconque changement entre le Président entré un matin à Bethesda et celui qui en est sorti le lendemain. Hélas ! pour eux, Maren est témoin, et la théorie de la conspiration ne tient plus. Accusé de meurtre, il y a de fortes chances qu'il parle et dévoile toute l'affaire. C'est pour cette raison que j'ai toujours pensé que, à l'instant même où le plan était conçu, Maren était un homme mort.

— Mais le croira-t-il ?

— Qui ne tente rien n'a rien. Par ailleurs, nous n'avons pas le choix. Il est notre unique espoir.

— Vous disiez qu'il était à l'étranger ? Où ça ?

— Detwil l'a expédié en Jordanie, dans le cadre de l'aide sanitaire américaine. Officieusement, ce serait le roi lui-même qui aurait réclamé les services de Maren.

— Mais en réalité ?

— J'y vois une manœuvre de Timwick. Fiske n'aurait aucun mal à tuer Maren là-bas et à en faire porter la responsabilité à un groupe terroriste antiaméricain. Bentz et Cadro ont été éliminés pour m'empêcher de les approcher, mais Maren est certainement dans leur collimateur depuis le début.

— Jamais il ne coopérera, dit Eve. S'il a prêté la main à l'assassinat du Président, il est mort, de toute façon.

— À moins de conclure un marché avec lui.

— Quel moyen auriez-vous de... qu'avez-vous en tête exactement ?

— Ce que je veux, c'est que Lisa Chadbourne soit éjectée de la Maison-Blanche, et peu importe comment. » Il marqua une pause. « Même si je dois pour cela aider Maren à disparaître quelque part, nanti d'un solide compte en banque.

— Vous passeriez un accord avec un assassin ?

— Et si nous ne pouvons pas obtenir cette preuve par l'ADN ? Avez-vous autre chose à proposer ? »

Elle avait les idées trop confuses pour répondre à une telle question. « Qu'est-ce qui empêche Fiske de se rendre en Jordanie pour liquider Maren ?

— La situation a changé. Ils ont besoin de lui, et ils ne le tueront pas tant qu'il leur sera utile. » Il sourit. « Souvenez-vous, ils ont emmené mon corps à Bethesda. Seul Maren peut couvrir la supercherie. Il devait rentrer après-demain, mais je suis sûr qu'il va rappliquer en quatrième vitesse. Pendant que nous irons, vous et moi, à Emory pour rencontrer Kessler, Gil se rendra à Bethesda afin de tenter d'intercepter Maren.

— Comment Gil fera-t-il pour ne pas être intercepté lui-même ?

— Grâce à la magie du déguisement, intervint l'intéressé. Je vais me métamorphoser en infirmière. Blonde, je pense. Avec de gros nichons.

— Quoi ?

— Je plaisante. Ne vous inquiétez pas, je me débrouillerai. »

Elle était déjà folle d'inquiétude. Elle craignait pour la vie de Gil. Il était le complice de Logan et avait largement contribué à la tromper, mais le bonhomme avait du cœur... et du charme. Et puis, il y avait déjà eu assez de morts. Des gens qu'elle ne connaissait pas, mais dont la disparition brutale avait un lien avec elle. Elle avait l'impression d'être dans l'œil d'un cyclone ravageant tout autour. Dieu merci, les êtres qui comptaient le plus pour elle étaient pour le moment épargnés.

« Vous parlez comme si nous pouvions aller et venir sans danger, dit-elle à Gil. Avec quelles pièces d'identité ? Quelles cartes de crédit ?

— Logan s'est occupé de ça. J'ai plusieurs faux permis de conduire. Vous avez désormais pour nom Bridget Reilly. D'origine irlandaise, ainsi qu'il sied à une rousse. La photo n'est pas fameuse, elle a été prise dans un Photomaton.

— *Ma* photo ? » Elle se tourna vers Logan. « Vous aviez déjà pensé à me procurer de faux papiers ? »

Il haussa les épaules. « Gouverner, c'est prévoir. Gil s'est chargé de pourvoir tous ceux qui étaient à Barrett House de faux papiers, comme vous dites. J'étais sûr, hélas ! que nous en aurions besoin, tôt ou tard. »

Le diable l'emporte ! Il avait tout envisagé, y compris le danger mortel qu'elle courrait. « Et je suppose que vous avez aussi pensé à nous fournir en fausses cartes de crédit ? »

Il eut un geste de dénégation. « J'ai là assez de liquide pour nous sortir de toutes les situations.

— Vous êtes incroyable.

— Il fallait être prêt. »

Refrénant son envie de le frapper, elle préféra quitter la pièce. « Je vais téléphoner à ma mère pour lui dire de se préparer à partir.

— Sa ligne est certainement sur écoute.

— Je ne suis pas une idiote, je sais bien qu'ils doivent la surveiller. Je serai prudente, mais elle doit être avertie. J'appellerai sur son portable.

— Elle en a un ?

— Évidemment. C'est Joe qui nous a incitées à en acheter. Il dit que les portables ont sauvé la vie de pas mal de gens victimes d'accidents de la circulation ou d'agressions.

— L'omniprésent M. Quinn, murmura Logan. Cet homme pense décidément à tout.

— C'est un ami et il veille sur nous, mais je peux comprendre que cela vous échappe », lança-t-elle par-dessus son épaule.

13

Sandra avait vu le journal télévisé, et Eve dut attendre qu'aient déferlé les exclamations de soulagement et les questions vibrantes d'inquiétude de sa mère pour lui annoncer l'arrivée de Margaret.

« Comment ça, je dois quitter la maison ? s'écria-t-elle. Que se passe-t-il, Eve ?

— Rien de bon, mais je ne peux pas t'en parler.

— Est-ce que John Logan est vraiment mort ?

— Non. Écoute, maman, ça va barder, et je veux que tu sois en sécurité quelque part, hors d'atteinte.

— Mais je suis en sécurité, ici. Joe passe tous les deux jours, et il y a une voiture de police garée devant la maison pendant la nuit.

— Maman, insista Eve, cherchant désespérément l'argument susceptible de convaincre sa mère. Je t'en prie, fais ce que je te dis. C'est moche, crois-moi. J'ai peur de ce qu'il peut arriver.

— Peur, toi ? » Sandra se tut. « Je l'entends à ta voix, tu n'as pas été dans cet état depuis Fraser... » Elle hésita. « Bon, il faut que je te voie.

— Je ne peux pas venir. Cela te mettrait en danger.

— À quoi es-tu mêlée, Eve ?

— Je ne peux pas te le dire non plus. Alors, tu feras ce que je te demande ?

— Mais j'ai mon travail, je ne peux tout de même pas...

— Ils te tueront. Ou bien ils se serviront de toi pour me tuer. C'est ça que tu veux ? Téléphone à ton bureau, préviens-les que tu as un problème familial, un cas d'urgence. Crois-moi, c'est très grave.

— Te tuer ? répéta Sandra d'une voix émue. Je vais appeler Joe.

— Non, laisse-moi l'appeler. Mais il ne pourra peut-être pas t'aider. Ne quitte la maison sous aucun prétexte et n'ouvre à personne, sauf à la femme que je t'envoie.

— Qui est-elle ? »

Et s'ils avaient trouvé le moyen d'écouter leur conversation ? se demanda Eve avec crainte. Elle ne pouvait mettre Margaret en péril. « Elle aura une pièce d'identité. Je te faxerai... » Non, sa machine avait été détruite avec le reste de son équipement, et l'envoi d'un fax présentait des risques. « Écoute, je me débrouillerai pour te faire parvenir une photo d'elle et deux ou trois questions à lui poser, au cas où elle te donnerait rendez-vous quelque part. En attendant, refuse d'ouvrir ou de suivre quiconque viendrait frapper à ta porte, même s'il brandit une plaque de police ou du FBI ou du Service secret.

— Quand cette femme viendra-t-elle ?

— Je ne sais pas, mais bientôt. Je ne sais même pas comment elle prendra contact avec toi, mais fais ce qu'elle te dira, une fois que tu te seras assurée qu'elle est bien la personne que je t'envoie.

— Inutile de répéter, Eve, je ne suis plus une enfant. » Sandra soupira. « Je suivrai à la lettre tes instructions. Comme j'aurais aimé que tu n'entendes jamais parler de John Logan !

— Moi aussi, maman, moi aussi.

— Fais attention à toi.

— Oui, n'aie crainte. » Elle se tut, puis ajouta sans réfléchir : « Je t'aime.

— Bon Dieu ! tu me fais peur ! Je ne t'ai pas entendue... Moi aussi, je t'aime, Eve. » Elle raccrocha.

Eve resta songeuse. Il ne leur avait jamais été facile, à l'une comme à l'autre, d'exprimer leur affection. Il y avait eu de trop nombreuses années de silence entre elles. Mais Sandra se savait aimée de sa fille, Eve n'avait pas besoin de le lui dire.

Elle appela Joe sur son portable. Il répondit immédiatement.

« Joe ?

— À quoi tu joues ? demanda-t-il abruptement.

— Je peux parler ? Tu es seul ?

— Je sors sur le parking. Pourquoi ne m'as-tu pas appelé plus tôt ? Et pourquoi...

— Arrête de crier.

— Je ne crie pas. » C'était vrai, mais chaque mot était lourd de colère. « J'ai envie de t'étrangler.

— Tu n'es pas le seul.

— C'est censé être drôle ?

— Non, je suis dans la merde, Joe.

— Je sais. C'est toi qui as tué Logan ?
— Quoi ?
— Est-ce que tu l'as tué ?
— Tu es fou ?
— Réponds-moi. Écoute, si c'est arrivé, je me doute bien que tu l'as fait en état de légitime défense, mais je dois savoir avant d'intervenir.
— Mais pourquoi penses-tu une chose pareille ? Comment aurais-je pu le tuer ? D'ailleurs, il n'est pas mort. Tout ça n'est qu'un coup monté. »
Il y eut un silence. « Alors, tu as raison, tu es vraiment dans la merde. Tu n'as pas regardé CNN ?
— L'incendie de Barrett House ?
— Non, le dernier flash d'information. Tu es soupçonnée de l'avoir tué.
— Quoi ?
— Novak, l'avocat de Logan, a été interviewé, et il a déclaré que tu étais partie avec Logan à Barrett House. Il a dit que tu étais sa maîtresse et qu'il lui avait confié que tu présentais parfois des signes de déséquilibre rendant votre relation très difficile.
— Le salaud !
— Et... il a été question de Lakewood. »
Elle encaissa le coup. « Comment savent-ils ? C'est toi qui as récupéré mon dossier et tu m'avais promis de le planquer et...
— C'est ce que j'ai fait. Jamais je n'aurais pensé que quelqu'un puisse le ressortir.
— Tu aurais dû être plus... » Merde ! voilà qu'elle reprochait à Joe une chose dont il n'était même pas responsable !
« Je t'avais dit à l'époque qu'il n'y avait aucune raison de faire un mystère de ton passage à Lakewood. Rien de grave ni de honteux à cela...
— Oui, seulement tout le monde n'est pas de cet avis, la preuve... »
Joe jura tout bas. « Dis-moi où tu es, je te rejoins.
— Non, il vaut mieux pas. Inutile que tu sois impliqué, sinon tu ne pourras pas...
— Arrête. Dis-moi où tu es, sinon je chercherai, et quand je cherche je trouve toujours. »
Il ne mentait ni ne se vantait. Elle connaissait ses capacités et sa détermination. « Je dois aller à Atlanta, pour y rencontrer Kessler. Rendez-vous sur le parking de chez *Hardee*, à dix heures demain matin. C'est à six cents mètres de l'université d'Emory.

— Entendu. » Il se tut pendant quelques secondes. « Ça se présente mal ? demanda-t-il enfin.

— Ça ne pourrait pas être pire.

— Si, ça pourrait... si je n'étais pas là pour intervenir. »

Elle sourit malgré elle. « C'est vrai. » Soudain, elle eut une idée. « Pourrais-tu te procurer une photo d'identité de Margaret Wilson, l'assistante de Logan, et l'apporter à ma mère ? Dis-lui que c'est cette femme qui va venir l'aider.

— L'aider à faire quoi ?

— Elle va emmener maman quelque part en sûreté.

— Mais je peux m'en charger, riposta-t-il sèchement. Tu n'as pas besoin d'autre aide.

— Non, Joe. J'ai besoin de toute l'aide que je peux, et encore ce ne sera pas assez. Veux-tu faire ce que je te demande ?

— Bien sûr, mais tu as intérêt à avoir une bonne raison de ne pas me faire confiance.

— Mais je te fais confiance... » Sans doute comprendrait-il mieux si elle pouvait lui expliquer. « Pourrais-tu trouver aussi des photos de James Timwick et d'un certain Albert Fiske, qui travaille pour lui ? Et les apporter avec toi demain matin ?

— Pas de problème pour Timwick, il passe souvent à la télé, mais qui est Albert Fiske ?

— Un nom sur lequel j'ai besoin de mettre un visage. Au revoir, Joe. » Elle éteignit l'appareil.

Lakewood. Ça alors !

Elle rangea son portable dans son sac et se leva. Elle entendait la télévision dans la pièce voisine. Logan et Gil avaient sûrement pris connaissance du dernier bulletin d'informations. Mais ce ne devait pas être une surprise pour Logan. C'était lui qui avait payé ce chien de Novak pour aller renifler dans le passé d'Eve Duncan.

Les deux hommes levèrent la tête quand elle entra. « Le complot s'enrichit d'heure en heure, commenta Logan en éteignant le poste.

— Oui, vous êtes mort et je suis folle, dit-elle. Ils ne reculent devant rien pour nous empêcher de bouger.

— Ce séjour à Lakewood, c'est une invention ou une réalité ? demanda Gil.

— Interrogez Logan.

— Me croirez-vous si je vous dis que je l'ignorais ? rétorqua celui-ci. Novak a gardé cette information pour lui, ou plutôt pour la vendre à Timwick.

— Quoi ? Vous saviez qu'il était en cheville avec eux ?

— Non, mais cela ne m'étonne pas. Novak est un homme ambitieux. Toutefois, dans quelle mesure cette information leur est-elle utile ? Combien de temps êtes-vous restée là-bas ?

— Trois semaines.

— Qui vous y a envoyée ?

— Joe.

— Merde, autrement dit les autorités. Ça la fout mal.

— Pas les autorités, répliqua-t-elle avec plus de violence qu'elle n'aurait voulu. C'était Joe, et lui seul.

— Mais Quinn était encore un agent fédéral à cette époque.

— Le Bureau n'en a rien su. Personne, en vérité, n'en a été informé. Pas même ma mère.

— C'est votre plus proche parente. Comment aurait-elle pu l'ignorer ? Un placement dans...

— Lakewood n'est pas une institution publique, c'est un établissement privé en Georgie du Sud. Joe m'y a fait admettre sous le nom d'Anna Quinn. Il a prétendu que j'étais sa femme.

— Et vous y êtes allée de votre plein gré ?

— Non, Joe peut être aussi persuasif qu'un bulldozer, parfois. Il m'y a littéralement poussée.

— Pourquoi ? »

Elle ne répondit pas.

« Pourquoi, Eve ? »

Elle haussa les épaules. De toute façon, il l'apprendrait tôt ou tard. « La nuit où Fraser a été exécuté, j'ai fait une overdose de tranquillisants. J'avais pris une chambre dans un motel proche de la prison, et c'est Joe qui m'a découverte en venant voir comment j'allais. Alors, il m'a fait vomir et marcher jusqu'à ce que je reprenne complètement conscience. C'est après ça qu'il m'a conduite à Lakewood. Il est resté là-bas avec moi pendant les trois semaines. Au début, le médecin voulait me placer sous psychotropes, mais Joe s'y est opposé. Il leur a expliqué que ce n'était pas pour me mettre sous camisole chimique qu'il m'avait amenée là. Il m'a fait parler avec tous les psychiatres de l'endroit. Parler de Bonnie. De Fraser. De ma mère. Merde, il m'a fait parler de mon père, qui nous a abandonnées, ma mère et moi, je ne devais même pas avoir un an. Mais Joe a estimé que je ne m'ouvrais pas assez, aussi, au bout de trois semaines à Lakewood, on a dit au revoir à tous ces bons docteurs, et nous sommes partis pour l'île de Cumberland, où nous avons passé toute une semaine.

— L'île de Cumberland ? répéta Gil.

— Oui, une île très sauvage, au large de la Caroline du Nord. Il n'y a qu'un seul hôtel, mais Joe n'en a pas voulu. Nous avons campé, et il m'a fait suivre une thérapie de son invention : parle et libère-toi ou... crève.

— Et ça a marché ?

— Joe ne m'a pas donné le choix. » Elle eut un sourire triste. « Difficile de résister à un bulldozer. Alors, j'ai parlé et je me suis libérée.

— Quinn doit avoir une sacrée force de persuasion, constata Gil.

— Oui, aucun doute là-dessus. Je ne connais personne d'aussi obstiné. » Elle gagna la fenêtre et regarda les vagues. « J'ai résisté et me suis défendue comme une diablesse, mais il ne m'a pas lâchée.

— Dommage qu'il n'ait pas mieux enterré le dossier de Lakewood.

— Je le regrette également. Là où j'ai grandi, les timbrés étaient nombreux, cependant il fallait vraiment déjanter pour se retrouver à l'asile. Mais Joe ne pense pas comme ça. Pour lui, quand quelque chose est cassé, on va chez le réparateur. Il trouve naturel qu'on aille dans un établissement psychiatrique si on a un problème. Ça ne lui fait pas peur.

— Et vous, à ce moment, ça vous faisait peur ? » demanda Logan.

Elle hésita avant de répondre : « Oui.

— Pourquoi ?

— Je redoutais d'être à ma vraie place là-bas.

— Allons, c'est ridicule. Vous aviez subi un choc qui aurait plongé n'importe qui dans une dépression nerveuse.

— Il est tellement facile de franchir la frontière séparant une dépression de la folie. On ne s'aperçoit qu'on marche sur une corde raide qu'au moment où on manque tomber dans le vide.

— Mais vous avez su réagir.

— Sans Joe, je n'aurais pas pu. » Elle croisa les bras sur sa poitrine. « Ensuite, je me suis révoltée. Il n'était pas question que Fraser m'enlève ce qui me restait : ma vie et ma raison. Non, pas question qu'il gagne. » Elle fit face à Logan. « Et je ne laisserai pas Timwick et Lisa Chadbourne s'en tirer indemnes. Le problème, maintenant, est de trouver le moyen de les empêcher de répandre la rumeur que je suis folle.

— Je ne vois pas comment, alors que nous sommes réduits à nous défendre. Nous ne pourrons rien faire tant que nous n'aurons pas les moyens de lancer une offensive. »

C'était l'évidence même, mais elle avait espéré de bonnes nouvelles, et non le rappel cruel de la réalité. « Vous avez appelé Margaret ?

— Oui, elle est en route.

— Où va-t-elle conduire ma mère ?

— Pour le moment, elle en discute avec le service de sécurité qui monte la garde autour de votre maison. Mais quel que soit l'endroit où ils les enverront, j'ai demandé à Margaret d'exiger la présence d'un des vigiles à leur côté. Avez-vous averti votre mère ?

— Oui, et j'ai rendez-vous demain avec Joe, à Atlanta. » Elle remarqua l'expression contrariée de Logan. « Qu'est-ce qu'il y a ?

— Oh ! rien ! Je pensais seulement qu'il serait plus sage de ne pas le mêler à cette histoire. Moins nous serons et mieux...

— Foutaises ! s'écria-t-elle, préférant oublier qu'elle avait eu la même réaction que lui. Je lui fais davantage confiance qu'à vous deux réunis.

— Je comprends pourquoi, fit Gil. Je suis impatient de rencontrer le passionnant M. Quinn. Je vais marcher un peu. Ça te dit, John ? »

Logan hocha la tête. « Oui, un peu d'air me fera du bien. » Il se dirigea vers la porte. « Nous ne serons pas longs. Suivez les informations, vous voulez bien, Eve ? »

Elle savait qu'ils voulaient discuter entre eux de la situation, et elle ne pouvait les en empêcher, mais ils apprendraient bientôt à ne plus l'écarter des décisions.

Par ailleurs, elle n'était pas mécontente d'être seule. Et demain, elle reverrait Joe. Logan s'était servi d'elle et, au besoin, il recommencerait. Quinn était le seul en qui elle avait confiance. Ils faisaient équipe depuis si longtemps tous les deux. Ensemble, ils étaient fort capables de triompher de tout, y compris de Timwick et de Lisa Chadbourne.

Elle se demanda soudain si la femme du défunt Président était véritablement à la tête de la conspiration. Les signaux qu'elle adressait à Detwil prouvaient sa complicité mais ne la désignaient pas nécessairement comme la cheville ouvrière du complot. Cependant, la femme qu'elle avait observée sur les bandes vidéo n'était pas du genre à accepter un second rôle ; elle respirait la confiance en soi et possédait un rare charisme.

La description que Gil lui avait faite de Timwick ne correspondait pas à celle d'un homme susceptible de monter une supercherie de cette ampleur. Il fallait des nerfs d'acier. Or, selon Gil, Timwick résistait mal en cas de tourmente.

Si Lisa Chadbourne était la maîtresse du jeu, elle méritait qu'on l'étudie de plus près, se dit Eve. Elle sortit de son sac les cassettes qu'elle avait emportées de Barrett House et, après avoir glissé la première dans le magnétoscope, elle s'assit sur le canapé devant le téléviseur.

Le visage souriant de Lisa Chadbourne apparut à l'écran. Belle, intelligente... fascinante. Eve sentit une étrange tension s'emparer d'elle. Penchée en avant, elle s'absorba dans la contemplation des images.

« Que faites-vous ? s'enquit Logan en entrant, deux heures plus tard. Notre Lisa nationale ? »

Eve éteignit le magnétoscope. « Oui, j'ai eu envie de l'étudier de plus près.

— Et de déchiffrer leur langage de sourds-muets ?

— Ça y ressemble, effectivement. Mais je me suis surtout attachée aux expressions de son visage ; et elles sont parlantes.

— Vraiment ? Je doute qu'elles puissent nous apprendre grand-chose, car elle a le don de dissimuler ses émotions.

— Dans le cadre de mon travail, j'ai beaucoup appris sur les mimiques faciales, j'ai même suivi des cours d'expression corporelle. La gestuelle est nécessairement liée à la psychologie, et son étude nous livre une véritable mine de renseignements sur la personne. Un visage sans expression est comme une assiette vide.

— Alors, qu'avez-vous appris sur Lisa ?

— Il y a de l'arrogance en elle, de l'audace, mais aussi de la prudence. Et un rien de vanité. » Elle fronça les sourcils, songeuse. « Non, elle a trop confiance en elle pour être vaniteuse. Elle connaît sa valeur, et en tire un plaisir évident.

— Suffisante ?

— Non, ce n'est pas de la suffisance, elle est trop intelligente pour ça. » Elle hésita. « Elle est... très consciente d'elle-même, mais également de tout ce qui l'entoure. Évidemment, la situation dans laquelle elle se trouve exige une vigilance extrême. Enfin, on la sent seule. Et elle l'est, indubitablement.

— Dites donc, vous avez une boule de cristal ou quoi ? s'exclama Gil, admiratif.

— Oh ! ce ne sont que des hypothèses, mais fondées sur l'observation ! Il est possible de contrôler la plupart des muscles faciaux, sauf ceux qui entourent les yeux. Ils sont beaucoup plus difficiles à maîtriser et nous révèlent souvent ce que des lèvres scellées et un front volontairement lisse essaient de nous cacher. Mais, pour en revenir à Lisa, je parie qu'elle a très peu d'amis et qu'elle n'est guère mondaine. »

Logan fronça les sourcils. « Ce n'est pas l'impression que j'ai eue quand je l'ai rencontrée. Je vous assure qu'elle était parfaitement sociable et suprêmement à l'aise dans les mondanités.

— Oui, mais c'est une tactique de séduction. Elle a su vous charmer. Les hommes gouvernent le monde, et elle a appris à s'en accommoder. Chez elle, l'homme propose et la femme dispose.

— J'en déduis qu'elle n'a pas réussi à vous tromper ?

— Oh ! elle y serait probablement parvenue si je n'avais pas eu la possibilité d'étudier à travers ces cassettes toute la palette de ses expressions ! Quand elle joue un rôle déterminé, elle n'en dévie presque jamais. Si ça lui arrive, elle reprend dans la seconde l'air adapté à la situation. Dieu merci, l'arrêt sur image permet de fixer ces fugitifs instants de défaillance.

— Vous en déduisez donc qu'elle est une femme seule, incomprise et entrée malgré elle dans une diabolique machination ? demanda-t-il, moqueur.

— Non, je la crois parfaitement capable de tuer un homme. Elle dégage une détermination et une intensité hors du commun. Rien ne semble l'effrayer et elle est tout sauf un pion. Née pour gouverner. » Elle ralluma le téléviseur. « Pardonnez-moi de ne pas avoir suivi les infos, vous allez pouvoir vous rattraper.

— Cela fait beaucoup de suppositions à partir de quelques images vidéo, vous ne pensez pas ?

— Croyez-moi ou non, cela m'est égal.

— Oh ! toute cette histoire de gestuelle et d'expression corporelle est très à la mode dans les séminaires sur l'art de négocier dans les affaires ! Mes cadres y sacrifient régulièrement. Ce que je veux dire, c'est qu'il vaut mieux se garder de tout *a priori* concernant Lisa Chadbourne. Cette femme est plus opaque qu'un encrier.

— Un encrier rempli de poison, compléta Eve en se levant. Je vais faire un tour sur la jetée.

— Je peux vous accompagner ? tenta Logan.

— Non, je ne me souviens pas d'avoir été invitée à votre petite promenade avec Gil.

— Aïe ! » fit celui-ci.

Elle descendit les marches menant à la plage déserte, hormis quelques jeunes qui jouaient au volley. Elle se demanda si elle n'était pas imprudente de se promener à visage découvert. CNN devait avoir déjà diffusé le portrait de cette dangereuse paranoïaque du nom d'Eve Duncan, meurtrière de son amant, John Logan.

Paranoïaque. Elle grimaça. Lisa Chadbourne avait su trouver la faille. Eve l'imaginait cherchant le point faible et, le découvrant, y enfonçant ses crochets de veuve noire. Elle était certaine que cette dernière attaque était signée Lisa. Cette femme ne sous-estimerait pas une autre femme, car elle avait trop de respect pour elle-même.

Elle s'assit sur une pierre. Elle avait à présent l'intime conviction de ne pas s'être trompée, ni d'avoir exagéré ses déductions, ainsi que l'avait sous-entendu Logan. Ce qu'elle éprouvait à l'égard de Lisa Chadbourne était cette sensation d'intimité ressentie chaque fois qu'elle avait fini de sculpter un visage. Une impression de connaissance profonde, instinctive.

Oui, elle connaissait Lisa, comme elle avait connu Fraser.

Elle frissonna au rappel du nom honni. Lisa et Fraser n'avaient rien en commun. Alors pourquoi avait-elle associé le tueur psychopathe à cette femme ambitieuse ?

La réponse semblait limpide : la peur était de retour. Elle avait reparu avec le saccage de son atelier. Elle se rappelait avoir pensé à Fraser à ce moment-là. Et c'était sur l'ordre de Lisa Chadbourne qu'on lui avait porté atteinte pour la première fois.

Fraser avait été possédé par une folie étrangère à Lisa, mais tous deux étaient pétris de ce même sentiment d'assurance et d'impunité qui naît du pouvoir. Et c'était du pouvoir encore que dérivait un plaisir si puissamment motivant. Fraser le trouvait dans le meurtre ; Lisa Chadbourne dans quelque chose de plus complexe, mais tout aussi dévastateur. La puissance sur une échelle aussi vaste que la direction d'une nation présentait un danger à côté duquel la misérable jouissance d'un tueur pervers n'était rien.

Au diable les ambitions d'impératrice. Rien n'était plus grave que la perte de Bonnie. Après tout, le monde était fait d'histoires individuelles, de tragédies personnelles, et l'assassinat de son époux par Lisa Chadbourne n'était pas plus excusable que les actes barbares d'un Fraser.

Tous deux avaient détruit la vie, et la vie était sacrée. Elle n'était pas certaine que Detwil pût être dangereux, ainsi que le pensait Logan. Eve ignorait la chose politique et ses arcanes, mais elle savait ce qu'était le meurtre. Elle vivait avec depuis si longtemps. Et, Seigneur, qu'elle le haïssait !

« Continuez de surveiller la mère, James. » Le front plissé, Lisa regardait le dossier d'Eve Duncan sur l'écran de son ordinateur. « Duncan lui est très attachée, et je crois que nous tenons là le moyen de pression que nous cherchions.

— La mère est sous surveillance depuis le début, répondit Timwick. Notre homme sur place nous a rapporté qu'elle avait reçu un appel de sa fille, sur son portable. Grâce à son amplificateur de son, il a pu saisir quelques bribes, d'après lesquelles on peut parier que Duncan tente de mettre sa mère à l'abri. »

Lisa hocha la tête. C'est ce qu'elle ferait elle-même. Prévenir plutôt que guérir. « Il faut absolument l'en empêcher. Je compte sur vous.

— En éliminant la mère ? »

Bon Dieu, Timwick ne connaissait-il donc d'autre solution que la violence ? « Certainement pas ; on peut avoir besoin d'elle.

— Elle est protégée par Madden Security, un service dont Logan est client, mais aussi par la police d'Atlanta. Il nous sera difficile d'intervenir avec toute la discrétion voulue.

— Faites de votre mieux. Envoyez Fiske, il a très bien mené l'opération à Barrett House. Où en êtes-vous en ce qui concerne l'anthropologue médico-légal ?

— Nous surveillons Crawford à l'université de Duke.

— Et les autres spécialistes avec lesquels Duncan a travaillé ?

— Nous en avons la liste, et nous l'épluchons, mais cela prend du temps.

— Ça ne devrait pas être trop difficile, pourtant. L'homme doit avoir de l'expérience dans le domaine de l'ADN.

— Ils sont légion, aujourd'hui, à surfer sur la vague de l'ADN.

— Envoyez-moi cette liste, je m'en occuperai. » Elle jeta un coup d'œil à sa montre. « Il faut que je vous laisse, j'ai un rendez-vous. Je vous rappellerai. »

Elle raccrocha et regarda une dernière fois l'image d'Eve Duncan, avant d'éteindre l'ordinateur. Elle savait que la fille essaierait de protéger la mère, bien que celle-ci n'eût rien fait pour mériter tant de reconnaissance. Elle avait laissé son enfant grandir dans la rue et n'avait rien tenté pour l'empêcher de tomber enceinte et d'avoir un enfant illégitime.

Pourtant, Eve semblait avoir pardonné à Sandra et lui être restée fidèle, qualité que Lisa appréciait particulièrement. Plus elle étudiait le dossier de cette femme, plus elle en venait à l'admirer... et à la reconnaître. Elle découvrait tant de similitudes entre elles. Ses parents à elle avaient été aimants et l'avaient soutenue, mais elle aussi avait suivi sa propre voie, hors des conventions et du système.

Qu'est-ce qui me prend ? se dit-elle, soudain irritée. Elle ne devait pas dévier de sa trajectoire sous prétexte qu'elle ressentait une certaine empathie pour Eve Duncan. Elle avait un chemin à suivre jusqu'au bout et devrait écarter quiconque se mettrait en travers.

14

« Vous êtes à l'heure, constata Joe Quinn d'un ton aigre en s'approchant de la voiture. Ce qui m'étonne avec un pareil tas de ferraille.

— Elle est moins voyante. » Logan descendit de la vieille Ford et fit face à Quinn. « Vous auriez préféré que je conduise Eve dans une Lamborghini rouge ?

— J'aurais préféré que vous ne la conduisiez nulle part. » Il fixait Logan d'un regard dur. « J'aurais préféré que vous ne posiez jamais les yeux sur elle, enfant de salaud ! »

Joe était à cran, songea Eve. Elle ne l'avait jamais vu aussi menaçant, et Logan avait le poil hérissé comme un chien de garde. Elle s'empressa de sortir de la voiture. « Monte avec moi à l'arrière, Joe. Logan, conduisez-nous à Emory. »

Les deux hommes ne bougèrent pas.

« Allons ! vous attirez trop l'attention ! Viens, Joe. »

Il lui obéit, tandis que Logan s'installait de nouveau au volant.

« Tu as donné la photo de Margaret à ma mère ? s'enquit-elle, alors que la voiture redémarrait.

— Oui, hier soir. J'ai fait le tour de la maison et suis tombé sur ses vigiles, dit-il en désignant Logan d'un signe de tête. Ils se sont fait un peu tirer l'oreille avant de décliner leur identité.

— Il n'y avait personne d'autre en planque ? interrogea Logan.

— Pas que je sache. S'il y avait quelqu'un, il était bien discret.

— Non seulement discret, mais efficace. Très efficace. Et équipé du matériel de surveillance le plus sophistiqué du marché.

— Que se passe-t-il ? demanda Joe en se tournant vers Eve. Raconte.

— Tu m'as apporté les photos de Timwick et de Fiske ? »

Il plongea la main dans la poche intérieure de son veston et en sortit une enveloppe. « Je me suis fait rancarder sur Fiske. C'est un méchant. Tu ne devrais même pas te trouver à portée de voix de ce salaud.

— J'essaierai. » Il n'avait pourtant pas l'air méchant sur la photo. Des yeux noisette, qui regardaient tranquillement ailleurs. Un nez long, aristocratique, et une moustache poivre et sel taillée au millimètre. Il ne devait pas avoir plus de trente-cinq ans, mais ses cheveux coupés court grisonnaient sur ses tempes et se raréfiaient sur son large front.

James Timwick n'avait rien d'aristocratique. Un visage épais, presque slave, des yeux bleu pâle, une tignasse épaisse et noire comme le jais. Il était plus jeune qu'elle ne l'avait pensé et devait avoir un peu moins de quarante-cinq ans.

« Alors, pourquoi avais-tu besoin de ces photos ? » dit Joe.

Parce que je voulais donner un visage à ces deux hommes qui cherchent à me tuer. Non, ce n'était pas là le genre de chose à dire Joe, qui était déjà au bord de l'explosion. « J'ai pensé que ça me serait utile, répliqua Eve en rangeant les clichés dans son sac. Merci, Joe.

— Ne me remercie pas, et réponds à ma question. »

Elle devait résister, ne fût-ce que pour la forme. « Il est préférable que tu n'en saches rien.

— J'insiste. »

Il n'abandonnerait pas, inutile de tourner plus longtemps autour du pot. « D'accord, mais laisse-moi parler, et ne me pose pas de questions. »

Ils étaient déjà arrivés à Emory et Logan avait eu le temps de garer la voiture sur le parking quand Eve termina enfin son récit.

Joe resta silencieux un long moment, puis il jeta un regard à la mallette en cuir posée aux pieds d'Eve. « C'est lui ?

— Oui, c'est tout ce qui reste de Ben Chadbourne.

— Tu en es sûre ?

— Hélas ! oui. Tu comprends maintenant pourquoi je ne veux pas que tu t'en mêles. J'ignore ce qui va se passer.

— Moi, je le sais ! s'exclama Joe en pinçant les lèvres. Et Logan aussi. Il savait même depuis le début dans quoi il allait te fourrer.

— C'est exact, avoua Logan avec calme. Mais ça ne change rien à la situation. Nous devons affronter seuls la suite des événements. »

Joe lui jeta un regard glacé et se tourna vers Eve. « Tu ne peux pas lui faire confiance, il vaudrait mieux que je te débarrasse de lui.

— Me débarrasser de lui ?

— Oui, ce ne serait pas trop difficile, vu que tout le monde pense qu'il est déjà mort. »

Eve écarquilla les yeux. « Qu'est-ce que tu racontes ? balbutia-t-elle.

— Ouais, je me doutais bien que ça ne te plairait pas. » Il ouvrit la portière. « Ne bouge pas. Je vais reconnaître le secteur et avertir Kessler de ton arrivée. Mais qu'est-ce qui te fait croire qu'il marchera avec toi ?

— Il est honnête, curieux et passionné par son métier jusqu'à l'obsession.

— Ma foi, j'en connais une autre dans le genre. » Il claqua la portière et traversa le parking d'un pas rapide.

« Un homme très violent pour un officier de police, murmura Logan.

— Il n'est pas violent, seulement en colère. Il ne pensait pas vraiment...

— Détrompez-vous, il pensait ce qu'il disait et, pendant quelques longues secondes, j'ai réellement couru un danger de mort. Je serai très prudent à l'avenir, quand je tournerai le dos à M. Quinn.

— Joe croit en la loi, affirma-t-elle avec ardeur. Bon Dieu ! c'est un excellent flic !

— Oh ! certainement, mais je suis sûr que son passage chez les commandos de marines refait surface de temps à autre ! Surtout quand la loi lui semble inadéquate et que ses amis sont impliqués.

— Joe n'est pas un tueur.

— Disons qu'il ne l'est plus. Lui avez-vous déjà demandé combien d'hommes il avait éliminés quand il était dans les marines ?

— Quelle question idiote ! Il a fait son service en temps de paix.

— Mais les commandos des marines effectuent des missions, même en temps de paix.

— Que cherchez-vous ? À me faire douter de lui ?

— Je cherche à me protéger. » Il eut un sourire amer. « Et admettez que, sur un seul signe de tête de votre part, j'aurais été un homme mort dans la seconde.

— Jamais je ne...

— Allons, un peu de franchise. »

Elle se fichait pas mal d'être franche, si cela revenait à avouer qu'elle ne connaissait pas Joe aussi bien qu'elle le croyait. Joe était l'un des fondements de sa vie, la solidité et la loyauté incarnées. Chaque fois que le monde s'était écroulé autour d'elle, il avait été là. Elle ne pouvait admettre qu'il ait pu se comporter en tueur, car cela équivaudrait à le comparer à Fraser.

« Il ne vous a jamais parlé de son passage dans les commandos ?
— Non.
— Savez-vous qu'il a tué trois hommes dans l'exercice de ses fonctions depuis qu'il est à la police d'Atlanta ? »
Elle le regarda, le visage soudain pâle.
« Non, n'est-ce pas ? Quinn est intelligent et il vous connaît bien. C'est une facette de lui-même qu'il préfère garder pour lui.
— Ce n'est pas un assassin.
— Je n'ai pas dit ça. Il ne fait pas de doute qu'il a tué ces trois hommes en état de légitime défense, et que ces types méritaient cent fois ce qui leur est arrivé. Je voulais seulement montrer que Quinn n'a pas qu'une seule facette et qu'il peut être un homme très dangereux.
— Vous essayez de saper ma confiance en lui.
— Et, de son côté, il fera tout pour détruire le peu de foi que vous pourriez m'accorder. Je ne fais que me défendre.
— Je n'ai aucune foi en vous.
— C'est faux, vous en avez un peu. Vous savez au moins que nous sommes du même côté. En quelque sorte, nous sommes alliés, et j'empêcherai Quinn de ruiner cette alliance. » Il observa Joe, qui montait les marches du bâtiment des sciences de l'homme. « Et je n'ai pas envie de devoir le compter parmi ceux qui veulent ma mort. »
Eve suivit son regard et elle eut le sentiment de voir Joe sous un aspect différent. Il se dégageait toujours de lui la même assurance et la même grâce féline, mais elle découvrait soudain quelque chose d'autre : une force implacable, dangereuse.
« Je vous en veux, marmonna-t-elle sans tourner la tête vers Logan.
— Nous sommes tous des sauvages, continua-t-il d'une voix douce, nous tuons quand la nécessité l'exige. Pour manger, nous venger, nous protéger... Mais Quinn savait que vous ne supporteriez pas cet aspect de lui, alors il l'a soigneusement dissimulé.
— Et vous, Logan, vous tueriez ?
— Oui, comme je viens de vous le dire, je le ferais si les circonstances l'exigeaient. Vous aussi, Eve. »
Elle secoua la tête. « Non, la vie est trop précieuse. Rien n'excuse le meurtre. »
Il haussa les épaules. « L'excuser, non, mais le justifier, certainement.
— Je ne veux plus parler de ça. » Elle s'adossa à son siège et regarda par la vitre. « Fichez-moi la paix, d'accord ?
— Comme vous voudrez. »
Il pouvait se taire, maintenant. Il avait planté ses crochets de serpent et n'avait plus qu'à laisser le venin opérer. Mais elle ne lui permettrait

pas de rompre le lien qui l'unissait à Joe. Logan était un étranger pour elle. Joe était un frère.

« Nul n'est parfait, conclut Logan. Et c'est une vérité dont l'amour doit s'accommoder. »

« La voie est libre. » Joe ouvrit la portière et aida Eve à descendre. « Kessler est seul. Son assistant, Bob Spencer, était là, mais j'ai demandé à Kessler de l'éloigner. »

Elle prit la mallette contenant le crâne. « Qu'as-tu raconté à Gary ?

— Rien sur le fameux crâne, mais assez pour éveiller sa curiosité. » Il la prit par le coude. « Allons-y.

— J'ai l'impression d'être de trop, remarqua Logan en sortant de la voiture. Ça ne vous ennuie pas, j'espère, si je viens avec vous ?

— Ça m'ennuie, répliqua Joe. Mais je ferai l'effort de vous supporter, si vous savez vous montrer discret. » Il accéléra le pas, sans lâcher Eve. « Combien de temps penses-tu que ça prendra ?

— Kessler n'en aura pas pour longtemps, s'il trouve une source d'ADN à extraire. C'est l'expertise en laboratoire qui m'inquiète, elle pourrait prendre des semaines.

— Occupe-toi de l'échantillon, je me débrouillerai pour avoir les résultats en quatrième vitesse, assura Joe en passant devant pour lui ouvrir la porte. Je ferai pression sur les gars du labo, je suis assez bon à cet exercice... » Il se tut soudain. « Qu'est-ce que tu as à me regarder comme ça ? »

Elle détourna les yeux. « Comment ça, qu'est-ce que j'ai ?

— Allons, je vois bien que... »

Elle dégagea son coude en poursuivant sa marche. « Arrête avec tes questions, Joe. Tout va bien.

— Peut-être. » Il lorgna vers Logan. « Et peut-être pas. »

Poussant la porte du bureau, elle vit Kessler assis à sa table de travail, un sandwich à la main. Il leva la tête et lui fit les gros yeux. « Je viens d'apprendre que tu as l'intention de m'attirer je ne sais quels ennuis. Merci beaucoup, Duncan.

— Tu as de la moutarde sur ta moustache. » Sans lâcher la mallette, elle s'approcha de Kessler. À l'aide de la serviette en papier ramassée devant lui, elle lui essuya les bacchantes. « Tu as toujours mangé comme un cochon, Gary !

— Décidément, manger cesse d'être un plaisir pour un homme dès qu'une femme débarque et critique ses manières. Surtout une qui vient lui demander un service. » Il mordit de nouveau dans son sandwich. « Dans quoi t'es-tu encore fourrée, Duncan ?

— J'ai besoin de ton aide.

— Je sais, mais si j'en crois ce que j'ai entendu à la télé, c'est un avocat qu'il te faut, pas un anthropologue. » Il pencha la tête pour regarder derrière elle. « Vous êtes Logan ? »

Logan acquiesça.

Kessler eut un sourire rusé. « Vous avez une grosse galette, à ce qu'on raconte.

— On raconte beaucoup de choses.

— Ça ne vous ennuierait pas trop de me filer quelques miettes ? Les choses ne sont plus ce qu'elles étaient... du temps de ma jeunesse. Et c'est un triste fait que, nous autres savants, soyons aujourd'hui en manque de mécènes.

— Nous pourrions peut-être parvenir à un arrangement, suggéra Logan.

— Allons, Gary, intervint Eve en ouvrant la mallette. Tu sais très bien que, si ce travail t'intéresse, tu le feras pour rien.

— Tu as toujours eu une grande gueule, Duncan, rétorqua Kessler. Il n'y a pas de mal à être un peu cupide. Et puis, j'ai acquis des goûts de béotien depuis la dernière fois que nous avons travaillé ensemble. » Il parlait, l'air absent, les yeux fixés sur la petite valise de cuir. Eve sentait bien qu'il était impatient d'en découvrir le contenu. « De plus, envoyer Quinn en éclaireur pour éveiller ma curiosité est, je dois dire, une manœuvre assez grossière. Je pensais que tu te montrerais plus subtile. »

Elle lui sourit. « Je vais droit au but quand la situation l'exige.

— Ce doit être quelque chose de fort intéressant pour que tu te sois mise dans de tels draps. Tu n'es pas aussi stupide, d'ordinaire.

— Merci. »

Elle attendit, et ce fut lui qui demanda : « Alors, tu me montres ou pas ? »

Elle sortit le crâne pour le poser sur le bureau devant lui. « Voilà.

— Oh ! merde ! murmura-t-il.

— Comme tu dis.

— Ce n'est pas une blague ?

— Si c'en était une, je ne serais pas en cavale. »

Il contemplait le visage d'argile. « Bon sang ! Ben Chadbourne ! Si c'est lui. Tu savais sur qui tu travaillais ?

— Non, je n'en avais pas la moindre idée, jusqu'à ce que j'aie fini.

— Et qu'est-ce que tu attends de moi ?

— Une preuve.

— L'ADN. » Il fronça ses sourcils broussailleux. « Et sur quoi je vais pouvoir opérer ? Je suppose que tu as travaillé sur le crâne lui-même. Pourquoi ne pas avoir pris un moule ? On ne peut pas savoir ce que tu as pu détruire.

— Ce n'était pas la peine de prendre cette précaution, car il a été exposé au feu. Le corps a été incinéré. »

Il hocha lentement la tête. « Dans ce cas, je ne vois pas comment je pourrais...

— J'ai pensé aux dents. L'émail a peut-être protégé l'ADN ; tu pourrais en fendre une et en extraire assez d'épisome pour une analyse.

— C'est en effet possible, ça a déjà été fait. Mais je ne te garantis rien.

— Tu essaieras quand même ?

— Pourquoi le ferais-je ? Ce n'est pas mon affaire, et ça me mettrait, moi aussi, en danger. »

Joe s'avança. « Je resterai auprès de vous pendant que vous travaillerez. » Il jeta un regard à Logan. « Et je suis sûr que M. Logan saura vous récompenser.

— Sans limites », affirma Logan.

Eve se sentit agacée. De quoi se mêlait Joe ? Elle connaissait Gary, seul l'intérêt professionnel guidait ses choix. Elle n'avait qu'à le regarder pour voir que l'aventure le tentait, il suffisait juste de le pousser un peu. « Tu ne voudrais pas savoir si c'est vraiment Chadbourne, Gary ? Ça ne t'intéresse pas d'être celui qui l'aura prouvé ? »

Kessler garda le silence un moment. « Peut-être, finit-il par répondre.

— Mais ce sera très difficile, objecta-t-elle.

— Pas tant que ça. À moins que tu ne lui aies bousillé les dents.

— Je ne les ai pas touchées. » Elle sourit. « Tu vois, mon travail n'interfère pas avec le tien ; il est devant toi, il t'attend.

— Oh ! je sais bien ce que tu es en train de faire !

— Bien sûr que tu le sais, alors tu acceptes ou bien faut-il que je l'apporte à Crawford ?

— La compétition... cet argument n'a aucune prise sur moi. Je sais aussi que c'est moi le meilleur dans ce domaine. » Il se renversa dans son fauteuil. « Mais j'ai toujours eu un faible pour toi, Duncan, alors il est possible que je t'accorde cette faveur.

— Tu le ferais même si tu me détestais. » Eve se fit soudain grave. « Mais je ne te mentirai pas, Gary : la situation est très dangereuse. Je veux dire que ce ne sont pas de simples ennuis avec la loi qui nous guettent.

— Je l'ai bien compris. » Il haussa les épaules. « Je suis un vieil homme, j'ai besoin d'excitation pour maintenir mon taux d'adrénaline. Est-ce que je pourrai utiliser mon labo ?

— Non, ce ne serait pas prudent. Y a-t-il un autre endroit où tu peux travailler ?

— Décidément, tu ne me facilites pas la tâche. » Il réfléchit une minute. « Chez moi ? »
Elle secoua la tête.
« J'ai un copain, professeur à Kennesaw. C'est à moins d'une heure de route d'ici. Il me laissera utiliser son installation.
— Parfait, approuva Eve.
— Et mon assistant ?
— Surtout, ne lui dis rien. Confie-lui tes cours, je t'aiderai moi-même.
— Oh ! je n'ai pas besoin d'aide, à vrai dire, seulement tu dois enlever cette foutue argile ! Je veux une surface propre.
— D'accord, mais il me faudra procéder à une superposition avant que tu commences.
— Et je ferai quoi en attendant ? Je me roulerai les pouces ?
— Ce sera rapide. C'est indispensable, Gary. Tu connais l'importance de la superposition quand on travaille sur les dents, et je ne sais pas combien tu devras en extraire. Puisque nous ne pouvons pas comparer avec son dossier dentaire, il nous faut réunir le maximum de pièces à conviction.
— Oui, mais mon ADN décrochera la timbale à lui seul.
— Je sais. Pourrais-tu emprunter un équipement vidéo au département d'audiovisuel ? J'ai déjà le mixer.
— Quoi ! Tu veux que je sorte du matériel du campus ? Ils vont crier au voleur !
— Pas la peine de le leur dire.
— Tu ne les connais pas. Ils vont brailler comme des putois.
— Fais-leur du charme.
— Ouais, du charme à une bande de mecs ? Il ne manquerait plus qu'ils pensent que j'ai viré ma cuti. Non, je râlerai plus fort qu'eux, c'est la seule solution.
— Et le meilleur moyen de sauvegarder ta réputation. »
Il secoua la tête d'un air faussement contrarié. « Bon, combien de temps te faut-il pour me nettoyer ce crâne ?
— Une heure, voire deux. Je dois faire attention à ne pas l'abîmer.
— D'accord, je vais te chercher le matériel et annoncer à Bob que je m'absente deux jours. » Il gagna la porte. « Et range-moi ton Président dans sa boîte. Je serai de retour dans un petit moment.
— Merci, Gary. Je te dois une fière chandelle.
— Ouais, j'attends la monnaie. »
La porte se referma derrière Kessler. « Vous l'avez bien manœuvré, constata Logan.

— Nous nous comprenons, Gary et moi. » Elle jeta un regard à Joe. « Tu veux bien le suivre ? Je n'aime pas le savoir seul dans le campus.
— Il ne risque pas grand-chose pour le moment.
— Je l'ai persuadé de nous aider, aussi je me sens responsable.
— Et moi, je suis responsable de toi.
— S'il te plaît, Joe.
— Je ne veux pas... » Il se tut en voyant l'expression d'Eve, puis, se tournant brusquement vers Logan : « Restez avec elle. S'il lui arrive quoi que ce soit, je vous brise le cou. » Il s'en fut, claquant la porte derrière lui.
Émue par la violence qu'elle percevait chez Joe, Eve contemplait le crâne d'un air absent.
« Vous êtes prête à y aller ? s'enquit Logan.
— Pas encore. Il faut que je range Ben dans sa boîte et que je trouve parmi les outils de Gary de quoi enlever la croûte d'argile et de pâte à modeler. En attendant, pouvez-vous appeler Margaret ? J'aimerais bien savoir quand ma mère sera en sûreté.
— Je peux téléphoner d'ici.
— Je n'ai pas envie de vous avoir dans les jambes. Allez dehors.
— J'aimerais bien, mais vous avez entendu Quinn. Je tiens à ma peau.
— Vous ne me servez à rien, ici. Aussi, laissez-moi travailler. Occupez-vous de régler le problème avec ma mère, sinon j'irai à Atlanta et m'en chargerai personnellement. »
Il leva les mains en signe de reddition. « Je vous laisse. »
Elle poussa un soupir de soulagement quand il fut parti. Elle avait besoin d'être seule pour se reprendre et réfléchir, et travailler était la meilleure thérapie pour ce faire. Par ailleurs, plus vite ils seraient à pied d'œuvre chez cet ami de Gary, mieux elle se sentirait.
Elle trouva trois spatules en bois, qui avaient l'air assez solides pour gratter la couche d'argile sans endommager l'os, et les rangea dans son sac. Puis elle déposa soigneusement le crâne dans la mallette. « Désolée de te faire subir tout ça, Ben, mais je dois te préparer pour mon ami Gary. » Elle boucla les fermoirs. « Et voilà, c'est reparti. »

« Madame Duncan ? Ouvrez la porte. Je suis Margaret Wilson. »
Sandra épia la femme par le judas et la compara à la photo qu'elle tenait à la main.
« Madame Duncan ?
— Je vous ai entendue. » Sandra ôta la chaîne. « Entrez. »
Margaret secoua la tête. « Non, la voiture nous attend dans le virage. Il faut partir tout de suite. Vous êtes prête ?

— Oui, le temps de prendre mes affaires. » Elle alla chercher sa valise dans le salon et revint. « Où allons-nous ?

— Il vaut mieux ne pas parler, conseilla Margaret, qui l'attendait au bas des marches du perron. Mais ne vous inquiétez pas, vous serez bientôt en sécurité.

— Pourquoi ne pouvons-nous pas... oh ! ils auraient posé des micros ? C'est ça ?

— Il y a des chances. Faites vite.

— Des micros ! » Sandra verrouilla la porte. « Mais que se passe-t-il, mon Dieu ?

— J'espérais que vous le sauriez. » Margaret descendait rapidement l'allée. « Je pensais que nous pourrions comparer nos notes et trouver une réponse. D'habitude, il m'est égal de faire ce que me demande John sans être au courant de rien, mais cette fois, ça ne me plaît pas. »

Un petit homme trapu les attendait, assis au volant d'un break. « Je vous présente Brad Pilton. Il appartient à Madden Security, qui travaille pour Logan, et il est l'un de ceux qui ont veillé sur vous pendant ces derniers jours. Il est censé être votre garde du corps attitré.

— Pas censé, je *suis* son garde du corps », rectifia Pilton, vexé. Il salua courtoisement Sandra. « Madame.

— Je ne vous trouve pas grand pour un ange gardien, reprit Margaret. Notez que ça n'est pas un handicap. Je préfère les petits, n'étant pas très grande moi-même. Mais j'aurais choisi quelqu'un d'autre pour faire ce travail. Il faut bien que les grands costauds servent à quelque chose.

— Merci, mademoiselle Wilson. » Il démarra et prit rapidement de la vitesse.

« Pourriez-vous me dire où nous allons, si toutefois nous pouvons parler ? demanda Sandra.

— Nous pouvons, répondit Margaret. Pilton a vérifié la voiture. Nous allons au centre commercial de North Lake. » Elle sourit à Sandra, qui la regardait d'un air perplexe. « Une fois là-bas, nous changerons de véhicule, au cas où celui-ci serait suivi. Nous entrerons par l'une des portes du centre et ressortirons par une autre.

— Et ensuite ?

— Lac Lanier. J'ai loué un petit cottage. Vous y serez en sécurité et confortablement installée. »

Le lac Lanier. Ron et elle avaient projeté d'y passer un week-end, se rappela Sandra avec mélancolie. Mais ils auraient pris une chambre à l'hôtel de Pine Island. Ron aimait son confort. Elle aussi. C'était l'un de leurs nombreux points communs.

« Quelque chose ne va pas ? s'enquit Margaret.

— Non, rien, sauf que j'ai l'impression de vivre un cauchemar.
— Moi aussi. » Margaret se pencha pour serrer l'épaule de Sandra. « Ne vous inquiétez pas, nous nous en sortirons.
— Je pense que nous sommes suivis », annonça Pilton.
Sandra jeta un regard angoissé par-dessus son épaule.
« La Mercury bleu marine, précisa-t-il.
— Vous en êtes sûr ?
— Oui, mais ne craignez rien, on s'y attendait un peu. Nous le sèmerons dans la galerie marchande. »
Quelqu'un leur donnait la chasse, pensa Sandra en frissonnant. Quelqu'un qui lui voulait du mal.
Pour la première fois, la menace prenait pour elle un sale goût de réalité.

Fiske vit le break s'arrêter sur le parking du centre commercial de North Lake, et ses trois passagers se hâter en direction de l'entrée sud. Il ne prit pas la peine de se garer. Il ferait le tour et essaierait de les repérer quand ils ressortiraient.
Il en doutait, cependant. Il y avait trop d'accès secondaires hormis les quatre portes principales. Mais ça n'avait pas d'importance. Son capteur de sons avait une fois de plus bien fonctionné : il savait où ils se rendaient. Il regrettait seulement que Margaret Wilson n'ait pas été plus explicite. Lanier était un immense complexe touristique, avec plusieurs milliers de logements locatifs.
D'abord, repérer la planque des deux femmes et de leur garde du corps. Ôtant son écouteur de son oreille, il appela Timwick au téléphone. « La mère de Duncan part au lac Lanier, où Wilson a loué un cottage. Il me faut l'adresse.
— Je m'en occupe. » Timwick raccrocha.
Fiske décida qu'en attendant il prendrait une chambre à l'hôtel. Les choses se présentaient plutôt bien. Il l'avait eu mauvaise de devoir s'absenter d'Atlanta pour nettoyer Barrett House avant d'avoir réglé son sort à la mère Duncan. Mais il comptait bien rattraper le temps perdu.

« Tout va bien, affirma Margaret à Logan au téléphone. Nous avons changé de voiture et nous sommes en route pour le lac Lanier.
— Rappelez-moi quand vous serez là-bas.
— Mais nous n'avons plus rien à craindre, Pilton est sûr que nous ne sommes plus suivis.
— Pilton ?

— Notre garde du corps, mais il n'est pas plus grand que moi, c'est dire.

— Quelle importance ? Si vous deviez affronter Goliath, c'est sur vous que je parierais.

— Et vous auriez raison. C'est pourquoi je suis rassurée au sujet de Pilton. C'est entendu, je vous préviendrai lorsque nous serons arrivés. Rien d'autre ?

— Non. Contentez-vous de rester hors de vue. »

Il raccrocha. Tout va bien, avait dit Margaret. Il avait envie de la croire. Étonnant tout de même que le départ de Sandra Duncan de son domicile ait pu s'effectuer avec tant de facilité. Il y avait fort à parier que Timwick avait laissé faire, persuadé d'avoir toute latitude pour supprimer Sandra une fois qu'elle serait cachée quelque part. À condition de la trouver, pensa Logan, cherchant à se rassurer.

« Je vous ai dit de ne pas quitter Eve des yeux, reprocha la voix de Joe Quinn derrière lui.

— Et elle vous a dit de rester avec Kessler, répliqua Logan en se retournant.

— Il est derrière moi.

— Et moi, je suis à cinquante mètres du labo.

— C'est cinquante mètres de trop.

— Elle n'a pas voulu que je passe mes coups de fil à côté d'elle.

— Je la comprends. »

Il était temps de briser la glace. « Oui, vous avez raison, elle a tous les motifs du monde de m'en vouloir. Et vous aussi, ajouta-t-il en regardant Quinn au fond des yeux. Mais vous n'avez pas d'ordres à me donner. Nous sommes dans la même équipe, Quinn, et je veux bien travailler avec vous, mais pas pour vous.

— Pas contre moi non plus ? Qu'avez-vous raconté à Eve à mon sujet ?

— Ce que j'avais à lui apprendre pour protéger ma position, mais ce n'était rien que la vérité, je vous assure.

— La vérité selon Logan. »

Logan acquiesça d'un signe de tête. « Vous savez très bien de quoi je lui ai parlé : de ce que vous lui avez caché pendant des années.

— Salaud !

— J'ai d'excellentes raisons de me protéger de vous, Quinn. Vous devenez un peu trop dangereux. Alors, nous ferions mieux de conclure un arrangement : vous acceptez de travailler avec moi de votre plein gré, sinon amicalement, et de mon côté je ne parlerai plus jamais à Eve de votre alter ego. »

Quinn regarda longuement Logan. « Allez vous faire foutre ! » Sur ce, il passa devant lui et entra dans le bâtiment.

Logan respira à pleins poumons. Il avait déjà rencontré sur sa route des hommes redoutables, mais Quinn était décidément hors catégorie. Il s'étonnait qu'Eve n'ait pas découvert depuis longtemps cet aspect du personnage.

Peut-être n'était-ce pas aussi étrange qu'il le semblait. Quinn avait toujours été son protecteur, il l'avait soutenue, sauvée. Et il était difficile de distinguer la silhouette de l'exterminateur derrière l'image du sauveur.

15

Université de Kennesaw
1 heure du matin

« Vous avez une minute ? demanda Logan à Eve, qui s'affairait dans le laboratoire prêté par l'ami de Kessler.

— Non. J'ai perdu un temps fou à monter ce matériel. » Elle régla l'écran de l'ordinateur. « Et je viens juste de commencer.

— Margaret a appelé de Lanier. Voici le numéro. J'ai pensé que vous aimeriez parler à votre mère.

— Pourquoi ne pas l'avoir dit plus tôt ? Bien sûr que je veux lui parler. »

Logan composa lui-même le numéro et tendit son portable à Eve.

« Comment vas-tu, maman ?

— Fatiguée. Je me fais du souci pour toi. Pour moi aussi, d'ailleurs. À part ça, c'est la forme. Quand est-ce que tout ça va finir, Eve ?

— J'aimerais bien le savoir. » Elle changea de sujet. « Le cottage est confortable ?

— Oui, et il est au bord du lac. La vue est superbe. »

La voix de Sandra n'exprimait guère d'enthousiasme. Qui pouvait l'en blâmer ? Eve avait bouleversé la vie paisible dont sa mère jouissait enfin au terme d'un parcours douloureux. « Essaie d'en profiter. Tu as de la lecture ?

— Margaret a apporté quelques romans policiers, mais tu sais que je lis peu. Enfin, il y a un grand téléviseur. » Un silence. « Crois-tu que je pourrais appeler Ron ? Sans lui dire où je suis, bien sûr.

— Non, ce ne serait pas prudent. Sois patiente. Dans quelques jours, nous y verrons plus clair.

— D'accord, soupira Sandra, manifestement abattue. Je me sens un peu seule, tu comprends. Mais ça ira. Fais bien attention à toi.

— Oui. Bonne nuit, maman, je t'appellerai demain. » Elle rendit le portable à Logan. « Merci. Je me sens un peu mieux, maintenant.

— C'est ce que j'avais pensé. Comment va-t-elle ?

— Elle déprime et aimerait rentrer chez elle. » Eve regarda l'écran d'un air absent. « Elle a réussi à vaincre d'incroyables difficultés et elle a rencontré quelqu'un, auquel elle semble être très attachée. Maman a horreur de la solitude, elle a toujours eu besoin de compagnie.

— Pas vous ? »

Elle haussa les épaules. « À vrai dire, je n'ai jamais eu d'autres compagnons que le travail et... Bonnie. » Elle tourna la tête vers Logan. « Vous recommencez avec vos questions ?

— Excusez-moi, je me demandais seulement ce qui vous faisait avancer. » Puis, désignant le crâne sur son piédestal : « En dehors de votre obsession pour nos chers disparus. Pourtant, je trouve bizarre que vous soyez restée seule après la disparition de votre fille.

— J'ai été accaparée par mon travail.

— Peut-être aviez-vous peur qu'une liaison ne débouche sur une nouvelle blessure.

— Vous attendez quoi ? Que je m'ébahisse de votre perspicacité ? Je sais très bien pourquoi j'ai fait le choix d'une certaine solitude.

— Naturellement. Vous êtes une femme étonnamment intelligente. Alors pourquoi ne tentez-vous pas d'y remédier ?

— Je n'en ai peut-être nullement le désir.

— Et vous n'avez pas envie non plus d'une vie plus riche, plus remplie ?

— Vous ne savez pas combien ma vie est riche et remplie, comparée à ce qu'elle était avant. J'étais perdue, et je me suis trouvée. Je me noyais dans la douleur, et j'ai réussi à atteindre le rivage. Et ça me suffit amplement, Logan.

— Ce n'est pas assez. Il serait temps d'aller plus loin. »

Elle secoua la tête. « Vous ne comprenez pas.

— J'essaie.

— Pourquoi ?

— Parce que vous me plaisez.

— À quoi jouez-vous donc ?

— Je ne joue pas. J'aime me faire des amis... même s'il y a toujours le risque de les perdre. J'ai de l'affection et de l'admiration pour vous, j'avais seulement envie de vous le dire.

— Avant que vous ne recommenciez à m'utiliser ?

— Oui.

— Vous êtes incroyable ! » Elle reporta son attention sur l'écran. « Donc, je devrais vous assurer que tout est pardonné et qu'on peut aller faire joujou dans le bac à sable ?

— Non, nous n'en sommes plus là. Je n'avais d'autre intention que d'être sincère envers vous... pour une fois. Désolé de vous avoir déconcertée. » Il se leva. « Je ferais mieux de vous laisser, maintenant.

— Oui, vous feriez mieux.

— Je pensais que vous auriez davantage avancé dans votre travail. »

Elle était soulagée que prenne fin le temps des confidences et que Logan retrouve son naturel exigeant. Cependant, il avait raison : il l'avait déconcertée. « Il m'a fallu plus de temps que prévu pour nettoyer Ben. » Elle jeta un regard vers l'autre bout de la pièce, où Kessler occupait son temps à lire le journal. « Gary ronge son frein. Il aurait aimé commencer plus tôt, mais j'ai encore besoin du crâne.

— Pourquoi avez-vous pris ces photos à Barrett House ?

— C'était nécessaire, je ne savais pas si j'en aurais les moyens là où nous allions.

— Combien de temps va durer la superposition ? Nous sommes trop exposés, ici. Plus vite nous partirons, mieux ça vaudra.

— Je vais aussi vite que possible. » Elle régla l'objectif de la première caméra vidéo pointée sur le crâne et rectifia légèrement le cadrage de la seconde, centrée sur les photos de Ben Chadbourne, celles que Logan lui avait remises à Barrett House.

« Combien de temps ? répéta-t-il.

— Cela dépend. L'installation est toujours longue, et c'est la première fois que j'utilise ce matériel.

— Comment allez-vous procéder ?

— Vous n'avez rien d'autre à faire qu'à me harceler de questions ?

— Ça m'intéresse. Je vous ennuie ?

— Pas vraiment. » Elle opéra un nouveau réglage. « Comme vous pouvez le voir, la première caméra filme le crâne, la seconde les photos. L'angle de vue doit être rigoureusement le même sur les deux appareils, avant qu'ils soient connectés à un mixer, lui-même branché sur un magnétoscope. Celui-ci projettera les images sur l'écran de l'ordinateur. Le mixer peut non seulement diviser l'écran en deux et faire ainsi apparaître en vis-à-vis le crâne et les photos, mais il peut aussi déplacer les deux images, de telle façon qu'on puisse les superposer. Cela s'appelle le balayage, mais le but sera de créer un fondu graduel.

— C'est quoi ?

— Cela ressemble un peu au fondu enchaîné, employé au cinéma. Vous savez, quand l'image se trouble, se fond, et qu'une autre apparaît. On voit souvent ça dans les flash-backs, où une scène du passé vient se substituer au présent. Dans notre cas, les deux images doivent se superposer de manière que la photo vienne se coller au crâne un peu comme une peau transparente.

— Vous pouvez me montrer ?

— Une minute. »

Elle déclencha la prise de vues sur les deux caméras, brancha le mixer et se mit au travail.

« Pourquoi avez-vous...

— Chut. Laissez-moi me concentrer.

— Excusez-moi. »

Elle oublia rapidement la présence de Logan à ses côtés. Cette phase de son travail lui plaisait beaucoup, elle avait quelque chose de magique.

« Bon sang ! murmura Logan, tandis qu'une image fantomatique apparaissait sur l'écran, c'est vraiment étrange !

— Vous trouvez ? fit-elle tout en poursuivant ses réglages sur le mixer.

— Pourquoi avez-vous choisi les photos où Chadbourne sourit ?

— À cause des dents. La denture est rarement parfaite, et chaque rangée a ses propres irrégularités. Si les dents de la photo correspondent exactement à celles du crâne, alors nous détiendrons un fameux élément de preuve, en dehors de l'ADN. C'est la raison pour laquelle j'avais besoin du crâne avant que Gary ne commence à lui arracher les dents.

— Et ça... correspond ?

— Oh ! oui, répondit-elle avec un sourire de satisfaction. Au millimètre. Vous ne le voyez pas ?

— Je ne suis pas un expert, le dédoublement de l'image me trouble.

— Regardez comment la ligne de la lèvre sur la photo colle à celle des gencives sur le crâne. Elles suivent exactement le même tracé. Et le nez enrobe l'os à la perfection. Les globes oculaires sont à leur place dans les orbites, et toutes les autres parties du visage s'emboîtent de la même façon.

— Qu'allez-vous faire, maintenant ?

— Imprimer plusieurs copies de cette image et répéter l'opération avec la photo suivante.

— Mais vous venez de dire que la correspondance était parfaite.

— Oui, je m'arrêterais là s'il s'agissait d'un citoyen lambda. Mais c'est le Président. Tous les traits doivent être vérifiés. J'ai besoin d'une meilleure image du canal auditif et de l'attache musculaire de...

— D'accord, l'interrompit Logan. Je peux vous aider ?

— Oui, vous pouvez aller bavarder avec Gary et essayer de le calmer jusqu'à ce que j'aie fini.

— À vos ordres. » Il se leva. « J'ai le sentiment d'être réduit aux missions de pacification depuis quelques jours. Un peu d'action me ferait plaisir.

— Moi, je vous préfère en mode passif, dit-elle. Chaque fois que vous redevenez actif, je m'enfonce un peu plus dans les sables mouvants.

— Sans commentaire. »

Il la quitta pour aller voir Kessler, et elle reporta son attention sur l'écran. N'ayant pourtant jamais douté que la superposition confirmerait son travail sur le crâne, elle n'en éprouvait pas moins une vive satisfaction. Une nouvelle pierre au mur de preuves qu'elle devait bâtir. « Nous avançons, Ben. Nous avançons. »

Elle enclencha le bouton de l'imprimante vidéo.

3 h 30 du matin

Il pleuvait, et elle ne s'en serait même pas aperçue si elle n'était sortie sur le perron du laboratoire. Il lui fallait vraiment respirer. L'air froid et humide lui fit un bien fou.

« Tu ne devrais pas te montrer. »

Elle tressaillit. Joe était appuyé contre le mur, à quelques pas de là. « Allez, rentre.

— J'ai besoin d'un peu de fraîcheur.

— Tu as terminé ?

— J'ai fini la superposition, et Gary vient tout juste de commencer à extraire l'ADN. » Elle remarqua les taches sombres des gouttes de pluie sur le costume de Joe. « Tu es trempé.

— Non, juste un peu mouillé. L'avant-toit me protège. Moi aussi, j'avais envie de fraîcheur, je commençais à bouillir.

— Oui, j'ai vu. Tu ne devrais pas en vouloir à Logan. Après tout, j'ai accepté sa proposition en sachant qu'il y aurait des risques. À un million de dollars, on ne peut s'attendre à une sinécure.

— Ouais, seulement il a oublié de te prévenir qu'il y avait une chance sur dix que tu en réchappes.

— Peut-être, en tout cas je lui ai dit oui. » Pourquoi défendait-elle Logan ? Joe avait raison de condamner de telles méthodes, et elle avait été elle-même furieuse en découvrant qu'elle avait été manipulée sans vergogne. Elle préféra changer de sujet. « Il est tard. Tu ne devrais pas être ici. Diane doit s'inquiéter.

— Je l'ai appelée.

— Si elle sait que tu es près de moi et si elle a vu les informations, elle aura des raisons de s'affoler.

— Elle ignore que je suis avec toi.

— Tu lui as menti ?

— Non, jc l'ai seulement avertie que j'avais du travail et que je rentrerais tard.

— C'est ce que j'appelle un mensonge. Je ne serais pas contente si tu me faisais un coup pareil.

— Tu n'es pas Diane. Elle ne veut rien savoir quand il y a du grabuge dans l'air. Tu sais, elle ne s'est jamais faite à l'idée d'avoir épousé un flic, son plus cher désir serait que je quitte la police et trouve quelque chose de mieux.

— N'empêche, tu as tort. Le mariage est, entre autres, un partenariat.

— Oh ! il y a toutes sortes de mariages !

— D'ailleurs, je ne suis pas surprise, parce que tu ne me dis pas tout non plus. » Elle promena son regard sur les pelouses du campus. « Par exemple, tu ne m'as jamais révélé que tu avais été amené à tuer dans l'exercice de tes fonctions.

— Tu avais subi assez de violence, inutile d'en rajouter.

— Tu as décidé ça tout seul ? Comme tu viens de le faire, pour ménager Diane ? Il ne faut pas que ces faibles femmes voient les laideurs du monde !

— Je voulais seulement te protéger ! insista-t-il avec force. Et aussi me protéger moi-même. Je savais que tu réagirais de cette façon. Je ne voulais pas que tu voies en moi un Fraser.

— Jamais une telle pensée ne me serait venue. Je te connais, si tu as agi ainsi, c'est que tu n'avais pas le choix.

— Alors, regarde-moi en face. »

Elle dut se forcer à tourner la tête vers lui.

« Ouais, remarqua-t-il, c'est bien ce que je pensais.

— Écoute, laisse-moi m'habituer à cette idée. J'ai soudain l'impression de ne plus te connaître aussi bien que je le pensais.

— Allons, nous n'avons jamais eu de secret l'un pour l'autre.

— Alors, pourquoi ne m'as-tu pas parlé de...

— Eh bien, je vais t'en parler... Tu veux savoir combien ? Trois. Deux étaient des dealers. Le troisième aimait tuer, et il me rappelait Fraser. À son propos, je me suis souvent demandé si j'étais vraiment en état de légitime défense. Peut-être ne voulais-je pas qu'il m'échappe. » Il baissa la voix. « Et aucun de ces trois-là ne m'a jamais empêché de dormir. Alors, est-ce que tu as maintenant le sentiment de mieux me connaître ?

— Joe, je ne...

— Et tu souhaites que je te parle de mon passage chez les commandos de marine ? Non, je vois bien que tu n'en as pas envie. Trois tués, cela te suffit. Tu ne veux rien savoir, et c'est parce que je l'ai compris que je ne t'ai rien dit.

— Pourquoi n'ai-je rien su de ces... morts ?

— Je viens de te l'expliquer. Tu ne le voulais pas. Tu ne regardais même plus le journal télévisé après la disparition de Bonnie. Autrement, tu l'aurais appris dans les nouvelles locales. De mon côté, j'ai demandé à mes collègues la plus grande discrétion. » Il la dévisagea. « Je ne le regrette pas. Tu n'étais pas prête à affronter le fait que ton noble chevalier puisse avoir du sang sur les mains. Il n'y a qu'à te regarder pour voir que tu n'y es toujours pas prête, d'ailleurs. » Il tourna la tête en direction de la porte du laboratoire. « Et je ne suis pas content que Logan ait flanqué un coup de pied dans ce nid de frelons.

— Il ne fallait pas le menacer.

— Je le sais bien, c'était stupide. J'étais en colère et, surtout, je l'ai montré. » Il eut un sourire amer. « Ou peut-être que je me mens. Peut-être que je pensais ce que je disais. Peut-être suis-je malade et fatigué de... mais comment crois-tu que je puisse garder toutes ces choses à l'intérieur sans... » Il se tut pour respirer profondément. « Ne détruis pas ce qui existe entre nous, Eve. Nous sommes ensemble depuis longtemps. Et, comme tu l'as dit, tu me connais.

— Vraiment ? murmura-t-elle.

— Écoute, désormais, je serai franc avec toi, même si ça doit te faire mal. Satisfaite ? » Il se détourna. « Je vais faire ma ronde. » Il commença à descendre les marches. « Ne t'inquiète pas. Si je rencontre des mauvais garçons, je leur lirai leurs droits et les traiterai avec douceur. Personne ne veut de nouvelle bavure, n'est-ce pas ? »

Il était en colère contre elle. Il avait ses raisons : il était son ami, plus proche qu'un frère, et elle l'avait blessé. Mais Joe la connaissait trop bien pour ne pas comprendre ce qu'elle ressentait.

Elle ne pouvait plus en dire autant elle-même. Elle avait cru jusqu'à ce jour qu'il n'avait pas de secret pour elle. Il venait de prouver le contraire. Toutefois, elle devait s'avouer qu'elle n'avait pas cherché à savoir. Les policiers affrontaient chaque jour la violence, pourquoi Joe aurait-il été épargné ?

« *Je ne voulais pas que tu voies en moi un Fraser.* »

Elle avait nié, bien sûr, mais cela lui était tout de même venu à l'esprit quand Logan avait parlé de ces trois morts. Quoique ce ne fût ni rationnel ni juste, elle n'en avait pas moins eu cette pensée. Un raz de marée de plus, provoqué par Logan.

Elle s'exhorta en vain à oublier et à se remettre au travail, mais il s'agissait de Joe. Elle avait peur de lui avoir fait mal. Cette seule idée la bouleversait.

Cependant, elle ne pouvait rien faire pour le moment, si ce n'est aller aider Gary. Elle retourna dans le laboratoire.

Kessler leva la tête en la voyant arriver. « Ça va ?

— Oui. J'avais besoin d'un peu d'air. Comment ça se présente ?

— Pas fameux. » Il reporta son attention sur la molaire qu'il était en train de découper. « Le malheureux risque de se retrouver édenté avant que j'aie pu obtenir un seul échantillon. C'est la troisième dent que j'extrais.

— Tu as besoin de moi ?

— Et partager les honneurs ? »

Elle sourit. « Je jure de ne rien dire.

— Ouais, j'ai déjà entendu ça. Allez, du balai !

— Comme tu voudras. » Évidemment, elle ne bougea pas et l'observa tailler à travers l'émail de la dent. « Je crois, reprit-elle, qu'une fois que nous aurons obtenu l'échantillon, tu devrais te mettre au vert pendant quelque temps. Par exemple, dans ton cottage sur la côte.

— Ah ! tu essaies de sauver ma peau, à présent ? C'est la culpabilité qui te travaille, Duncan ?

— Oui.

— Bien. C'est bon pour l'âme de se sentir un peu coupable. Mais ne te fais pas d'illusions, ce n'est pas pour toi que j'effectue ce travail. Il va me transformer en star. J'ai toujours voulu devenir célèbre.

— Oui, bien sûr, c'est pourquoi tu bosses comme un forcené et vis comme un ermite.

— Oh ! tu verras, encore cinquante ans et tu coucheras dans ton atelier et te feras livrer des pizzas !

— Et j'ambitionnerai de devenir une vedette ? Reconnais-le, Kessler, tu fais ça par pure curiosité.

— En partie, avoua-t-il en ouvrant lentement la dent.

— Et c'est quoi, le reste ?

— Savais-tu que j'ai passé mon enfance à Munich pendant les années trente ? »

Elle secoua la tête et le regarda avec étonnement. « Non, tu ne m'en as jamais parlé.

— C'est vrai, quand nous bavardons, c'est toujours de notre travail, hein ? Les ossements, les morts... » Il remonta ses lunettes sur son nez. « Ma mère était juive, mon père, de pur sang aryen. Les nazis ont fait pression sur lui pour qu'il divorce, mais il a refusé. Il possédait une petite boulangerie et, pendant deux mois, sa vitrine a été brisée autant de fois qu'il l'a remplacée. Puis un soir, il n'est pas rentré à la maison, et quelqu'un est venu nous apprendre qu'il avait été renversé par un camion. Il a perdu une jambe et a passé neuf mois à l'hôpital. Le temps qu'il sorte, tout était fini. La boulangerie avait été fermée, et les nazis avaient commencé leur chasse aux juifs. Nous avons réussi à nous réfugier en Suisse et, de là, nous sommes partis pour l'Amérique.

— Mon Dieu ! c'est horrible !

— J'étais jeune et fou de rage. Je regardais ces salauds parader dans le quartier, écrasant quiconque se trouvait sur leur passage. Des brutes sanguinaires, qui détruisaient tout ce qui faisait le charme de la vie. Dieu ! que je les haïssais ! » Il eut un signe de tête en direction du crâne. « Et les gens qui ont fait ça sont comme ces monstres de nazis, ils se croient tout permis. Ils me rendent malade, et, foi de Kessler, leur crime ne demeurera pas impuni. »

Eve avait la gorge serrée par l'émotion. « Voilà une noble détermination, Gary, approuva-t-elle doucement.

— Diable, oui. D'autant que c'est peut-être mon chant du cygne, alors je le veux fort et clair.

— Ton chant du cygne ? Songerais-tu à prendre ta retraite ?

— Oui. Tu sais, à propos de retraite, j'ai déjà dépassé l'âge. Je suis un vieil homme, Eve. »

Elle secoua la tête. « Vieux, toi ? Allons donc ! »

Il gloussa. « D'accord, je ne suis pas gâteux. Quand je me regarde dans la glace, je revois le jeune homme de vingt ans que j'ai été. Avec des rides, certes, mais je ne leur prête pas beaucoup d'attention. C'est un peu comme tes superpositions. Quel que soit le masque flétri, l'éternelle jeunesse est derrière. Crois-tu que tous les vieux boucs comme moi s'illusionnent autant ?

— Ce n'est pas une illusion, nous voyons ce que nous avons envie de voir. Nous avons tous une certaine image de nous-même. » Elle s'efforça de sourire. « Et puis, bon sang, tu n'es pas vieux et tu ne prendras pas ta retraite. J'ai besoin de toi.

— Exact. Il faut un homme aussi bienveillant et exceptionnel que moi pour supporter ton entêtement et tes innombrables défauts. Il se pourrait bien que je rempile... Merde ! » Il repoussa la dent. « Encore chou blanc. Va-t'en, tu me portes la poisse.

— Enfin une notion profondément scientifique ! » Elle s'éloigna. « Appelle-moi si nécessaire.

— Oh ! que non ! » répondit-il en se penchant de nouveau sur le crâne.

Logan se redressa sur sa chaise à l'approche d'Eve. « Alors ? demanda-t-il.

— Rien encore.

— Il y a un petit lit dans la pièce du fond. Pourquoi n'iriez-vous pas vous reposer un peu ? »

Elle refusa. « Je dois attendre ici, au cas où il aurait besoin de moi. » Elle s'assit à côté de Logan et appuya sa tête contre le mur. « C'est moi qui l'ai entraîné dans cette aventure.

— Il a l'air de s'amuser... intellectuellement parlant.

— Oh ! Gary n'est pas un intellectuel ! Je crois plutôt qu'il se prend pour Eliot Ness ou Lancelot. » Elle fixa soudain Logan, d'un regard où perçait une lueur farouche. « Et vous avez intérêt à ce qu'il ne lui arrive rien. Je regrette de ne pas avoir consulté ce Crawford, que vous connaissez. Mais voilà, j'ai choisi Gary parce qu'il est le meilleur, sans penser au risque que je lui faisais courir.

— Dès que nous aurons l'expertise d'ADN et un affidavit[1], nous le mettrons à l'abri.

— Comme ma mère ?

— Elle est en sûreté. Vous lui avez parlé.

— Vous savez très bien qu'elle est et sera en danger tant que tout ne sera pas fini. » Aucun d'eux ne se trouverait en sécurité. Joe, Gary, sa mère, tous avaient été attirés dans la nasse, se dit Eve, et c'était elle la responsable.

« D'accord, elle n'est pas aussi protégée que je l'aimerais, reconnut Logan, mais je ne peux pas faire mieux. » Il marqua une pause. « Vous me paraissez troublée. De quoi Kessler vous a-t-il parlé, tout à l'heure ? »

Des nazis, du chant du cygne, du reflet d'un jeune homme dans le miroir. « De rien. Rien d'important. »

Mensonge. La vie de Gary avait pour elle une importance toute particulière maintenant qu'elle le connaissait mieux. C'était la nuit des

1. Déclaration écrite faite sous serment devant un notaire ou toute autre autorité habilitée. *(N.d.T.)*

révélations, manifestement. Logan, Joe, et maintenant Kessler. Elle ferma les yeux. Elle était lasse, tout à coup. « Vous veillerez sur lui, d'accord ? »

La Maison-Blanche
7 h 20 du matin

« Kessler, dit Lisa, dès que lui parvint la voix de Timwick à l'autre bout de la ligne. Occupez-vous de Kessler, à l'université d'Emory.

— Je connais mon boulot, Lisa. Kessler est déjà sur ma liste.

— Alors, faites-en une priorité. Duncan a travaillé plusieurs fois avec lui. C'est mentionné dans le dossier que vous m'avez fait parvenir.

— Elle n'a pas travaillé qu'avec lui. » Il y eut un froissement de papier. « Et il y a deux ans qu'elle n'a plus eu de contact avec Kessler.

— Mais il a été le premier anthropologue qu'elle ait rencontré. Ces deux-là ont une histoire. Ça compte pour elle.

— Si ça comptait tant, pourquoi ne l'a-t-elle plus revu ? Logan a pris contact avec Crawford...

— Il a donné suite à ce... contact ?

— Non, il est encore trop tôt pour...

— Trop tôt ? Vous devriez les avoir localisés à cette heure. Le temps passe, Timwick. Mettez Kessler en tête de liste. » Elle raccrocha.

Elle n'aurait peut-être pas dû être aussi sèche ; ce n'était pas très malin de sa part. Timwick avait tendance à compenser son sentiment d'échec par une volonté dominatrice qui finissait par l'aveugler. Bon Dieu ! comment un homme aussi intelligent pouvait-il manquer à ce point d'imagination ? N'avait-il donc pas encore compris que c'était Duncan, la clé, et non Logan ?

Elle respira à fond et tenta de se calmer. Pas question de paniquer. Le problème était double : il fallait d'abord retrouver le crâne de Ben car, sans lui, pas de preuve tangible ; ensuite, Duncan et Logan devaient être éliminés, et toutes les autres preuves détruites. Et Timwick ne faisait décidément rien de bon. Elle savait qu'il était un maillon faible depuis l'erreur qu'il avait commise avec Donnelli, aussi avait-elle envisagé une autre solution, qu'elle allait devoir appliquer maintenant. Plus le temps s'écoulait, plus le danger se précisait. À son tour de prendre les rênes en main. Elle n'avait jamais désiré en arriver là, mais elle ne pouvait revenir en arrière ni effacer ce qui s'était passé un certain soir à Bethesda. Il lui fallait maintenant se protéger et préserver ses privilèges.

Elle ouvrit son répertoire téléphonique au nom que lui avait donné Timwick trois semaines auparavant.

Elle composa rapidement le numéro. À la troisième sonnerie, on lui répondit.

« Monsieur Fiske ? Je crois qu'il est temps que nous fassions connaissance. »

16

Université de Kennesaw
11 h 50

« C'est fait. » Eve serrait dans sa main le sac isotherme contenant la fiole avec l'échantillon d'ADN. « Partons sans tarder, car il y a un risque d'altération.

— Il y en a assez pour une analyse ? s'enquit Logan.

— Juste assez. » Elle se tourna vers Kessler. « Où suggères-tu de l'apporter, Gary ?

— Je suppose que tu préfères éviter les laboratoires les plus connus ?

— Évidemment.

— Mais tu veux d'excellents spécialistes. »

Elle hocha la tête.

« Tu es une femme incroyablement exigeante, Duncan. Et tu as de la chance de tomber sur un type capable de répondre à tes exigences, car il se trouve que je... connais quelqu'un, ajouta-t-il en baissant la voix d'un ton de conspirateur.

— C'est un labo que je veux, pas un amateur, même génial.

— Tu devras te contenter de Chris Teller.

— Qui est Chris Teller ?

— Un de mes étudiants, docteur en biologie. Il s'est d'abord orienté vers la recherche sur l'aspect médical de l'ADN, mais, comme tout le monde, il a besoin de manger, alors il a ouvert l'an passé sa propre boutique à Bainbridge, en Georgie. Il n'a que deux assistants, ce qui lui convient parfaitement. Autre avantage pour toi, il est inscrit comme laboratoire d'analyses médicales, pas comme centre de tests médico-légaux.

— Parfait.

— Puisque je te le dis. J'ai même l'impression d'avoir conspiré toute ma vie. Chris accepte de faire des expertises d'ADN quand il a besoin d'argent pour payer les factures, mais il connaît son boulot. On ne peut pas risquer le moindre ratage, parce que je ne suis pas sûr de pouvoir extraire un autre échantillon. »

Elle acquiesça lentement de la tête. « Eh bien, va pour Bainbridge. Je l'emporte moi-même et...

— Non, l'interrompit Gary. Laisse-moi m'en occuper. Il faut faire vite, tu le disais toi-même. Teller est aujourd'hui l'un de mes pairs. Entre collègues, on se doit de s'entraider.

— Joe m'accompagnera. Je suis sûre que Teller acceptera de collaborer avec la police.

— S'il est en plein travail, il ne va pas tout arrêter pour les beaux yeux de ton Quinn. Il lui dira d'aller voir ailleurs. Crois-moi, nous y arriverons mieux si je m'en charge.

— Mais tu as fait ta part, il est temps que tu ailles te planquer et prendre le soleil sur la côte. Je ne peux pas te demander d'en faire plus, Gary.

— Duncan, tu ne m'as rien demandé. De plus, c'est à moi de juger si mon travail est fini ou pas. Essaierais-tu de m'écarter du droit chemin ?

— J'essaie de te garder en vie. »

Gary lui retira des mains le sac isotherme et se dirigea vers la porte. « Je fais un saut chez moi pour y prendre quelques vêtements et mon sac de couchage.

— Gary, c'est complètement fou ! Je te...

— Tu veux me rendre service ? Trouve des échantillons que Teller pourra comparer avec celui qu'on a. » Il ouvrit la porte. « Libre à toi de me suivre à Bainbridge, mais c'est moi qui m'occupe du reste.

— Gary, écoute... » Mais il était déjà parti, et Eve courut après lui ; comme elle arrivait sur le perron, elle tomba sur Joe.

« Que se passe-t-il ? Où va Kessler ?

— À Bainbridge, où il connaît un labo. Il a emporté l'échantillon. J'ai insisté pour qu'il ne s'en mêle plus, mais il ne veut rien savoir.

— Tête de mule, grogna Joe. Je vais lui parler.

— Non, dit Logan, qui sortait à son tour du bâtiment. Eve et moi allons suivre Kessler jusqu'à Bainbridge. Vous, Quinn, allez voir la sœur de Chadbourne, Millicent Babcock.

— Vous voulez que j'obtienne d'elle un échantillon d'ADN, c'est ça ?

— Oui, mais, même si l'analyse révélait une similarité, ce ne serait pas une preuve légale, il nous faut l'ADN de Chadbourne. Il était très proche de sa sœur ; il a séjourné chez elle à plusieurs reprises pendant la campagne présidentielle, et il lui a certainement envoyé des cartes d'anniversaire ou des lettres, il doit y avoir encore des traces de salive sur les enveloppes. Ou alors il a laissé des vêtements à lui, avec des cheveux dessus, ou...

— Et comment je pourrais récupérer ces petits souvenirs ?

— À vous de voir.

— Où réside cette sœur ?

— Richmond, Virginie.

— Et, bien sûr, ce n'est pas une manœuvre de votre part pour m'éloigner ?

— Non, pas cette fois. Il nous faut ces échantillons. Plus tôt nous les aurons, plus vite nous nous en sortirons. »

Joe n'hésita que quelques secondes. « D'accord. L'ADN de Chadbourne et celui de sa sœur. Je lui fais quoi, à elle ? Une prise de sang ? Une coupe de cheveux ?

— Un peu de salive, intervint Eve. Mais l'échantillon devra être immédiatement conservé au froid et apporté en quatrième vitesse.

— Je m'en charge. » Joe regarda Logan. « Savez-vous si elle fume ?

— Non, désolé.

— Ce n'est pas grave, dit Joe. Si elle ne fume pas, elle boit certainement du café. C'est devenu la drogue nationale. Mais l'ADN de Chadbourne sera plus difficile à obtenir. Les enveloppes devraient suffire, mais comment diable vais-je pouvoir... » Il descendit les marches. « Je trouverai un moyen et vous rejoindrai à Bainbridge plus tôt que vous ne pensez. Prenez soin d'Eve, Logan.

— Tu veux me rendre un service, Joe ? demanda Eve. Suis Kessler jusqu'à sa maison et attends avec lui jusqu'à ce que nous arrivions, Logan et moi. Je dois emballer le crâne de Ben et rassembler mes papiers, et je ne veux pas que Gary soit seul, ajouta-t-elle en observant l'anthropologue, qui montait déjà dans sa voiture. Veille sur lui.

— Et essayez aussi de le convaincre de s'arrêter chez un notaire pour qu'il signe l'affidavit », ajouta Logan.

Eve se tourna vers lui.

Il haussa les épaules. « Désolé, mais il vaudrait mieux qu'on ait une preuve légale de son travail, au cas où il arriverait quelque chose. »

Il veut dire au cas où Gary serait tué, pensa Eve en frissonnant violemment.

« Entendu, la déclaration et les échantillons, répéta Joe par-dessus son épaule en s'élançant derrière Gary. Et qu'Eve ne reste pas là, à la vue de tout le monde ! »

Logan la prit par le coude et la fit rentrer. « Voilà un ordre de Quinn auquel je veux bien obéir. »

De retour dans le laboratoire, il emballa le crâne pendant qu'Eve rangeait les photographies et ses notes dans sa mallette. « Il n'y a pas d'avion pour Bainbridge, déclara-t-elle. Nous devons prendre la route.

— C'est bien plus sûr. Je suis persuadé que votre photo est placardée dans tous les aéroports du pays. » Il se dirigea vers la porte. « Prête ? »

Oui, elle était prête. Logan sortait déjà, et elle dut courir pour le rattraper.

« Pourquoi ne pas essayer de dormir un peu ? suggéra Logan. Vous avez travaillé toute la nuit dernière, et je vous promets de ne pas finir dans le fossé.

— Je n'ai pas envie de dormir. Ça fait longtemps qu'on roule, le soir tombe. Quand arriverons-nous ?

— Dans une heure environ.

— Vous avez des nouvelles de Gil ?

— Il m'a appelé hier soir. Il n'a pas encore réussi à approcher Maren. Je suis sûr que ce salopard doit être trop occupé à maquiller l'autopsie de mon cadavre.

— Je ne trouve pas ça drôle.

— Moi non plus, mais mieux vaut en rire.

— Vraiment ?

— Oui, j'ai appris que l'humour était la meilleure défense contre le désespoir.

— Je vous l'accorde. » Elle contemplait les feux arrière de la voiture de Gary, qui roulait à une centaine de mètres devant eux. « Dans quelles circonstances l'avez-vous appris ?

— Ma foi, qui n'a pas eu un pépin à un moment ou à un autre de sa vie ?

— Voilà une réponse bien évasive, dit-elle en se tournant vers lui. Vous savez tout de moi, alors vous pourriez être plus explicite en ce qui vous concerne, ce ne serait que justice.

— Je ne crois pas tout savoir de vous. Vous avez bien trop de facettes pour...

— Allons, ne fuyez pas.

— Que voulez-vous savoir ?
— Votre rencontre avec le désespoir.
— Autrement dit, mes cicatrices.
— Vous avez bien vu les miennes. »
Il demeura silencieux un moment. « Je me suis marié pendant mon séjour au Japon. Elle était eurasienne et la plus belle femme que j'aie jamais vue. Elle s'appelait Chen Li.
— Vous avez divorcé ?
— Elle est morte de leucémie. » Il grimaça un pauvre sourire. « Ça n'a pas été comme pour vous. Je veux dire qu'il n'y a pas eu violence. Sauf de mon côté. J'aurais voulu détruire le monde entier quand j'ai compris que je ne pouvais rien pour elle. J'étais jeune, je n'avais pas froid aux yeux, et je croyais qu'aucun obstacle ne me résisterait. Mais j'avais affaire à un ennemi invisible, invincible. Elle a mis un an à mourir, et chaque jour la voyait s'éteindre un peu plus. Est-ce une cicatrice digne de figurer dans votre Panthéon des douleurs ? »
Eve détourna les yeux, et un long silence s'écoula avant qu'elle ne lui réponde. « Oui, murmura-t-elle.
— Pensez-vous mieux me connaître, à présent ?
— Vous l'aimiez ?
— Oh ! oui, je l'aimais de toute mon âme ! » Il glissa un regard vers elle. « Vous savez, vous n'auriez pas dû me poser la question. Votre cœur est tendre, et il vous aurait été plus facile de continuer à me détester si vous n'aviez pas découvert que je pouvais être humain, comme n'importe qui. »
C'était vrai. La compréhension rendait toujours l'antagonisme plus difficile. La réserve même dont Logan avait fait preuve témoignait éloquemment de la souffrance qui avait été la sienne.
« Je n'ai jamais douté de votre humanité, assura-t-elle.
— Possible. » Il changea de sujet. « Le labo de Teller sera probablement fermé pour la nuit lorsque nous arriverons à Bainbridge. Nous serons sans doute obligés de passer la nuit dans un motel et d'attendre demain matin.
— On pourrait dire à Gary d'appeler Teller et...
— Non, Gary aura déjà assez de mal à convaincre Teller de faire une expertise d'ADN en urgence, inutile de lui demander en plus de rester ouvert jusqu'à ce qu'on arrive. »
Logan avait raison mais, bon sang, elle avait tellement envie d'accélérer les choses. « Vous ne comprenez pas. Il faut parfois attendre des semaines pour avoir les résultats d'un test ADN. Et Gary va tout faire pour que Teller ne mette pas plus de quelques jours. Les petits laboratoires ont la possibilité d'aller plus vite, en raison de leur faible volume d'analyses, mais pour nous chaque minute compte.

— Est-ce qu'un beau paquet de blé ferait la différence ? »

Elle secoua la tête. « Non, je ne pense pas. Teller m'a l'air d'être un passionné du genre de Kessler.

— Peut-être, mais il a besoin d'argent, comme tout le monde. »

Certainement. Un jeune chercheur n'allait pas cracher sur une occasion pareille. L'argent exerçait une attraction universelle, c'était connu ; elle-même n'y avait pas résisté. « Laissons Gary s'en occuper.

— D'accord. Ce n'était qu'une suggestion.

— Je le sais bien. Ne croyez pas que je méprise l'argent ou que je l'aie en horreur. »

Il la regarda, un rien étonné.

« Mais je n'aime pas qu'on s'en serve comme d'une massue.

— Pourtant, un don par-ci, une subvention par-là, c'est supportable, hein ? »

Elle haussa les épaules. « Oui, dans certains cas.

— Comme dans celui de la fondation Adam, par exemple ? fit-il en souriant.

— Par exemple, oui.

— Même si je ne l'ai proposé que pour vous appâter ?

— Non, ça n'était pas correct, mais je vous ai laissé faire. Je ne suis pas idiote. On ne se déleste pas d'une somme pareille sans une idée derrière la tête. J'avais besoin de cet argent. Je savais à quoi l'employer, et j'étais prête à courir le risque. Si je n'avais pas donné mon accord, rien ne se serait passé. Ma tête ne serait pas mise à prix, et ma mère coulerait des jours paisibles. » Elle haussa les épaules d'un air fataliste. « Nous devons tous accepter les conséquences de nos actes, pas vrai ?

— Ce n'est pas l'impression que j'ai eue, dit-il, moqueur. Vous aviez envie de me trancher la gorge.

— Et il m'arrive encore d'en caresser l'idée. Vous avez mal agi, mais moi aussi, alors je dois me faire une raison. » Elle regarda par la vitre. « Tout ce que je veux, c'est que personne d'autre ne meure par ma faute.

— Vous êtes très généreuse.

— Non, je ne le suis pas, objecta-t-elle avec lassitude. J'essaie juste de considérer la situation le plus clairement possible. J'ai appris depuis longtemps qu'il est plus facile de condamner l'autre quand on est soi-même condamnable. Mais, à la fin, on est bien obligé de paraître devant sa propre conscience. »

Il tourna la tête vers elle. « Bonnie ?

— Oui. Nous étions allées à un pique-nique de l'école dans un parc. Il y avait un marchand de glaces ambulant, et elle a eu envie d'un cornet. J'étais occupée à bavarder avec son professeur, je l'ai laissée aller seule. Il y avait des enfants et des parents tout autour, et le marchand n'était vraiment pas loin de l'aire de pique-nique. J'ai pensé qu'elle ne risquait rien...

— Mais enfin, ce ne pouvait pas être votre faute ! s'exclama-t-il.

— J'aurais dû aller avec elle. Fraser l'a tuée parce que je ne l'ai pas surveillée suffisamment.

— Et vous avez porté ce cilice toutes ces années ?

— C'est difficile de ne pas s'en vouloir quand on a commis une erreur pareille. »

Il resta silencieux un moment. « Pourquoi ne m'en avez-vous pas parlé ? »

Pourquoi l'aurait-elle fait ? C'était un sujet qu'elle évitait toujours ; le souvenir de cette journée était resté une blessure à vif. « Je l'ignore. Je vous ai amené à raconter l'histoire de votre femme, et ça vous a fait mal. Alors, j'ai pensé qu'il serait juste d'égaliser le score.

— C'est une obsession chez vous : être juste, être impartiale...

— Ou peut-être une façon de chercher la sérénité. Pourtant, ça ne marche pas toujours. Il y a des fois où je ferme les yeux et me cache dans le noir.

— Comme vous avez fait avec Quinn.

— Je ne me suis pas cachée... » Elle savait qu'elle mentait et qu'elle avait désiré, tout au moins de manière inconsciente, garder de Joe une image rassurante, même si celle-ci ne le représentait pas en totalité. « Oui, vous avez sans doute raison, mais j'en avais besoin.

— Ça, je veux bien le croire. »

Elle se tut quelques instants. « Est-ce que la sœur de Ben Chadbourne, Millicent Babcock, sera en danger s'ils apprennent pourquoi Joe lui a rendu visite ?

— Je ne vois pas quel intérêt ils auraient à l'éliminer. Chadbourne avait une tante et trois cousins, qui sont toujours en vie. Cela ferait vraiment désordre s'ils se mettaient à les descendre tous. En outre, c'est l'ADN de Ben et de lui seul qui constitue une preuve, aux yeux de la loi en tout cas. Non, il est probable qu'elle ne risque rien. »

Cela en faisait, des vies suspendues à une probabilité. Elle s'enfonça dans son siège et ferma les yeux, priant pour que personne ne fût sacrifié sur l'autel des ambitions.

Washington
23 h 5

« Monsieur Fiske ? » Lisa Chadbourne se pencha à la vitre de la voiture et sourit. « Puis-je entrer ? L'endroit est plutôt exposé aux regards. »

Fiske observa la rue et haussa les épaules. « Ça m'a l'air désert.

— C'est pourquoi j'ai choisi ce lieu de rendez-vous. Toutes les administrations ferment à dix-sept heures. » Elle monta à l'avant et referma la portière. « Mais vous savez très bien que je ne peux prendre le moindre risque. Mon visage est connu. »

La capuche bordée de velours noir de sa cape couleur châtaigne ombrageait ses traits mais, dès qu'elle la rabattit en arrière, Fiske la reconnut. « C'est vraiment vous. Je n'étais pas sûr...

— Vous l'étiez assez tout de même pour sauter dans un avion et venir me rencontrer ici.

— J'étais curieux, surtout sachant que vous me feriez une offre alléchante. Je suis toujours intéressé quand on me propose une promotion.

— Et flatté que je vous appelle personnellement, sans passer par Timwick, n'est-ce pas ?

— Non. » Si cette salope pensait qu'il allait frétiller de la queue comme un chien parce qu'il avait à côté de lui la Première Dame, elle se gourait. « Désolé, mais vous n'avez pas plus d'importance pour moi que n'importe qui d'autre. C'est vous qui avez besoin de moi, pas le contraire. Sinon, vous ne seriez pas ici. »

Elle lui sourit. « Vous avez raison. Vous possédez un talent unique et une efficacité que j'apprécie. J'ai dit à Timwick comment vous aviez superbement mené l'opération à Barrett House... Hélas ! Timwick est loin d'être aussi capable, et il se montre de plus en plus fébrile et irrationnel. Il commence à me décevoir sérieusement. Savez-vous qu'il se borne à transmettre les ordres que je lui donne ?

— Vous ? Ce n'est pas le Président ?

— Non, ça n'a jamais été le Président. Il est étranger à toute cette affaire. »

Il était déçu. Il aurait préféré accomplir ce travail pour l'homme le plus puissant du monde libre. « Alors, je devrais exiger une rétribution plus substantielle, n'est-ce pas ?

— Pourquoi cela ?

— Si le Président ignore tout de cette histoire, alors il devient une menace potentielle. S'il était impliqué, il pourrait me protéger. Mais vous, vous ne pouvez rien pour moi.

— Ressentez-vous le besoin d'être protégé, Fiske ? J'ai pris connaissance de votre dossier, et je ne crois pas que ce soit votre souci principal. Vous êtes un homme qui a appris à ne compter que sur lui-même. »

Il la regarda avec un regain d'intérêt. Elle était intelligente. « L'argent est un bon moyen de protection.

— Alors, vous n'avez rien à redouter. Vos honoraires sont exorbitants, et votre compte en Suisse devrait vous permettre de vivre comme un roi le restant de vos jours.

— On me paie pour ce que je vaux.

— Assurément. Je vous fais seulement remarquer que vous auriez pu prendre votre retraite depuis longtemps. Pourquoi risquer encore votre vie ?

— On n'a jamais assez d'argent. »

Elle secoua la tête. « Non. Vous aimez ça. Vous aimez le danger. Et la traque. Cela vous procure un plaisir intense. Plus le gibier est gros et redoutable, et le risque grand, plus cela vous plaît. Vous aimez aussi les missions impossibles, celles qui font peur à tous les autres... Ce qu'il y a de plus difficile dans nos sociétés de droit, c'est de tuer en toute impunité, n'est-ce pas ? C'est le défi suprême, le jeu le plus passionnant du monde. Pour vous, et quelques hommes de votre espèce. »

Merde, elle était peut-être trop intelligente. « C'est possible, reconnut-il.

— Allons, ne soyez pas sur la défensive. Votre manière de vivre et de penser est parfaitement sensée à mes yeux, et il se trouve qu'elle coïncide exactement avec mes obligations. Raison pour laquelle je vous ai choisi.

— C'est Timwick qui m'a choisi.

— Timwick m'a présenté un certain nombre de dossiers, et il croit que nous avons choisi ensemble. Mais c'est moi, Fiske, moi et personne d'autre... j'étais persuadée que vous aviez le profil idéal. » Elle sourit. « Je savais également que vous aviez besoin de moi.

— Je n'ai besoin de personne.

— Bien sûr que si. Je suis capable de rendre le jeu plus intéressant, plus difficile. Je peux vous offrir une mission comme vous n'en avez encore jamais accompli. Cette perspective vous plaît-elle ? »

Il ne répondit pas.

Elle eut un rire léger. « Évidemment qu'elle vous plaît. Je m'en doutais. Vous êtes malade d'avoir à travailler sous les ordres de Timwick, vous aimez les coups audacieux, directs. Vous réfléchissez vite, vous savez apprécier une situation dans sa globalité. Enfin, vous n'aimez pas parler pour ne rien dire, et moi non plus.

— Vous comptez effacer Timwick du tableau ?

— Je vous demande de retourner à Atlanta et de découvrir si Gary Kessler et Duncan ont pris contact. Écoutez d'une oreille ce que pourra vous dire Timwick, mais obéissez à mes ordres et rendez-m'en compte directement.

— Ma décision serait plus facile à prendre si je savais de quoi il retourne. »

Elle l'examina d'un regard aigu. « Non, vous vous en fichez, en vérité, de savoir ou pas. Vous considérez avec mépris toutes nos machinations. Ce qui vous intéresse, c'est le pouvoir... le pouvoir du chasseur sur la proie.

— Vous croyez bien me connaître, hein ?

— Non, mais je vous connais assez pour vous survivre.

— Vraiment ? » Il la saisit à la gorge. « Avez-vous songé combien il serait tentant pour un homme comme moi de tuer la Première Dame, tout le jeu consistant ensuite à s'en tirer ? Pensez au pied que je pourrais prendre en faisant tourner en bourrique l'armée d'agents fédéraux lancés à mes trousses.

— J'y ai pensé, figurez-vous, dit-elle en le regardant intensément. Mais vous seriez en cavale, et notre jeu serait terminé. Ce serait vraiment dommage car j'ai justement le pouvoir de le prolonger beaucoup plus longtemps. »

Il resserra sa prise jusqu'à sentir qu'il lui faisait mal. Il avait envie qu'elle plie devant lui.

Elle ne broncha pas. « J'ai une liste pour vous, poursuivit-elle d'une voix rauque. Ou plutôt, un ajout à la liste que vous avez déjà reçue. »

Pour toute réponse, il continua de serrer.

« Je savais que vous aimiez les listes. Je l'ai dit à Timwick, c'est pour cela qu'il vous en a remis... » Elle inspira un grand coup quand il la lâcha et se massa la gorge. « Merci. Timwick vous a demandé de rechercher Kessler ?

— Oui, mais il ne lui accorde pas une grande importance. Pour lui, Sandra Duncan a la priorité.

— Elle compte, et je prendrai bientôt une décision en ce qui la concerne, mais je veux Kessler. Si vous ne l'interceptez pas immédiatement, il analysera l'ADN. Je ne pense pas qu'il opérera à Emory, aussi retrouvez-le et ne lui laissez pas le temps de procéder à cette analyse.

— D'ADN ?

— Oui. Prélevé sur le crâne. Vous en avez entendu parler, je suppose.

— Non, mais j'aimerais bien, répondit-il avec un sourire. Qu'est-ce qu'il peut avoir d'aussi important, ce foutu crâne ?

— Vous savez tout ce que vous avez besoin de savoir. Ce crâne, il me le faut. À tout prix. Et vous allez le récupérer pour moi.

— Vous croyez ?

— Je l'espère.

— Qui avez-vous tué ? Un amant ? Un maître chanteur ?

— J'ai besoin de ce crâne.

— Vous êtes un amateur, sinon vous ne seriez pas dans ce merdier. Vous auriez dû charger un expert de s'occuper de cette affaire depuis le début.

— Je sais. C'est pourquoi j'ai recours à vous maintenant. » Elle sortit de sous sa cape une feuille de papier pliée. « Voici. Mon numéro de portable est inscrit au dos. Sauf urgence, efforcez-vous de ne pas m'appeler avant sept heures, le soir. »

Il regarda le papier dans sa main. « Vous prenez des risques. Vos empreintes doivent être... » Non, elle portait des gants. « Alors, je suppose que ce n'est pas écrit à la main.

— Non, et vous ne trouverez que vos empreintes sur cette feuille. Mon portable est enregistré sous un autre nom, que personne ne pourrait identifier sans de longues recherches. » Elle tendit la main vers la poignée de la portière. « Je suis très efficace, Fiske. C'est pourquoi vous et moi ferons un excellent travail.

— Je ne vous ai pas dit que j'acceptais.

— Réfléchissez-y. » Elle descendit de la voiture. « Mais lisez la liste, d'abord.

— Attendez.

— Je dois rentrer. Vous comprendrez qu'il m'est très difficile de m'absenter sans qu'on s'en aperçoive.

— Pourtant vous êtes venue jusqu'ici. Comment ?

— La première chose que je fais en entrant quelque part, c'est de repérer l'issue de secours. Je n'aime pas me sentir prisonnière. Et ce n'est pas trop difficile de quitter la Maison-Blanche quand on sait par où passer.

— On dit qu'il y aurait un tunnel reliant la Maison-Blanche au département du Trésor, un tunnel qu'empruntait Kennedy pour rejoindre Marilyn Monroe. C'est vrai ?

— Croyez-vous que je vous le dirais ? Venir me tuer dans ma chambre serait bien trop tentant pour vous, et j'ai envie que vous dirigiez ailleurs votre énergie. »

Il se pencha vers elle. « Il y a trente-cinq agents du Service secret et plus de cent flics en uniforme qui gardent la Maison-Blanche jour et nuit. Ce serait un fameux atout que de savoir comment les éviter. »

Lisa Chadbourne lui offrait un visage impassible. « Je vois que vous connaissez leur nombre par cœur.

— C'est une chose à laquelle j'ai déjà songé : tuer le Président ou sa femme. Pour le frisson, bien sûr.

— Vous semblez oublier un détail : c'est sur mes indications que Timwick dispose ses agents. Je sais donc où et à quelle heure les éviter. C'est un avantage que vous n'auriez pas, Fiske.

— Même si je lui disais que je vous ai rencontrée ce soir ?

— Pourquoi agiriez-vous contre vos propres intérêts ? »

Il garda le silence un moment. « Allons, ne me bluffez pas. Vous avez peur, comme tout le monde. J'ai senti votre cœur battre sous mes mains, tout à l'heure.

— Oui, pourquoi n'aurais-je pas peur ? Je ne sous-estime jamais le danger, surtout quand je l'ai en face de moi. N'oubliez pas de m'appeler. »

Sur ce, elle s'éloigna dans la rue. Rude bonne femme, songea Fiske. Forte, intelligente et avec un cran qui reléguait Timwick au rang des lopettes.

Mais elle était peut-être un peu trop intelligente à son goût. Elle l'avait deviné, et ça l'incommodait. Il n'aimait pas l'idée qu'on puisse prévoir ses réactions et n'était pas sûr d'avoir envie de travailler pour elle.

« Lisez la liste. »

Elle savait qu'il aimait les listes, mais pourquoi pensait-elle que la lecture de ce bout de papier le convaincrait d'accepter sa proposition ?

Il déplia la feuille, l'approcha de la lumière du tableau de bord et éclata de rire.

Son portable sonna juste au moment où elle poussait la porte de ses appartements. « C'est d'accord », dit Fiske, et il raccrocha.

L'homme décidait vite et parlait peu, pensa Lisa Chadbourne. Dangereusement impulsif, avec ça. Elle devrait porter un foulard demain pour dissimuler à Kevin les marques sur son cou.

« Lisa ? appela Kevin de la chambre. Où étais-tu passée ?

— J'ai fait une promenade dans le jardin. J'avais besoin d'air. » Elle accrocha sa cape dans le dressing-room et enfila un peignoir de bain avec une capuche. « Je vais prendre une douche.

— Dépêche-toi. Je voudrais te parler. »

Parler. Elle aurait préféré qu'il ait envie de lui faire l'amour. Écouter

Kevin discourir et devoir lui dispenser les encouragements et les louanges qui lui étaient indispensables représentaient une corvée dont elle se serait volontiers passée. Quand Fiske l'avait prise à la gorge, elle avait cru pendant quelques secondes qu'il allait la tuer. Contrôler cet homme n'allait pas être une tâche facile.

Mais elle s'en sentait capable. Elle n'avait pas d'autre solution. En dépit de sa peur, elle avait fait du bon travail, cette nuit. Fiske était à elle. Elle entra sous la douche et laissa l'eau chaude ruisseler sur son corps, se sentant salie par le contact de cet assassin.

Mais elle aussi avait tué. Certes, pas comme lui. Elle ne pouvait comparer son acte à ce qu'accomplissait ce monstre par plaisir.

Ne pense pas à lui. Fermant les yeux, elle s'efforça de se calmer. Si dérisoire que cela puisse paraître, cet instant de solitude lui appartenait. Elle avait tellement peu de temps pour elle-même qu'elle en jalousait presque la liberté d'une Eve Duncan.

Que fais-tu en ce moment, Eve Duncan ? Est-ce aussi dur pour toi que pour moi ? Elle posa la tête contre le mur carrelé de la cabine en murmurant : « Où es-tu, Eve ? »

Fiske la retrouverait. Fiske la tuerait, et Lisa serait sauvée. Mais elle n'éprouvait nul réconfort à cette pensée.

« Lisa ? » appela Kevin.

Bon Dieu ! ils ne pouvaient donc jamais la laisser quelques minutes tranquille ? « J'arrive. » Elle sortit de la douche après avoir essuyé ses yeux. Pourquoi pleurait-elle soudain ? Le geste de Fiske l'avait bouleversée plus qu'elle ne le pensait. Elle revêtit une robe d'intérieur avec un haut col et brossa ses cheveux.

Souris. Sois chaleureuse, agréable. Cache-lui ton trouble. Elle ouvrit la porte et embrassa Kevin sur la joue. « Alors, qu'y a-t-il de si important, qu'il te tarde tant de m'en parler ? »

« On ne peut pas dire que ce soit un bon motel. Il y a des cafards dans la chambre », disait Bonnie.

Eve se retourna dans le lit. « On a dû choisir un endroit discret. Depuis quand les fantômes se soucient des cafards ? »

Bonnie sourit. « Tout ce qui t'est désagréable l'est aussi pour moi. Et tu as toujours détesté les insectes. » Elle s'assit sur la chaise à côté du lit. « Je me souviens que tu criais après le monsieur qui venait désinsectiser la maison si tu trouvais un cafard encore vivant dans ma chambre. »

Eve se souvenait de cette histoire ; c'était un an avant la disparition de Bonnie.

Le sourire de la fillette disparut. « Oh ! je ne voulais pas réveiller un triste souvenir !

— Ne sais-tu pas que tes visites réveillent ma douleur ?

— Oui, mais j'aimerais tant qu'un jour tu comprennes que je suis toujours avec toi.

— Tu n'es plus avec moi.

— Pourquoi te fais-tu du mal ? Accepte-moi, maman. » Elle changea de sujet. « Tu as fait du beau travail sur Ben, mais ça ne m'étonne pas.

— Alors, tu savais qui il était.

— Non, je t'ai déjà dit que je ne savais pas tout. Parfois il m'arrive de deviner les choses.

— Comme les cafards dans cette chambre minable ? »

Bonnie gloussa. « Non, ça, je peux le voir.

— Alors, dis-moi quelque chose que je ne sais pas. Dis-moi où tu es, par exemple. »

Bonnie croisa les jambes en tailleur. « J'aime bien M. Logan. Au début, je ne savais pas trop ; à présent, je pense que c'est un brave homme.

— Un brave homme ? Et moi qui croyais que les fantômes avaient du jugement. »

Bonnie sourit d'un air malicieux. « C'est la première fois que tu reconnais que je ne suis peut-être pas un produit de ton imagination.

— Permets-moi de douter du discernement de ma propre imagination.

— Dans la réalité, ton discernement n'est pas non plus très solide. Tu ne devrais pas te montrer aussi dure envers Joe.

— Je ne le condamne pas.

— Que tu dis. Tu sais, c'est un homme bien, il tient beaucoup à toi. Ne le repousse pas.

— Je suis très fatiguée, Bonnie.

— Et tu as envie que je m'en aille. »

Non, ne t'en va jamais. « Je veux seulement que tu cesses de me faire la morale.

— D'accord, mais je n'aime pas que tu te sentes seule. C'est dangereux pour toi, en ce moment. J'ai peur de tous ces malheurs qui vont arriver.

— Quels malheurs ? »

Bonnie secoua la tête pour toute réponse.

« Je saurai faire face.

— Tu dis ça parce que tu crois être allée au bout de la souffrance à cause de moi. Peut-être que tu sauras lutter. Peut-être que non.

— Peut-être que je n'en aurai même pas envie, parce que je suis tellement fatiguée de tout ça.

— Et moi, je suis fatiguée que tu me pleures tout le temps.

— Alors, pars et oublie-moi.

— Ce n'est pas une solution, maman. Le souvenir ne meurt pas, l'amour non plus. J'aimerais seulement que tu sois heureuse.

— Mais je... le suis. »

Bonnie soupira. « Dors. Ce n'est pas la peine que je te parle. Tu n'es pas encore prête à m'entendre. »

Eve ferma les yeux. « Où es-tu, mon bébé ? chuchota-t-elle. J'aimerais te ramener à la maison.

— J'y suis, maman. Quand je suis avec toi, je suis à la maison.

— Non, j'ai besoin de...

— Allons, dors. Il faut que tu dormes.

— Ne me dis pas ce qu'il faut que je fasse. Le jour où je t'aurai retrouvée, peut-être que j'arrêterai de faire ces rêves fous.

— Ils ne sont pas fous, et tu n'es pas folle. Seulement têtue.

— Parce que toi, tu ne l'es pas ?

— Bien sûr que si, je suis ta fille, non ? Dors, je resterai ici encore un peu pour te tenir compagnie.

— Alors, je ne serai pas seule.

— Non, tu ne seras pas seule. »

17

Centre médical de Bethesda, Maryland
7 h 45

« Je fais aussi vite que je peux, Lisa. » Scott Maren agrippait nerveusement le téléphone. « Je dois être très prudent. Il y a des journalistes partout. J'ai réussi à substituer les radios dentaires, mais je vais avoir du mal à en faire autant avec les échantillons d'ADN.

— Mais penses-tu que ce soit possible ? demanda Lisa. Il faut que tu réussisses, Scott.

— J'y arriverai, dit-il d'un ton las. J'y arriverai pour toi.

— Crois-tu que je m'inquiète seulement pour moi-même, et pas pour toi ? Je me sens tellement coupable de t'avoir entraîné là-dedans.

— C'est de mon plein gré que je suis venu. »

Tout avait commencé vingt ans plus tôt, quand Lisa et lui étaient devenus amants alors qu'ils étaient étudiants à l'université de Stanford. Elle n'était pas encore mariée à Ben, et leur liaison n'avait duré qu'un an. Mais sa brièveté n'avait rien changé : il avait continué d'aimer Lisa. Et sa passion pour elle avait résisté au cauchemar de cette terrible nuit, deux ans auparavant.

« Tout se passera bien, ajouta-t-il.

— Je sais. Tu ne m'as jamais abandonnée.

— Je suis de l'espèce fidèle.

— Appelle-moi dès que ce sera fini. » Elle marqua une pause. « Je ne sais pas comment te remercier.

— Tu n'en as jamais eu besoin. »

Ce n'était pas entièrement vrai, car elle avait veillé à ce qu'il tire des bénéfices de la mort de Ben : honneurs, renommée et argent. Il les avait acceptés, mais ce n'était pas ce qui l'intéressait. Il savait qu'un jour elle quitterait la Maison-Blanche et qu'elle lui reviendrait, et alors ils rattraperaient ces années perdues.

« Je ne sais pas ce que j'aurais fait sans toi, Scott. »

Lisa au lit. Lisa riant à gorge déployée des blagues qu'il lui racontait. Lisa en larmes, quand elle lui avait annoncé son intention de dire oui à l'ambitieux Ben Chadbourne, qui la demandait en mariage.

« Je t'appellerai dès que j'aurai terminé, assura-t-il.

— Au revoir, Scott. » Elle raccrocha.

« Docteur Maren ? »

Il se retourna. Un homme jeune, dont les cheveux roux contrastaient avec la blancheur de sa blouse d'infirmier, se tenait sur le pas de la porte. « Oui ? Qu'y a-t-il ?

— Je m'appelle Gil Price, dit l'homme en entrant dans la pièce. J'aimerais vous parler. »

Bainbridge
8 h 40

Le laboratoire de Chris Teller était situé au rez-de-chaussée d'une petite bâtisse à la périphérie de Bainbridge. Ses murs de bardeaux étaient recouverts de lierre, donnant à la maison un air de cottage anglais. La plaque de cuivre sur la porte était si petite qu'Eve serait passée sans s'arrêter si Gary n'avait pas stationné sa voiture juste devant : LABORATOIRES TELLER.

« Souhaitons que leurs capacités soient moins modestes que la façade, marmonna Logan.

— Ce n'est que la façade, comme vous dites, répliqua Eve. Si Gary a confiance en eux, moi aussi. » Elle se rangea non loin de la Volvo de Kessler et attendit que Gary descende de voiture et marche vers eux. « Veux-tu qu'on vienne avec toi ? s'enquit-elle.

— Décidément, Duncan, je me demande parfois où tu as la tête, grogna-t-il. C'est une petite ville du Sud, mais ils ont quand même la télévision et ils lisent les journaux. Alors, reste là et ne te montre pas. Je serai de retour dans un moment. »

Elle le regarda se diriger vers la maison. Il allait d'un pas alerte, vigoureux et plein de jeunesse. Elle pensa à Ivanhoé s'apprêtant à affronter le Chevalier Noir.

« Allons, détendez-vous, lui conseilla Logan. Tout ce qu'il risque, c'est d'essuyer un refus.

— N'empêche, on n'aurait jamais dû le laisser s'occuper de ça.

— On n'aurait pas pu l'en empêcher. » Il s'adossa à son siège. « Quel est le procédé employé pour une expertise d'ADN ? Vous avez dit que cela pourrait prendre des jours, dans le meilleur des cas. Pourquoi est-ce aussi long ?

— Parce qu'on fait appel à un traçage radioactif.

— Un traçage ? »

Elle le regarda d'un air suspicieux. « Vous cherchez à me distraire, c'est ça ?

— C'est vrai, mais je suis également curieux de savoir.

— Le bris de molaire contenant de l'ADN que Gary a prélevé sur Ben sera dissous dans une solution d'enzymes qui cible quelques points spécifiques de l'échantillon et le découpe en fragments. Ceux-ci sont ensuite plongés dans un gel spécial, à travers lequel on fait passer un courant électrique qui a pour effet de ranger lesdits fragments par longueur et par poids.

— Et le fameux traçage radioactif ?

— Le technicien dispose les fragments sur une membrane de nylon, sur laquelle on applique l'isotope radioactif, ou traceur. Celui-ci dresse en quelque sorte une carte des points propres à l'ADN. Enfin, une pellicule aux rayons X est appliquée sur la membrane et laissée à développer par absorption. C'est un procédé analogue à la spectroscopie, et qui prend plusieurs jours. À la fin, l'ADN se révèle sous forme de stries noires sur la pellicule.

— C'est cela, l'empreinte génétique ?

— Oui, ce qui est inscrit dans l'ADN des cellules et qui est propre à chaque individu.

— Et il n'y a pas moyen d'accélérer cette... absorption ?

— Non, cependant une nouvelle méthode commence à se répandre dans les labos. Elle répond au nom barbare de “chimioluminescence”. Le traceur radioactif est remplacé par un marqueur chimiquement activé qui, au contact de réactifs chimiques, libère une lumière sous forme de photons.

— C'est quoi, les photons ?

— Des particules fondamentales du champ électromagnétique. Et là où ces photons frappent la pellicule apparaissent les mêmes stries noires d'ADN qu'on obtient avec le traceur radioactif. Les grands laboratoires ont commencé à l'employer, cependant je doute que celui de Teller en soit là. Gary nous le dira. Croisons les doigts.

— Et moi qui espérais...

— Je vous ai prévenu que ça prendrait du temps.

— D'accord, mais plusieurs jours...

— Vous vous répétez, Logan. Je sais aussi bien que vous ce que le temps signifie pour nous. Peut-être Gary aura-t-il de bonnes nouvelles.

— Je l'espère ; arrêtez d'étrangler le volant. »

Elle desserra ses mains. « Vous ne m'aidez pas beaucoup.

— J'essaie. J'aimerais tellement pouvoir faire quelque chose, au lieu de rester assis sur mon cul à attendre pendant que les autres prennent tous les risques. Je pourrais aller voir ce Teller et lui offrir assez d'argent pour qu'il s'équipe de cette nouvelle bécane dans la journée et nous livre les résultats demain matin ! »

Seigneur ! un nouvel Ivanhoé ! Elle n'aurait jamais pensé cela de Logan avant d'apprendre le drame qu'il avait vécu auprès de sa femme. Une année entière à se ronger les poings d'impuissance face à une mort lente. Non, il n'était pas homme à se résigner facilement à la défaite.

« Non, je n'ai pas envie de finir dans le quartier des folles criminelles parce que vous vous ennuyez et que vous êtes incapable de dominer vos instincts d'hominien. »

Il était manifestement déçu, mais il haussa les épaules avec philosophie. « Je ne pense pas que les hominiens aient connu l'ennui. Leur cerveau n'était pas assez développé, leur vie trop courte et bien trop employée à survivre.

— Oh ! ma comparaison n'est pas aussi absurde que ça !

— Vous le pensez ? »

Non, ce n'était pas un homme des cavernes. Il était intelligent et charismatique, et elle savait maintenant qu'il obéissait à une éthique aussi inflexible que celle qu'elle s'était imposée elle-même. « Alors, vous me disiez la vérité en prétendant que vous ne vous étiez pas engagé dans cette aventure pour des raisons politiques, mais pour sauver le monde ? questionna-t-elle, le regard fixé sur le mur recouvert de lierre.

— Oh ! non. Je me suis comporté ainsi parce que j'avais encore plus peur de ne pas le faire. Si le ciel nous tombe sur la tête, je ne veux pas contempler les dégâts en regrettant de ne pas les avoir empêchés. » Il lui prit le menton pour qu'elle tourne la tête vers lui et le regarde. « Je me suis senti responsable. Comme vous, Eve.

— Auriez-vous aussi le goût du cilice ?

— Non, la mortification est bonne pour ceux qui ont à se reprocher quelque chose. Je me contente d'agir selon ma conscience. »

Le contact de sa main et ses paroles la troublaient quelque peu. Elle détourna la tête. « On peut apprendre à vivre avec un cilice.

— Non, c'est une insulte à la vie même, rétorqua-t-il avec force. Et vous avez commis une sacrée erreur en choisissant ce métier de fossoyeur. On aurait dû vous en empêcher. Quinn aurait dû vous retenir sur cette île jusqu'à ce que le souvenir s'estompe assez pour que vous cessiez d'avoir envie de vous punir. »

Elle le regarda avec stupeur. Il se trompait. Pourquoi ne voulait-il pas comprendre ? « Joe savait que c'était le seul moyen pour moi de continuer de vivre.

— Vous appelez ça "vivre" ? Vous vous tuez au travail, vous n'avez pas de vie personnelle, vous marchez avec des œillères, comme un cheval rétif. Vous avez besoin de...

— Ça suffit, Logan.

— Pourquoi devrais-je me taire... d'accord, je laisse tomber. Ce ne sont pas mes affaires, n'est-ce pas ?

— Je ne vous le fais pas dire.

— Alors, bon sang, pourquoi ai-je le sentiment que ça me regarde ?

— Parce que vous avez pris la mauvaise habitude de vouloir régenter la vie de tous ceux qui vous entourent.

— Ouais, ce doit être ça, admit-il, vexé, en sortant son portable de sa poche. Mais ça me rend malade de vous voir gâcher votre vie, ajouta-t-il en tapant furieusement sur les touches.

— Je ne gâche pas ma vie. Qui appelez-vous ?

— Gil.

— Maintenant ? Pourquoi ?

— Il est temps de savoir où il en est. » Il appuya sur la touche. « Et aussi pour changer de sujet. »

La diversion était bienvenue pour elle aussi. Cette conversation l'avait éprouvée.

« Que se passe-t-il, merde ? demandait Logan au téléphone. Pourquoi ne m'as-tu pas... ouais, j'ai les boules. »

Il se tut pour écouter Gil, puis continua d'une voix tendue. « Arrête, ne sois pas idiot. C'est sûrement un piège. Maren a déjà tué un homme, ne l'oublie pas. »

Eve tressaillit. Logan paraissait inquiet. « N'y va pas, Gil... Oui, elle est ici... Non, c'est à moi que tu dois parler, pas à elle. »

Eve tendit la main. Il lâcha un juron et lui donna le portable. « C'est un crétin.

— John se répète, dit Gil à Eve. Il a les nerfs, semble-t-il. C'est pour ça que je voulais vous parler. Je ne suis pas en état de supporter ses cris.

— Dans quel état êtes-vous ?

— Fébrile. Je marche sur une corde raide. Maren est un méchant client.

— Vous lui avez proposé un marché ?

— Oui, mais il nie en bloc et prétend ne rien comprendre à ce que je lui raconte.
— C'est une réaction normale. Vous ne vous attendiez tout de même pas qu'il vous déballe toute l'affaire, non ?
— Bien sûr, mais je peux vous garantir qu'il a encaissé le coup. Je l'ai vu dans ses yeux. Et il s'est bien gardé d'appeler le service de sécurité de l'hôpital. C'est presque un aveu, non ? En résumé, je lui ai suggéré de réfléchir et lui ai donné rendez-vous sur les bords du Potomac, juste à l'intersection du fleuve avec le canal, cette nuit, à onze heures.
— Il ne viendra pas. Il alertera Lisa Chadbourne, et ils vous tendront un piège.
— C'est possible.
— C'est certain. » Sa main se crispa sur le téléphone. « Réfléchissez, Gil. Lisa a probablement persuadé Maren de tuer pour elle. Pour quelle raison la soupçonnerait-il maintenant de vouloir le trahir ?
— C'est un homme intelligent. D'abord, je le vois mal acceptant de tuer Ben Chadbourne pour les beaux yeux de Lisa. Je crois pouvoir le convaincre de sauver les meubles et de se fondre dans la nature avant d'être descendu.
— N'allez pas à ce rendez-vous, Gil.
— Il le faut. Si on a Maren de notre côté, Lisa Chadbourne est coincée. Je vous rappellerai pour vous donner les résultats. » Il raccrocha.
Elle tendit le portable à Logan. « Il va y aller.
— Quel imbécile ! grogna Logan entre ses dents.
— Vous disiez qu'il était un professionnel et connaissait les risques.
— Oui, mais je n'ai jamais prétendu qu'il avait un jugement infaillible. Ce rendez-vous est une erreur. Et j'ai peur qu'elle ne lui soit fatale. »
Elle aussi le pensait. Maren avait été le complice de Lisa dans cet assassinat. Cela présupposait un lien entre eux. Aucune raison qu'il la trahisse maintenant. De toute façon, ils avaient tous deux intérêt à rester soudés.
« Elle sera très en colère, murmura Eve.
— Qui ça ?
— Lisa Chadbourne. Elle considère sûrement Maren comme sa chose, et elle nous en voudra d'essayer de le retourner contre elle.
— S'il était sa chose, pourquoi veut-elle l'éliminer ?
— Nous ne savons pas avec certitude si elle a cette intention. Maren est sans aucun doute plus proche d'elle que nous ne le pensons. Elle

sera furieuse que nous ayons pris contact avec lui. En outre, ce sera une surprise pour elle : je suis sûre qu'elle n'a pas pensé que nous ferions le rapport entre Maren et Chadbourne.

— Gil a peut-être raison, Maren ne lui dira probablement rien.

— Allons, vous ne le pensez pas vraiment. »

Il secoua la tête d'un air désespéré.

« Alors, qu'allez-vous faire ?

— Prendre le premier avion pour Washington et aller avec Gil à ce rendez-vous, répondit-il. Vous, vous resterez ici avec Kessler.

— Mais vous risquez d'être reconnu à l'aéroport, ou ailleurs.

— J'ai aussi une chance de ne pas l'être.

— Si vous rejoignez Gil, vous serez deux à tomber dans leur traquenard. »

Pour toute réponse, il sortit de la voiture et en fit le tour. « J'ai besoin de cette guimbarde pour aller à Savannah, d'où je pourrai prendre un avion. »

Elle descendit puis se pencha à l'intérieur pour attraper la mallette contenant le crâne.

« De toute façon, nous n'aurons pas les résultats de l'analyse avant plusieurs jours, conclut-il en se glissant derrière le volant. Et je ne vous suis guère utile, ici. »

Elle avait envie de le frapper. Pourquoi courait-il le risque de se faire arrêter à l'aéroport ou repérer par leurs ennemis ? Pour aider Gil ? Peut-être, et elle n'avait rien à redire à cela, sauf qu'il aurait dû être plus ferme avec cette tête brûlée et lui défendre de rencontrer Maren.

« Appelez-moi, dit-elle en ouvrant la portière de la Volvo de Gary. Si toutefois vous êtes encore de ce monde.

— Je suis comme les chats, j'ai neuf vies. » Il fit ronronner le moteur. « Je serai de retour demain. Soyez prudente. » Puis, fronçant soudain les sourcils : « Non, je ne peux pas vous laisser comme ça, tous les deux. De l'aéroport, je contacterai Madden Security pour qu'ils dépêchent un ou deux de leurs agents avec mission de protéger vos déplacements et de monter la garde au motel jusqu'à mon retour.

— Pourquoi vous donner cette peine ? Timwick doit nous attendre derrière la porte de Crawford, à Duke, et il lui faudra du temps pour nous pister jusqu'ici, vu la modestie du labo de Teller. »

À la vérité, elle en doutait. Si Timwick se trouvait à Duke, c'est parce que Logan représentait pour lui la cible qui cachait toutes les autres. Lisa Chadbourne, elle, ne commettrait pas cette erreur ; elle avait bien trop d'estime et de respect pour les femmes.

« Un ange gardien planqué devant le motel ne sera pas de trop.

N'oubliez pas de fermer votre porte et téléphonez-moi si vous remarquez quoi que ce soit de suspect.

— Pas de problème, Logan, je serai prudente. »

Il hésita. « Il faut que j'y aille, Eve. Gil est mon ami, et je l'ai entraîné dans cette histoire. »

Elle monta dans la Volvo et posa la mallette sur le plancher. « Partez, Logan. Je n'ai pas besoin de vous ici. Ni ici ni ailleurs, à vrai dire. Je me débrouillerai.

— Gardez le crâne de Ben avec vous.

— Ne vous inquiétez pas pour ça, je sais combien il est important pour vous.

— Je voulais seulement dire...

— Allez, Logan, filez. Volez au secours de Gil, faites ce que vous avez à faire.

— Je croyais que vous aimiez bien Gil.

— C'est le cas, et j'espère le revoir sain et sauf. » Elle avait peur, peur pour Gil, peur pour Logan, peur pour elle. « Au revoir, Logan », ajouta-t-elle d'une voix blanche.

Il hésita encore, jura doucement et démarra.

Le silence retomba sur le petit parking. Elle était seule. Elle en avait l'habitude.

« Où est Logan ? »

Elle sursauta et vit Gary qui venait vers elle. « Parti dans le nord. Gil Price a besoin de lui, là-bas. Alors, comment ça s'est passé avec Teller ?

— Ma foi, j'ai une bonne et une mauvaise nouvelle. D'abord, la bonne : Chris s'est converti à la chimioluminescence, ce qui signifie qu'il pourrait nous obtenir une empreinte génétique dans la journée.

— Pourrait ?

— Oui, c'est ça, la mauvaise nouvelle : il est surchargé de travail. » Il leva la main. « Je sais, je sais. Tu n'as pas besoin de le dire. Il le fera. Pas aujourd'hui, mais je compte bien que ce sera pour demain. J'ai pensé que tu aimerais le savoir. » Il lui tendit les clés de la voiture et reprit la direction du labo. « Tu peux retourner au motel, lui lança-t-il par-dessus son épaule. Moi, je ne partirai pas d'ici avant minuit. Je prendrai un taxi. »

Elle n'avait vraiment pas envie de retrouver sa chambre sordide. Elle voulait aller avec lui, les aider, avoir une activité. Évidemment, c'était impossible, elle devait rester dans l'ombre. Logan, au moins, avait sauté sur l'occasion de passer à l'action, avec même un peu trop d'intrépidité.

Elle se reprocha aussitôt cette pensée. Elle avait accompli sa part de travail et Gary avait pris le relais. Profiter de cette attente pour se reposer, reprendre des forces, cesser de voir en Lisa Chadbourne une adversaire invincible. Logan avait probablement raison : Gary et elle ne risquaient rien pour le moment. Après la tension des derniers temps, elle devrait être contente de ces quelques jours tranquilles à Bainbridge.

« Il y a quatre cottages à Lanier où la mère Duncan et Wilson ont pu se réfugier, annonça Timwick sitôt que Fiske eut décroché. Ces quatre-là ont été réservés la veille de leur départ.

— Par Wilson ?

— Comment le saurais-je ? répliqua aigrement Timwick. Son nom n'apparaît pas.

— Elle a dû verser une caution par carte de crédit.

— Bien sûr, mais, si elle a utilisé un faux nom, alors la carte l'est aussi. De toute façon, Logan a dû veiller à ce genre de détail. Vous avez de quoi noter ? » Il lui dicta les quatre adresses. « Allez-y tout de suite.

— Dès que je pourrai.

— Qu'est-ce que ça signifie ?

— Vous m'avez ordonné de m'occuper de Kessler. Je suis à Emory, où je viens d'apprendre qu'il est parti hier matin.

— Parti où ?

— Personne n'en sait rien, mais je n'ai pas encore vu son assistant. J'y vais de ce pas.

— La mère est plus importante, et je suis sûr que Logan s'adressera à Crawford.

— Écoutez, maintenant que je suis à Emory, je vais quand même vérifier.

— Je viens de vous dire de laisser tomber. Allez à Lanier.

— Bon. Que voulez-vous que je fasse, quand j'aurai localisé Sandra Duncan ?

— Contentez-vous de la surveiller en attendant d'autres instructions.

— Je n'aime pas rester en surveillance. Je découvrirai où elle crèche, mais vous enverrez quelqu'un d'autre en planque, Timwick. »

Silence glacial à l'autre bout de la ligne. Cette belette de Timwick n'aimait pas recevoir des ordres. Pourtant, il allait devoir s'y habituer. Timwick n'était pas encore au courant, mais les pions avaient bougé, et c'était maintenant la reine qui menait le jeu.

« Vous devez savoir, Fiske, que vous n'êtes pas irremplaçable.

— Personne ne l'est, mais on ne change pas une équipe qui gagne, Timwick. Laissez-moi faire ce qui est de mon ressort. »

Un nouveau silence se fit. « Très bien, donnez-moi des nouvelles dès que vous aurez repéré la femme.

— D'accord. » Fiske raccrocha et se dirigea vers le logement de fonction qu'occupait sur le campus Bob Spencer, l'assistant de Kessler. Il se présenterait comme un vieil ami de Gary, peut-être qu'il l'inviterait à déjeuner pour mieux lui tirer les vers du nez. Ensuite, même si Spencer ne savait pas où était passé son patron, Fiske finirait par repérer le laboratoire auquel Kessler confiait ses analyses. « Découvrez le labo où ils effectueront le test d'empreinte génétique », lui avait demandé Lisa Chadbourne.

Pas de problème.

« Il savait ? murmura Lisa. Bon Dieu, Scott, tu en es sûr ?

— Non, à mon avis, Logan bluffe.

— Et il a envoyé Price poser les cartes sur la table ? Pourquoi ? »

Scott hésita avant de répondre. « Pour passer un marché. C'est toi qu'il veut, Lisa. Pas moi.

— Qu'est-ce qu'il t'a offert ?

— Une nouvelle identité dans un nouveau pays si je lui fournis des preuves contre toi. »

La panique lui serra soudain le ventre. Elle n'avait jamais sous-estimé l'intelligence de Logan, mais de là à ce qu'il établisse un lien entre elle et Scott... « Il ment. Il ne lâchera jamais.

— Peut-être bien.

— Et tu... tu es tenté ?

— Nom de Dieu ! Lisa, si je l'étais, est-ce que je serais en train de te parler au téléphone ? Est-ce que j'ai l'air d'avoir conclu le marché qu'il me propose ?

— Non, pardonne-moi. C'est la peur... Je n'en reviens pas qu'il soit remonté jusqu'à toi. »

Bon sang ! tout était en train de s'écrouler ! Elle ferma les yeux, s'efforçant de chasser la terreur qui l'empêchait de penser clairement. Il devait y avoir un moyen de s'en sortir.

« Heureusement que nous lui avons bloqué la route des médias en le faisant passer pour mort, reprit-elle. Tu as terminé la substitution des dossiers ?

— Oui, juste après le départ de Gil Price. »

Enfin une bonne nouvelle. Officiellement, John Logan était mort. « Dieu merci. Je vais l'annoncer à Kevin. Nous avons encore une chance de nous en tirer, Scott.

— Tu crois ?

— Je te promets que tout se terminera bien.

— Tu m'as promis tellement de choses, Lisa.

— Et n'ai-je pas tenu ces promesses ? N'ai-je pas tout fait pour que tu réussisses ?

— Quoi, tu penses que je n'y serais pas arrivé sans ton aide ?

— Je n'ai pas dit ça, Scott. »

Il resta un instant silencieux. « Excuse-moi. »

Il lui paraissait bizarre. « Qu'est-ce qui ne va pas ? questionna-t-elle.

— Une chose que m'a dite Price. Il m'a parlé de trois personnes qui avaient été assassinées ces derniers jours, deux femmes et un homme, dont la disparition t'arrangeait au plus haut point. Il m'a demandé si je ne craignais pas de subir le même sort.

— Après toutes ces années, tu aurais peur que je te fasse du mal ? »

Il y eut un silence. « Non, pas vraiment.

— Pas vraiment ? Autrement dit, oui. »

Il ne répondit pas. Elle ferma les yeux. Elle devait absolument chasser ce doute que Price avait semé en Scott. « Écoute, nous en parlerons. Je te prouverai que jamais, jamais je ne m'attaquerai à toi. Mais nous devons d'abord régler le problème de Price et te sauver, toi.

— Ouais, et toi aussi.

— D'accord, toi et moi. Va au rendez-vous qu'il t'a fixé. Timwick fera le reste.

— C'est-à-dire ?

— Nous enlèverons Price et l'utiliserons comme monnaie d'échange pour avoir le crâne.

— Tu crois que Logan se laissera fléchir ?

— Essayons toujours. Aie confiance en moi, Scott. Logan ne pourra rien contre toi, j'y veillerai. Je te dois bien ça, après tout ce que tu as fait pour moi. » Elle raccrocha.

Son cœur battait la chamade. Une nouvelle épreuve l'attendait. Si Timwick avait exécuté correctement sa mission auprès de Donnelli, personne n'aurait jamais soupçonné Scott, et elle n'aurait pas à prendre cette décision. La panique virait à la rage. Logan et Duncan se rapprochaient et elle était en train de perdre dangereusement du terrain.

Elle devait réagir. Appeler Timwick et lui exposer le problème. Mais, d'abord, il lui fallait parler à Kevin et le guider sur le chemin à suivre.

Joe téléphona à Eve dans la soirée. « J'ai réussi à avoir une lettre que Chadbourne a écrite à sa sœur après la mort de leur mère, survenue peu avant son élection. La missive est trop personnelle pour qu'il ne l'ait pas cachetée lui-même.

— Bonne nouvelle. Comment as-tu fait ?

— Il vaut mieux que tu ne le saches pas, tu pourrais être jalouse. Le problème, c'est que je n'ai pas encore réussi à obtenir un échantillon de la sœur elle-même. Ce soir, elle doit se rendre avec son mari à leur club, et je vais les suivre pour voir si je ne peux pas mettre la main sur un verre dans lequel elle aura bu... Et toi, comment ça va ?

— Bien. Gary va pouvoir obtenir l'empreinte dans les vingt-quatre heures.

— Bravo. » Un silence. « Logan veille sur toi ? »

Elle évita de répondre. Il deviendrait fou s'il apprenait qu'elle était seule. « Je suis assez grande pour me débrouiller, Joe.

— C'est moi qui devrais être près de toi, et Logan chez Millicent Babcock. Je n'ai pas confiance en lui, et je me retrouve en train de patiner ici comme un imbécile.

— On ne peut tout réussir du premier coup. Tu l'auras ce soir, ton échantillon de salive.

— Sans doute, sinon je vais lui en faire voir, à la Millicent. Je pourrais même la saigner un peu, histoire d'accélérer les choses. Tu ne ris pas ? Je plaisante !

— Je sais, Joe, mais je n'ai pas trop le cœur à rire.

— Moi non plus. J'essaierai d'être de retour à Bainbridge demain. Fais attention à toi.

— Joe, est-ce que tu as appelé Diane ?

— Oui, avant de partir d'Atlanta.

— Elle doit être folle d'inquiétude. Je m'en veux déjà assez comme ça de t'avoir entraîné dans ce merdier, inutile de faire souffrir Diane aussi.

— Je la rappellerai.

— Fais-le tout de suite.

— D'accord, tout de suite. » Il raccrocha.

Elle reposa le téléphone sur la table, soulagée d'avoir eu des nouvelles de Joe. Demain, il serait là, et elle éprouverait ce sentiment de sécurité que sa présence lui inspirait toujours. En attendant, elle espérait que Logan la contacterait bientôt pour lui annoncer que Gil et lui étaient indemnes.

Joe hésitait à téléphoner à Diane. Mais il l'avait promis à Eve. Il composa le numéro sur son portable. « Salut, chérie. Comment ça va ?

— Où es-tu, Joe ?

— Je te l'ai dit. Sur une enquête. Hors d'Atlanta.

— Quelle enquête ?

— Oh ! rien qui puisse t'intéresser !

— Crois-tu sincèrement que ça ne m'intéresse pas ? répliqua-t-elle durement. Me prendrais-tu pour une idiote ? J'en ai assez de faire semblant d'être aveugle. Moi aussi, je regarde les informations à la télé. Et ta fameuse enquête s'appelle Eve Duncan. »

Il resta silencieux un moment. Il savait bien qu'elle n'était pas stupide, mais il avait espéré qu'elle feindrait l'ignorance, comme elle le faisait toujours avec les sujets troublants.

« Je me trompe ? questionna-t-elle.

— Non.

— Ça va trop loin, Joe, reprit-elle d'une voix tremblante. Combien de temps encore crois-tu que je vais supporter cette situation ? Nous avons tout pour être heureux, et tu risques notre bonheur pour elle. Est-ce qu'elle en vaut vraiment la peine ?

— Elle a besoin de moi, je ne peux pas l'abandonner.

— Oui, bien sûr, mais le problème, c'est qu'elle est toujours au centre de ta vie ; je me demande bien pourquoi tu m'as épousée.

— Allons, calme-toi. Nous en parlerons à mon retour.

— C'est ça, si tu ne t'es pas fait tuer pour elle. » Diane raccrocha violemment.

Merde, cette fois, il était allé trop loin. Pourquoi avait-il cru que le mariage arrangerait tout ? Il avait essayé de donner à Diane tout ce qu'elle pouvait légitimement attendre de lui. Il s'était efforcé de compenser par la tendresse la terrible frustration que son étrange lien avec Eve causait à sa femme. Tout ce que venait de lui dire Diane était vrai. Elle avait toutes les raisons du monde de se demander pourquoi il l'avait épousée.

Il espérait seulement qu'elle ne découvrirait jamais la vérité.

18

Une pénétrante odeur d'herbe et de vase assaillit Logan lorsqu'il sortit de la voiture. Elle lui rappela celle de la terre humide dans ce champ de maïs du Maryland. Un souvenir désagréable : la diversion avait peut-être payé, mais il revoyait le visage d'Eve quand elle avait pris conscience de lui avoir servi d'appât.

« Ça sent bon, hein ? dit Gil à côté de lui, emplissant ses poumons de l'air nocturne. Ça évoque le pays. »

L'endroit était désert et nu. « Le golfe ? Tu es de Mobile, non ?

— Pas de Mobile même, de la région.

— Le Sud profond, quoi.

— D'où crois-tu que me vienne mon goût de la country ? »

Logan fouilla la rive du regard. « Merde, on n'y voit que dalle, grommela-t-il.

— T'inquiète pas, tout se passera bien. Personne ne peut nous approcher sans se faire repérer. Et si quelqu'un d'autre que Maren arrive, on pourra s'éclipser discrètement.

— Ouais, et s'ils nous barrent le chemin à la voiture ?

— On peut toujours nager.

— J'ai mieux à te proposer. » Il poussa un soupir de soulagement alors que la lune sortait des nuages et caressait d'une lueur pâle la silhouette sombre d'un canot clapotant dans l'eau. « J'ai loué ce hors-bord, avec ordre de l'amarrer là où tu peux le voir. »

Gil scruta l'obscurité et gloussa. « Je m'en doutais, figure-toi. T'es tellement prévisible, John.

— C'est mieux que nager, non ?

— Penses-tu que je n'aurais pas loué moi-même un bateau si je n'avais pas été sûr que tu le ferais ?

— Comment pouvais-je le savoir ? C'est toi qui as arrangé cette rencontre digne d'un mauvais film, alors qu'il te suffisait de demander à Maren de t'appeler.

— Non, rien ne vaut une rencontre face à face.

— Ouais, tu as envie de mourir !

— Mourir, mon cul ! Le risque est moins grand pour moi que pour toi. J'ai déjà pris une balle, ce mois-ci, alors ça met les chances de mon côté. Tu aurais dû rester en Georgie et me laisser m'occuper de Maren. »

Logan ne répondit pas.

« Bien sûr, je conçois que tu avais peur qu'il m'arrive quelque chose, continua Gil en lui jetant un regard de biais. Ce serait catastrophique pour toi de perdre un collaborateur de ma classe.

— Crois-tu ?

— Et puis, tu peux les compter sur les doigts, les amis capables de supporter ton manque de goût et tes sautes d'humeur. Finalement, si tu es là, c'est par pur égoïsme.

— Absolument.

— Ah ! tu le reconnais !

— Un peu, oui. Je n'aurais pas pu rester une heure de plus à Bainbridge. Il n'y avait rien d'autre à la radio que de la country ! »

Gil gloussa. « C'est vrai ? Ah ! voilà une ville selon mon cœur !

— Je sais, et j'ai un billet d'avion pour toi dans ma poche. » Il grimaça un sourire. « Si tu te sors vivant du piège que tu t'es tendu toi-même.

— Peut-être que c'est un piège, mais c'est un risque à prendre, John. Ce que j'ai dit à Maren l'a secoué, je peux te le garantir.

— Ah ouais ? Alors, où il est, ton Maren ?

— On est en avance, mais je suis sûr qu'il viendra. »

Ils avaient quarante minutes d'avance sur l'heure du rendez-vous. Il n'y avait pas le moindre indice de mouvement sur la berge du canal ou la rive de la rivière. Peut-être Gil avait-il réussi à convaincre Scott Maren, songeait Logan. Peut-être, dans une heure, Maren serait-il de leur côté, et alors le crâne et l'empreinte génétique auraient une importance secondaire. Il l'espérait, en tout cas. Mais que diable faisait Maren ?

L'agent de sécurité leva les yeux de son bureau dans le hall de réception. « Bonne nuit, docteur Maren, dit-il avec un sourire. Vous faites des heures sup ?

— De la paperasse. C'est le fléau de mon existence. Bonne nuit, Paul. »

Il poussa les portes de verre et gagna l'emplacement privé où l'attendait sa vieille Corvette 57. Il serait à l'heure. Il ne fallait pas plus d'une demi-heure pour parvenir au canal en roulant tranquillement.

Il tourna à gauche en sortant du parking. Avec un peu de chance, tout serait fini avant même qu'il arrive là-bas. Timwick n'avait pas vraiment besoin de l'avoir comme appât pour coincer Price.

Alors, pourquoi y allait-il ? Gil Price était-il le seul destiné à tomber dans le piège ? Les révélations de Price l'avaient profondément troublé. Lisa et toutes ces morts étaient intimement liées, à n'en pas douter, mais de là à penser qu'elle... Non, le lien qui les unissait était bien trop fort. Ils se connaissaient si bien l'un l'autre. Elle savait que jamais il ne...

Devant lui, à cinquante mètres, le feu passa au rouge. Un présage ? Après tout, prudence est mère de sûreté. Il ferait mieux de rentrer chez lui et d'attendre que Lisa l'appelle pour l'informer du résultat. Cette décision eut pour effet de dissiper son angoisse. Il tournerait à droite et, dans dix minutes, serait à l'abri chez lui.

Il freina en approchant du croisement.

La pédale de frein s'enfonça jusqu'au plancher sans le moindre effet. Il pompa frénétiquement, sans que la Corvette ralentisse sa course. Puis il tira le frein à main. Rien. Il y avait très peu de circulation à cette heure ; il avait peut-être une chance de...

Juste au moment où il franchissait le feu, un camion du service du nettoiement surgit à sa gauche. Bien trop vite pour pouvoir s'arrêter.

Le lourd véhicule frappa la Corvette avec la puissance d'un bulldozer, broyant la carrosserie et le conducteur agrippé au volant.

Lisa. Ce fut la dernière pensée de Scott Maren.

L'homme qui venait vers eux avait la taille de Maren et il était seul.

« Je te disais bien qu'il viendrait », murmura Gil.

Un sourd vrombissement s'éleva soudain du sud.

« Tu parles ! » grogna Logan en levant la tête.

Pourquoi n'avait-il pas pensé à la voie des airs ? se reprocha-t-il, alors que les phares d'un hélicoptère trouaient la nuit.

« Au canot, vite ! »

Gil courait déjà vers le hors-bord. L'homme qu'ils avaient pris pour Maren s'élança derrière eux. Une balle miaula à l'oreille de Logan. « Le fils de pute ! »

Gil avait déjà atteint l'embarcation et détachait l'amarre. L'appareil était presque au-dessus d'eux, éclaboussant la berge d'une lumière bleue. Logan sauta à bord et fit démarrer le moteur. Une volée de balles cribla l'eau autour d'eux, juste au moment où Logan mettait les gaz et filait en zigzaguant sur le fleuve, poursuivi par le puissant halo du projecteur. « Si on peut atteindre ce bras, là-bas, devant nous, nous sommes sauvés. Il y a des arbres et trop d'habitations pour qu'ils continuent de tirer. On abandonnera le bateau et on se démerdera pour... »

Une nouvelle rafale les frôla. Comment pouvaient-ils les rater, pris comme ils étaient dans cette saleté de lumière ? À moins qu'ils n'aient l'ordre de les prendre vivants. Le crâne, c'était cette saloperie qu'ils voulaient. Logan fonça vers l'étroit bras de rivière et, quelques secondes plus tard, se retrouva sous la voûte protectrice des grands arbres.

Mais ils n'étaient pas sauvés pour autant. Il laissa filer, moteur coupé, et franchit les derniers mètres le séparant de la rive. L'hélicoptère tournoyait au-dessus des frondaisons. Logan sauta à terre. « Viens, Gil, il faut qu'on trouve une voiture et... »

Gil le regardait fixement.

« Gil ? »

Il était trois heures du matin, et Eve n'avait toujours pas de nouvelles de Logan. Il aurait pu l'appeler, ne serait-ce que pour la rassurer sur Gil et lui...

À moins que le piège ne se soit refermé sur eux.

Elle chassa cette pensée. Mieux valait essayer de dormir, au lieu de se ronger les sangs. Elle se reprochait sa dureté envers Logan, juste avant qu'il parte. Bon Dieu ! voilà qu'elle ressassait ces regrets morbides comme s'il n'allait pas lui revenir !

« Lui revenir » ? Quel étrange lapsus ! Elle souhaitait seulement qu'il soit de nouveau là pour poursuivre leur dessein. Rien d'autre.

À sept heures et demie du matin, on frappa à sa porte. C'était Gary. Elle le fit entrer.

« Tu n'as pas regardé les infos ? dit-il en allumant le téléviseur. Le porte-parole de la Maison-Blanche vient de faire une déclaration à la presse. CNN la rediffuse. »

L'image de Kevin Detwil apparut en médaillon à l'écran. « Regarde-le. J'ai beau savoir que ce n'est pas Chadbourne, je ne peux pas m'empêcher de... »

Jim Douglas, porte-parole du Président, répondait aux questions d'un groupe de journalistes. « Ce n'est donc pas John Logan qui a péri dans l'incendie ?

— Non, répliqua Douglas. Le corps carbonisé retrouvé dans les décombres de Barrett House est celui d'Abdul Jamal, chef d'une organisation terroriste.

— Il y aurait donc eu complot pour assassiner le Président ?

— J'aimerais pouvoir le démentir, mais le fait que le président Chadbourne devait se rendre sur l'invitation de John Logan à Barrett House le week-end dernier le donne à penser. D'ailleurs, M. Timwick vient de prendre des mesures pour renforcer la sécurité de la Maison-Blanche.

— Et John Logan serait l'instigateur de cette conspiration ?

— Nous espérons sincèrement que non. Bien qu'ils soient des adversaires sur un plan strictement politique, le Président a toujours eu le plus grand respect pour M. Logan, et il attend que ce dernier se manifeste et dissipe tout soupçon à son encontre. En attendant, nous devons considérer M. Logan comme une menace à la fois pour la personne du Président et pour le pays. Jamal faisait l'objet d'un mandat d'arrêt international, et le Service secret est persuadé que la visite du Président et de sa femme à Barrett House aurait eu une terrible issue.

— Le corps retrouvé aurait été entièrement carbonisé. Comment avez-vous établi l'empreinte génétique d'Abdul Jamal ?

— Les analyses ordonnées par M. Timwick ont prouvé qu'il s'agissait bien de Jamal. Interpol nous a communiqué son dossier médical, et une comparaison a été possible avec l'empreinte génétique réalisée à Bethesda.

— Vous soupçonniez donc la présence de Jamal à Barrett House ?

— Les déplacements du Président font toujours l'objet d'une surveillance particulière. M. Logan n'a jamais caché son opposition fanatique à un second mandat de Ben Chadbourne, et le Service secret savait qu'il avait rencontré Abdul Jamal lors de son dernier voyage au Japon. À partir de là, on ne pouvait écarter l'hypothèse que Jamal ait pu se trouver à Barrett House. » Il leva la main. « Plus de questions, s'il vous plaît. Le Président m'a prié de vous assurer que la menace dont il fait l'objet ne l'empêchera pas d'assister aux funérailles de son grand ami et de remplir tous les devoirs de sa charge. » Sur ces paroles, Jim Douglas quitta la salle de conférences.

Quelques images du Président apparurent, des images prises peu de temps auparavant au Rose Garden ; il souriait à sa femme, qui lui rendait son sourire avec dans le regard un mélange d'affection et de vigilance.

Eve éteignit le poste et se tourna vers Kessler. « La chasse à Logan est ouverte.

— Oui, ils en font l'ennemi public numéro un, et tu arrives en seconde position. »

Elle croisa les bras sur sa poitrine pour s'empêcher de trembler. « Me voilà complice d'une machination terroriste !

— Oui, tu as été rétrogradée. Logan aurait tué Abdul Jamal au cours d'une querelle sur les modalités de l'assassinat du Président.

— Et il aurait incendié la maison pour dissimuler son crime ?

— Oui.

— N'importe quoi ! Logan est un homme d'affaires respecté. Personne ne croira qu'il puisse s'acoquiner avec des terroristes anti-américains.

— Je ne suis pas de ton avis. Le téléspectateur moyen a tendance à prendre pour argent comptant ce que lui raconte le pouvoir, et surtout il n'a guère de sympathie pour les magnats de la finance. Enfin, tu sais bien que la meilleure façon de faire passer un gros mensonge, c'est de l'assaisonner de quelques vérités. Tu as remarqué, Douglas a évoqué l'opposition "fanatique" de Logan et ses visites à l'étranger. Ils ont joué deux cartes maîtresses : la preuve irréfutable de l'empreinte génétique et la menace terroriste, toujours présente chez l'Américain moyen. Je vois là un sans-faute. »

Un sans-faute qui risquait fort d'empêcher Logan de refaire surface, sous peine d'être abattu à vue. « Elle a tout manigancé, murmura Eve. Voilà pourquoi, lors de la découverte du corps carbonisé, Detwil a fait l'éloge de Logan, en compagnie duquel il devait passer ce week-end. Et nous qui pensions que Lisa avait chargé Maren de truquer les résultats de l'expertise d'ADN pour prouver que le corps était bien celui de Logan !

— Oui, dit Kessler, établir qu'il s'agit de Jamal rend votre situation beaucoup plus difficile. »

Difficile était un euphémisme. « Logan va être la cible de tous les flics du pays. »

Mais peut-être était-il déjà mort. Non, si c'était le cas, la nouvelle se serait répandue. Elle se souvint soudain des dernières paroles de Jim Douglas. « Au fait, de quelles funérailles parlait le porte-parole ?

— De celles de Scott Maren. Il a trouvé la mort la nuit dernière dans un accident de la circulation. L'enterrement aura lieu dans deux jours. »

La nouvelle lui coupa le souffle. « Qu... quoi ?

— Oui, un camion lui est rentré dedans.

— Mais où ? Près de l'endroit où Gil lui avait donné rendez-vous ?

— Non, à quelques centaines de mètres de l'hôpital. Les freins auraient lâché, paraît-il.

— Ils l'ont tué.
— C'est possible, mais pour les autorités, c'est un accident, jusqu'à preuve du contraire. L'homme était respecté et apprécié de tous, il n'avait pas d'ennemis, et...
— Un assassinat de plus. » Ce ne pouvait être un hasard. Lisa s'était débarrassée de Maren parce qu'il représentait un danger. Cela signifiait donc que Maren l'avait informée de la proposition de Gil Price. « Il n'y a plus de doute, maintenant : Gil est tombé dans un piège.
— Pas si vite, Duncan, on n'en sait rien encore. En attendant, ne t'approche pas du labo. Tu vas rester ici, avec le vigile de Madden Security.
— Non, je viens avec toi.
— Pour quoi faire ? Me protéger ? » Il secoua la tête. « C'est à dix minutes en voiture. Je te passerai un coup de fil dès que j'arriverai là-bas.
— Non, laisse-moi t'accompagner.
— Et Logan ? Des nouvelles de lui ?
— Non. »
Il effleura du bout des doigts les cernes bleus sous les yeux d'Eve. « Je vois bien que tu es inquiète. Alors, attends-le, ici. Il est en danger et il aura besoin de toi.
— Mais que puis-je pour lui ? Je ne sais même pas où il est.
— C'est un malin. Il reviendra. » Il se tourna pour partir. « Il faut que j'aille au labo, maintenant. Chris m'a promis les résultats dans la soirée au plus tard, mais il travaillera plus vite si je suis là pour l'aiguillonner subtilement. »
Elle essaya de sourire. « Subtilement, mon œil !
— Peu importe, l'essentiel est d'obtenir ce qu'on veut. » Il s'arrêta sur le pas de la porte. « Reste ici. De toute façon, tu n'as pas de voiture.
— Je me sentirais mieux si j'allais avec toi.
— Désolé, mais c'est non. On se verra à dîner. Rendez-vous dans ma chambre à huit heures. J'ai vu un prospectus du *Bubba Blue's Barbecue*. Tu parles d'une enseigne ! J'imagine un parquet disparaissant sous une couche de sciure, un crotale dans une cage en verre et une goualeuse de country. Je frissonne rien que de penser au risque qu'on court en mangeant dans ce genre de gargote. »
Il referma la porte derrière lui.
Elle aussi frissonnait, mais pour une autre raison. Elle revoyait le visage souriant que Lisa Chadbourne tournait vers Detwil. La loyale épouse protégeant son mari durant l'épreuve.

Mais c'était Logan qui avait besoin de protection. Logan et Gil en cavale. Où diable pouvaient-ils bien être ?

« Mon Dieu, qu'est-ce qui va leur arriver ? murmura Sandra, le regard fixé sur l'écran de télévision.

— Rien, répondit Margaret. Ils n'ont pas encore été arrêtés, et ils ne le seront pas. John est trop intelligent pour se laisser prendre. Allons, éteignons ce poste, c'est démoralisant, ajouta-t-elle, joignant le geste à la parole.

— Pourquoi ne m'a-t-elle pas appelée ?

— Vous l'avez eue hier au téléphone.

— Mais elle doit savoir que nous avons vu les infos. Qu'est-ce qu'on va faire ?

— Rester ici et attendre que John ait redressé la situation.

— On ne peut tout de même pas demeurer les bras croisés.

— Que faire d'autre ?

— J'ai un ami qui travaille au bureau du procureur.

— Non ! dit Margaret avec force. Il ne nous aiderait pas et ne ferait qu'attirer l'attention sur nous.

— Ron serait prudent.

— Non, Sandra. »

Elle regarda Margaret. « Je sais que vous me trouvez un peu légère, mais j'ai roulé ma bosse plus souvent qu'à mon tour. Laissez-moi une chance de tenter quelque chose.

— Vous n'êtes pas légère. Vous êtes intelligente, généreuse et parfaitement capable de prendre des initiatives. Mais la seule chance de nous en sortir, vous et moi, c'est de rester cachées ici. Alors, un peu de patience, d'accord ? »

Sandra secoua la tête d'un air dépité.

« Allez, n'y pensez plus, reprit Margaret. Une partie de black-jack ?

— Encore ? Vous gagnez toujours. À croire que vous passez tous vos week-ends à Las Vegas.

— Vous ne croyez pas si bien dire... J'ai un frère qui est croupier là-bas.

— Je m'en doutais.

— D'accord, pas de black-jack. En contrepartie, vous avez le droit de nous préparer un de ces plats délicieux dont vous avez le secret. D'ailleurs, je grossis de jour en jour avec vous.

— Je suis une mauvaise cuisinière, et vous le savez.

— Disons que le ragoût d'hier soir était moins raté que le chili qui le précédait. Il y a donc un progrès.

— D'accord, je préparerai un rôti de bœuf, dit Sandra, résignée. Mais vous ferez la salade et la... vaisselle.

— Pas de problème, j'ai l'habitude qu'on me prenne pour un tâcheron. »

C'était la troisième fois qu'il avait de la chance.

Fiske observait les deux femmes s'affairant dans la cuisine. L'odeur de viande rôtie venant flatter ses narines lui rappela qu'il n'avait pas pris de petit déjeuner. Les effluves avaient attiré Pilton, qui avait quitté son poste de surveillance sous le porche pour venir bavarder avec les deux femmes.

Fiske recula lentement parmi les buissons et fila à travers le sous-bois pour récupérer sa voiture, garée dans l'allée d'un cottage inoccupé. À présent qu'il avait repéré Sandra Duncan, il pourrait rassurer Timwick. Ensuite, il prendrait contact avec Lisa Chadbourne et lui ferait part de ses progrès. Il avait entendu les dernières nouvelles à la radio, et la Première Dame devait maintenant avoir d'autres soucis que la mère d'Eve Duncan.

Dommage pour Scott Maren, dont le nom était sur la liste remise par Timwick. Il se sentait frustré que la besogne ait été confiée à un autre.

Ouvrant la boîte à gants, il en sortit la feuille et barra le nom de Scott Maren, histoire de tenir sa comptabilité en ordre. Un autre patronyme devait y être ajouté ; il écrivit donc soigneusement celui de Joe Quinn. L'assistant de Kessler, Bob Spencer, lui avait été d'une grande aide la nuit précédente.

Timwick lui avait faxé les photos de Quinn et de Kessler, qu'il examina quelques instants. Kessler était âgé et ne poserait guère de problèmes, mais Quinn était jeune, athlétique et flic de surcroît. Certainement un adversaire intéressant. Il jeta un coup d'œil à la carte routière étalée sur le siège du passager. Bob Spencer ne savait pas où était parti Kessler, mais il connaissait bien ses méthodes de travail, ses amis, les laboratoires auxquels il s'adressait parfois, notamment celui d'un certain Chris Teller, à Bainbridge. Question cibles, Lisa Chadbourne n'aurait que l'embarras du choix.

« Alors, que penses-tu de ma déclaration ? demanda Kevin. Elle était juste ? Est-ce que je n'aurais pas dû dire à Douglas de prendre un ton plus grave ?

— Non, le ton était juste, assura Lisa avec patience. Tu as paru peiné de ce qui était arrivé et tu as présenté Logan comme un individu asscz dangereux pour justifier sa traque.

— C'est de l'autodéfense. Ça devrait marcher.

— Ça marchera. » Elle lui tendit un texte qu'elle venait de faire imprimer. « Apprends-le par cœur. Il faudra que ça paraisse sincère et spontané.

— C'est quoi ?

— L'éloge funèbre de Scott Maren. »

Il parcourut la feuille. « Touchant.

— Oui, quelques larmes ne seront pas de trop. Il était l'un des meilleurs amis de Ben.

— Et le tien, n'est-ce pas ? »

Elle se raidit. Elle n'aimait pas le ton de sa question et se reprochait d'avoir peut-être trop compté sur la passivité de Kevin. « Oui, il était mon ami, il a fait beaucoup pour moi... et pour toi.

— Oui. » Il feignit de reporter son attention sur le texte. « C'est bizarre, tout de même... cet accident.

— Il n'a jamais voulu se séparer de cette Corvette, alors que tout le monde lui conseillait de choisir une voiture plus grosse, plus solide.

— Ce que je voulais dire, c'est que sa mort tombe à pic.

— Qu'entends-tu par là ? » Elle lui arracha la feuille des mains. « Regarde-moi ! »

Il rougit. « Je suis un peu troublé. Tout va si vite. D'abord, il y a cette histoire avec Logan, et voilà Scott qui...

— Me soupçonnerais-tu d'être responsable de sa mort ? Il était notre ami, il n'avait jamais cessé de nous soutenir.

— Je n'ai pas dit ça.

— Mais tu le laisses entendre.

— Non, je... » Il la regarda d'un air navré. « Ne pleure pas. Je ne t'ai jamais vue pleurer.

— Tu ne m'as jamais accusée de... Crois-tu que je sois un monstre ? Tu sais pourquoi Ben est mort. Penses-tu que je recommencerais une chose pareille ?

— Et Logan ?

— Logan est une menace. Si on le laisse faire... »

Il lui toucha l'épaule. « Oublie, je ne voulais pas...

— Je ne peux pas oublier. » Elle s'écarta et lui rendit le texte. « Va dans ton bureau et, pendant que tu apprendras ça par cœur, réfléchis : celle qui a écrit ces mots aurait-elle pu décider la mort de Scott ?

— Mais je sais bien que tu... Je me demandais seulement pourquoi c'était arrivé. »

Elle lui tourna le dos et gagna la fenêtre, sentant son regard sur elle ; puis elle l'entendit s'éloigner et refermer la porte. Ouf ! elle n'aurait pas supporté la présence de Kevin une minute de plus. Quelle nuit horrible ! Ce salaud de Timwick !

Elle pleurait encore en l'appelant un peu plus tard. « Pourquoi ? interrogea-t-elle d'une voix rauque. Pourquoi avez-vous fait ça ?

— Maren était une menace. Il l'a toujours été. Dès que nous avons eu connaissance des investigations de Logan, je vous ai avertie qu'il devait être éliminé.

— Et je vous ai dit de n'en rien faire. Scott n'a jamais été une menace. Il nous a aidés et aurait continué.

— C'était l'un de nos points faibles. Nous devions l'effacer. »

Elle ferma les yeux. « Jamais il ne m'aurait trahie.

— Vous n'êtes pas seule dans cette affaire. » La voix de Timwick trahissait sa peur. « Je ne pouvais pas prendre le risque d'ignorer Maren. À propos, ajouta-t-il, changeant de sujet, la conférence de presse s'est très bien passée. Ça nous a donné la puissance de feu dont nous avions besoin. Nous avons retrouvé le canot automobile, mais pas de trace de Price ni de Logan. Je vous tiendrai au courant. » Il raccrocha.

Pour lui, la mort de Scott n'avait aucune importance. Ce n'était rien qu'un cadavre de plus. Combien d'autres suivraient ? Lisa se laissa choir sur une chaise.

Oh ! Scott, pardonne-moi ! Nous sommes embarqués dans une machine infernale, et je ne vois plus comment l'arrêter. Le scénario dont elle était elle-même l'auteur donnerait à Timwick la possibilité de tuer Logan. Fiske, de son côté, exécuterait tous ceux qui étaient sur sa liste. Les morts allaient se succéder. Cette pensée lui était insupportable. Mais que pouvait-elle faire ? Conclure un marché ? Non, Logan était un entêté et il n'abandonnerait jamais, même si tout était contre lui. Duncan savait où était le crâne, et elle n'avait pas cet ego viril qui empêche de réfléchir utilement. Intelligente, elle devait reconnaître que l'éventail des choix se resserrait dramatiquement.

Lisa Chadbourne se redressa, s'essuya les yeux et alluma son ordinateur.

Eve Duncan.

19

La sonnerie aigrelette du portable la fit tressaillir. Logan ? Eve prit l'appareil posé sur la table de nuit à côté d'elle. « Allô ?

— Bonjour, Eve. J'espère que vous ne m'en voudrez pas de vous appeler par votre prénom. Vous pouvez m'imiter. Je crois que les événements ont créé une certaine intimité entre nous. »

Eve était trop choquée pour articuler un son.

« Vous savez qui je suis ? reprit son interlocutrice.

— Lisa Chadbourne.

— Vous avez reconnu ma voix. Bravo.

— Comment avez-vous eu mon numéro ?

— Je l'ai depuis qu'on m'a transmis le premier dossier dont vous avez fait l'objet. Mais je n'ai pas pu vous appeler jusqu'ici.

— Vous étiez trop occupée à me traquer ?

— Je n'y aurais pas songé si vous ne vous étiez mise en travers de mon chemin. Vous n'auriez jamais dû accepter l'offre de Logan. Et vous n'auriez jamais dû permettre à Logan d'essayer de retourner Scott Maren contre moi.

— Personne ne dit à Logan ce qu'il doit faire ou pas.

— Vous auriez dû au moins essayer. Vous êtes intelligente, forte. Cela aurait exigé de vous un petit effort, et peut-être que tout cela aurait pu être... » Elle se tut pour raffermir sa voix, soudain vacillante. « Je ne vous demande pas de compatir, mais j'ai eu une très mauvaise journée. »

Eve se remettait peu à peu de sa stupeur, et elle mesurait pleinement toute l'étrangeté de cette conversation. « Je ne comprends pas plus que je ne compatis, répondit-elle sèchement.

— Oh ! ce n'est pas à votre compassion que je fais appel, mais à votre discernement ! J'ai réfléchi de mon côté, et j'ai l'impression d'être embarquée dans un grand huit. On ne peut descendre que le tour terminé. J'ai dû batailler pour arriver là où je suis, et je ne lâcherai rien de ce que j'ai obtenu.

— Avec le meurtre pour seule voie. »

Il y eut un bref silence. « Eve, laissez-moi trouver le moyen de mettre un terme à ce carnage.

— Pourquoi m'appelez-vous ?

— Est-ce que Logan est avec vous ? »

La question suscita en Eve un immense soulagement. Si Lisa ne savait pas où était Logan, alors cela signifiait que Gil et lui étaient toujours en vie. « Non, il n'est pas là.

— Parfait. Il ne nous gênera pas, donc. C'est un homme brillant, mais fort peu raisonnable. Vous n'êtes pas comme lui, vous savez voir les avantages d'un compromis... D'ailleurs, vous l'avez prouvé en persuadant par deux fois le gouverneur de surseoir à l'exécution de Fraser. »

La main d'Eve serra instinctivement le téléphone. Elle ne s'était pas attendue à ce coup bas.

« Eve ?

— Je vous écoute.

— Vous désiriez la mort de Fraser, mais vous vouliez autre chose. Et, pour cela, vous n'avez pas hésité à négocier.

— Je ne veux pas parler de Fraser.

— Je comprends très bien que vous cherchiez à l'oublier. Si je l'ai évoqué, c'est pour vous prier de faire preuve de raison.

— Que voulez-vous de moi ?

— Le crâne et toutes les autres preuves que Logan et vous avez pu recueillir.

— En échange de quoi ?

— Le même marché que Logan a soumis à Maren. Vous disparaissez à l'étranger sous une nouvelle identité, avec assez d'argent pour le reste de vos jours.

— Et Logan ?

— Je suis désolée, mais il est trop tard pour lui. Nous avons dû intervenir publiquement pour qu'il soit neutralisé. Vous pouvez vous en aller dans les conditions que je viens de vous avancer, mais les chiens sont déjà lâchés sur Logan, et personne ne peut les rappeler.

— Ma mère ?

— Vous l'emmenez avec vous. Alors, qu'en pensez-vous ?

— C'est non.

— Pourquoi ? Y a-t-il autre chose que vous désireriez ?

— Oui, je veux qu'on me rende ma vie. Pas question de passer le restant de mes jours à me cacher comme une criminelle. C'est une option que je ne veux même pas considérer.

— Je ne peux pas vous offrir plus. Vous ne pouvez plus rester dans ce pays, ce serait trop dangereux pour moi. » Pour la première fois, Eve percevait dans la voix de Lisa Chadbourne de la dureté, mais aussi de la peur. « Livrez-moi ce crâne, Eve.

— Non.

— Je le retrouverai, de toute façon. Ce serait tellement plus simple si vous me le donniez.

— Même si vous le retrouvez, vous aurez toujours peur que la vérité n'éclate publiquement là où vous ne l'attendrez pas. C'est la seule raison qui vous a poussée à me proposer ce marché.

— Pas du tout. » Sa voix n'exprimait plus ni dureté ni peur, mais de la lassitude et de la tristesse.

« Donc, vous refusez ?

— Je vous l'ai déjà dit.

— Serait-ce donc si terrible que je reste à la Maison-Blanche pour un second mandat ? Pensez à ce que j'ai réussi à faire, à travers Kevin. Cette nouvelle loi de protection sociale. Le renforcement des peines à l'encontre de ceux qui maltraitent les enfants et les animaux. Il y a de fortes chances que la loi sur la santé publique soit votée avant la prochaine élection. Savez-vous que c'est un véritable miracle d'avoir réalisé tout cela alors que nous n'avons pas la majorité au Congrès ? » Le ton de sa voix était désespéré. « Et ce n'est qu'un début. J'ai de grands projets. Laissez-moi travailler pour le pays, Eve.

— Pardonnez-moi, je ne considère pas l'assassinat comme un moyen de gouverner et de légiférer.

— Je vous en prie, réfléchissez.

— C'est tout réfléchi. »

Un silence. « Je suis désolée. Je voulais... je voulais seulement que cessent ces tueries. Vous avez mal estimé votre position, Eve, elle n'est pas aussi forte que vous le pensez, et il y a toujours deux faces à une médaille. J'espère avoir l'occasion de vous redonner une chance, mais j'en doute. Je dois poursuivre ma route. Vous vous souviendrez que je vous ai offert le choix. » Sur ce, elle raccrocha.

Eve avait cru saisir la personnalité complexe de cette femme, alors qu'en vérité elle l'avait seulement effleurée. Elle l'avait d'abord prise pour un monstre froid, semblable à Fraser, pourtant, cette femme au bout du fil lui avait paru sensible et humaine, bien que peu vulnérable et d'une détermination inébranlable.

La main d'Eve tremblait en éteignant le portable. De peur. Elle avait cru posséder un léger avantage et s'était trompée. En outre, son propre passé et sa personnalité ne semblaient pas avoir de secret pour celle qui était son ennemie.

Deux faces à une médaille. La corruption dans une main, la mort dans l'autre. Ce ne pouvait être plus clair. Elle avait refusé l'offre de Lisa et, maintenant, elle devait en affronter les conséquences.

Elle tremblait comme si Lisa avait été dans la chambre et que...

On frappa à la porte.

Ne répondez à personne, lui avait recommandé Logan. *Deux faces à une médaille.* Bon sang ! Lisa Chadbourne n'était pas un être surnaturel, transporté par magie jusqu'à ce motel ! Elle se leva et gagna la porte. De toute façon, les assassins ne frappaient pas avant d'entrer.

« Qui est-ce ?

— Logan. »

Elle jeta un rapide coup d'œil dans le judas. Dieu merci, c'était bien lui. Elle défit la chaîne de sûreté, tira le verrou. Logan entra. « Prenez vos affaires, il faut partir, déclara-t-il sans préambule.

— Où étiez-vous ? »

Il ouvrit la penderie, sortit le sac de voyage d'Eve, son manteau et les jeta sur le lit. « J'ai loué une voiture à Washington et j'ai roulé sans m'arrêter jusqu'ici.

— Pourquoi ne pas m'avoir appelée ? »

Pas de réponse.

« Je vous ai posé une question.

— Et moi, je vous ai demandé de prendre vos affaires. Vous ne pouvez pas rester dans cet endroit.

— L'expertise d'ADN n'est pas terminée. Le labo a fourni l'empreinte, mais Joe n'est pas encore revenu avec les échantillons pour la comparaison, et Gary dit...

— Je me fous de ce que Gary peut dire ! rétorqua-t-il rudement. Il faut s'arracher d'ici...

— Ça va être difficile. Vous avez appris au sujet d'Abdul Jamal ?

— Oui, à la radio. »

Elle le regarda ouvrir le tiroir de la commode pour en sortir des sous-vêtements et les fourrer dans le sac. Son costume était chiffonné et taché de boue, et il avait une égratignure au front. « Je ne partirai pas tant que vous ne m'aurez pas parlé.

— Alors, je vous jetterai dans la voiture en même temps que votre valise.

— Arrêtez de malmener mes vêtements comme ça ! »

Il se retourna brusquement et le regard qu'il posa sur elle la fit frissonner. « Que s'est-il passé, Logan ? chuchota-t-elle.

— Gil est mort, répondit-il en se remettant à vider les tiroirs de la commode avec des gestes d'automate. Il a pris une balle en plein cœur. Je ne sais même pas s'ils cherchaient vraiment à nous abattre. Leur tir arrosait l'eau autour de nous. Mais Gil est mort. Je l'ai laissé dans un garage à bateau, près de la rivière. Ça ne doit pas vous plaire, j'en suis sûr, qu'il ne puisse pas reposer quelque part dans une chapelle ardente. Mais j'ai dû me sauver.

— Gil ? balbutia-t-elle.

— Il était né près de Mobile. Je crois qu'il a un frère. Peut-être que plus tard nous pourrons...

— Taisez-vous. » Elle le prit par le bras. « Taisez-vous.

— Il plaisantait, juste avant... Il disait qu'il ne risquait rien parce qu'il avait déjà été blessé par balle ce mois-ci. Il se trompait. Il n'a pas vu venir la mort. Il n'a...

— C'est... c'est horrible ! » Sans réfléchir, elle se rapprocha et l'enlaça. Son corps était dur et tendu. « Je sais qu'il était votre ami.

— S'il l'avait été, est-ce que je lui aurais laissé courir ces risques ?

— Vous avez essayé de l'empêcher d'aller à ce rendez-vous avec Maren. Nous avons essayé tous les deux. Il n'a pas voulu nous écouter.

— Il n'y serait pas allé si je le lui avais interdit. Mais je pensais de mon côté qu'il avait peut-être raison au sujet de Maren. J'aurais mieux fait de l'assommer et d'y aller à sa place. Jamais je n'aurais dû le laisser... »

Bon Dieu ! il avait mal, et elle ne pouvait rien pour lui ! « Ce n'est pas votre faute, Logan, si Gil est mort. Il avait pris ses responsabilités. Vous ne pouviez pas savoir...

— Foutaises ! » Il la repoussa doucement mais fermement. « Allez, bouclez votre sac. Je vous emmène.

— Où ?

— Loin d'ici. Très loin, sur un bateau pour Djibouti.

— Non. » Elle croisa les bras sur sa poitrine. « Pas maintenant. Vous êtes trop bouleversé pour réfléchir. Il faut qu'on parle, Logan, qu'on établisse un plan.

— Il n'y a plus rien à dire, plus rien à...

— Stop ! » Elle se surprit elle-même de sa violence. « Sortons de cette chambre. Ça fait des heures que j'y suis enfermée, j'ai besoin d'air. Allons faire un tour en voiture.

— Je n'irai nulle part.

— Si. » Elle prit la mallette contenant le crâne et ouvrit la porte. « C'est laquelle, votre voiture ?

— La Ford Taurus marron. »

Elle partit en direction du véhicule, et il la rejoignit en quelques enjambées. Tout en lui ouvrant la portière, il grimaça un sourire, le doigt pointé vers la mallette. « Partout où Eve va, le crâne suit, murmura-t-il, en posant la petite valise sur le siège arrière. Mais ne vous ai-je pas recommandé de ne jamais vous en séparer ? Même si cela faisait de vous leur cible prioritaire.

— Croyez-vous que je vous obéirais si je n'étais pas persuadée de la justesse de votre demande ? dit-elle, alors qu'il se glissait derrière le volant.

— Où allons-nous ?

— Peu importe, à condition que ce ne soit pas l'embarcadère pour Djibouti.

— Pourtant, j'ai toujours l'intention de vous y envoyer. Là-bas ou ailleurs, pourvu que ce soit de l'autre côté de la Terre.

— Vous ne pouvez pas conduire sans parler ? »

Il se tut pendant la demi-heure suivante. « Pouvons-nous faire demi-tour maintenant ? interrogea-t-il enfin.

— Non. » Elle le savait trop bouleversé par la mort de Gil pour lui faire entendre raison. Elle aurait aimé lui parler de la proposition de Lisa Chadbourne, mais cela aurait sans aucun doute renforcé Logan dans son intention de tout abandonner.

Lisa contemplait le téléphone. Elle savait qu'elle devait passer ce coup de fil. Elle avait déjà trop attendu. Eve Duncan avait refusé son offre. Elle devait se résigner et poursuivre, achever sa mission. Elle décrocha.

Ils roulaient depuis une heure, et le soleil commençait à décliner quand Logan s'arrêta sur une aire de repos. « Je n'irai pas plus loin, déclara-t-il.

— Alors, vous êtes prêt à m'écouter, à présent ?

— Je vous écoute. »

Mais voudrait-il l'entendre ? Peut-être cela l'effrayait-il ?

« Vous vous souvenez de ce que vous m'avez dit ? Qu'il fallait toujours faire tout son possible et ne jamais se décourager ? Dois-je en déduire que vous ne le pensiez pas ?

— Je ne pratique pas toujours ce que je prêche.

— Vous n'êtes pas responsable de la mort de Gil. Il était adulte et prenait ses responsabilités. Par ailleurs, vous avez essayé de le dissuader.

— Nous avons déjà parlé de ça.

— Et vous n'êtes pas responsable de moi. Moi seule décide de ce que je dois faire ou pas. Alors, arrêtez de vouloir m'envoyer au diable vauvert.

— À Djibouti.

— C'est ça. Vous savez très bien que je n'abandonnerai pas. Je suis allée trop loin pour reculer. Vous comprenez ?

— Je comprends, répondit-il sans la regarder.

— Alors, si vous comprenez, nous pouvons regagner le motel. »

Il redémarra. « Ça ne change rien, grogna-t-il. Je trouverai le moyen de vous mettre sur ce bateau. »

Elle secoua la tête. « Impossible, j'ai le mal de mer. Quand nous sommes revenus par le ferry de l'île Cumberland, j'ai été malade à mourir. J'avais déjà le cœur brisé, et en plus il me fallait souffrir dans mon corps. Rien n'était plus injuste.

— Mais Joe Quinn était là pour s'occuper de vous.

— Oui, Joe a toujours été là dans les moments difficiles.

— Des nouvelles de lui ?

— Pas depuis hier soir. Il a trouvé une enveloppe qui a certainement été cachetée par Ben Chadbourne, mais il n'avait rien encore de Millicent Babcock. Il s'apprêtait à les suivre, elle et son mari, à leur club, où il espérait subtiliser un verre.

— Votre noble policier allait commettre un vol ? »

Parler commençait à faire son effet. Elle le sentait moins tendu, et il retrouvait son ironie.

« Vous avez lu *Les Misérables* ? s'informa-t-il.

— Oui, et j'imagine très bien Joe volant du pain pour le donner à un enfant affamé.

— Votre héros.

— Mon ami.

— Excusez-moi, je n'ai pas le droit de critiquer Quinn, moi qui n'ai pas su protéger mes amis.

— Arrêtez de vous accuser ainsi. De toute façon, vous n'êtes pas en état de réfléchir. Depuis quand n'avez-vous pas dormi ? »

Il haussa les épaules.

« Vous vous sentirez mieux après une nuit de sommeil.

— Vous croyez ?

— Non, mais au moins vous aurez les idées plus claires. »

Il eut un pauvre sourire. « J'apprécie votre sincérité.

— Allons, vous vous moqueriez de moi si j'essayais de vous payer de bonnes paroles. Je n'ai pas oublié que vous avez déjà souffert, et vous savez comme moi qu'il n'y a pas d'autre remède que le temps.

— Oui, je sais, mais je ne me moquerais pas de vous. » Il posa sa main droite sur celle d'Eve. « Et je dois vous remercier.

— Me remercier ? De quoi ? De m'épargner l'exil à Djibouti ?

— Non, Djibouti fait toujours partie du programme. » Il lui serra la main avant de la lâcher lentement. « Je commence à envier Quinn.

— Pourquoi ?

— Oh ! pour un tas de raisons ! Mais je pense aussi qu'il est beaucoup plus enviable pour un homme d'être un protecteur, plutôt que d'être celui qu'on protège. Pleurer sur votre épaule comme moi tout à l'heure n'est pas vraiment un signe de force.

— Vous n'avez pas pleuré sur mon épaule. Vous avez crié, fichu la pagaille dans mes affaires. Bref, vous vous êtes montré désagréable, comme vous savez l'être.

— Désolé. J'ai un peu déjanté, ça ne se reproduira plus. »

Elle l'espérait. Sa réaction à la douleur de Logan avait été presque maternelle. Elle l'avait pris dans ses bras et l'avait bercé comme un enfant. Avec l'envie de le réconforter, de panser sa blessure. Et c'était la vulnérabilité de Logan qui avait abattu cette barrière entre eux et rendu possible le geste d'Eve.

« Vous n'aurez qu'à ranger mes vêtements comme vous les avez trouvés, et tout vous sera pardonné », dit-elle.

Elle regarda par la vitre. Bien que sentant le regard de Logan sur elle, elle ne tourna pas la tête. Le soleil se couchait, incendiant la route de ses derniers feux. Ils roulèrent en silence jusqu'au motel. « Il faut que je voie Kessler, annonça Logan. Savez-vous quand il reviendra du labo ? »

Elle jeta un coup d'œil à sa montre. Sept heures et demie. « Il est peut-être là. Je devais le rejoindre à huit heures dans sa chambre, pour dîner. On pensait faire livrer un repas de chez *Bubba Blue's Barbecue*. Gary imaginait un plancher recouvert de sciure, une cage en verre avec un serpent à sonnette et une chanteuse de country... Oh ! merde ! » Ses yeux s'emplirent de larmes. Elle avait été tellement soucieuse de soutenir Logan que la mort de Gil la frappait seulement maintenant. Pourrait-elle jamais écouter une chanson de country sans se souvenir de Gil Price ?

Logan aussi avait les yeux brillants. « Je lui ai dit qu'il aimerait Bainbridge. Que les radios ne diffusaient rien d'autre que... » Il ouvrit brusquement la portière et sortit de la voiture. « Je vais dans ma chambre prendre une douche et me changer. » Il saisit la mallette sur le siège arrière. « Ben reste avec moi. Chez Kessler dans vingt minutes ? »

Elle lui répondit d'un hochement de tête et gagna sa propre

chambre. Le charmant, le pétillant Gil Price était mort. Qui serait le suivant ?

Deux faces à une médaille.

Poussant la porte, elle vit sans plaisir son linge jonchant le lit. Elle rangerait tout ça plus tard. Plus que jamais consciente de la terrible menace qui planait sur eux, elle avait à présent très peur. Elle avait besoin de parler à sa mère et sortit son portable.

La sonnerie résonnait inlassablement, personne ne répondait. Elle répéta l'appel, laissa sonner. Longtemps. *Votre position n'est pas aussi solide que vous le pensez.* Elle composa d'une main tremblante le numéro de la chambre de Logan.

« Je n'arrive pas à joindre ma mère. Elle ne répond pas au téléphone.

— Ne vous affolez pas. Il se peut...

— Ne me dites pas de ne pas m'affoler, elle ne répond pas !

— J'essaie de contacter Pilton et je vous rappelle tout de suite. »

Non, pensa Eve, tout est O.K. Fiske ne savait pas où se trouvait Sandra. La sonnerie la fit violemment tressaillir.

« Elle va bien, la rassura Logan. Je lui ai parlé. Elle et Margaret s'apprêtaient à dîner. La batterie de son portable est déchargée. »

Eve poussa un soupir de soulagement. « Elle va bien, dites-vous ?

— Elle s'inquiète beaucoup pour vous. Elle aimerait me tordre le cou ; à part ça, elle s'ennuie. »

Eve resta silencieuse un instant. « Ce bateau pour Djibouti...

— Oui ?

— Je veux que ma mère le prenne.

— Je vais m'en occuper. Vous irez avec elle ? »

Quelle question ! Elle brûlait d'envie de répondre oui. « Non, on se voit d'ici un quart d'heure dans la chambre de Kessler. »

« J'ai une photocopie de l'empreinte génétique, déclara Gary en entrant. Où sont les échantillons de comparaison que devait nous apporter Quinn ?

— Il va sans doute bientôt arriver. » Eve regarda Logan, assis dans le coin de la chambre. « Logan t'a dit pour Gil Price ? »

Gary hocha tristement la tête. « Oui, c'est moche.

— Gary, reprit-elle, tu as fait tout ton possible. On a l'empreinte grâce à toi. Alors, tu vas t'en aller, maintenant, hein ?

— Je n'ai pas terminé, je m'en irai quand j'aurai examiné les échantillons.

— Nous n'avons plus besoin de toi. Joe peut très bien aller au labo et...

— Non, Duncan, l'interrompit Kessler d'une voix douce mais ferme. J'ai pour habitude d'achever ce que j'ai commencé.

— C'est stupide. Tu finiras comme Gil Price. » Elle se tourna vers Logan. « Parlez-lui, vous.

— J'ai essayé, soupira Logan, il ne veut rien entendre.

— Gil non plus ne voulait rien entendre. » Elle regarda Gary. « Tu dois m'écouter, Kessler. Elle m'a dit qu'une médaille avait toujours deux faces...

— De quoi parlez-vous ? s'enquit Logan.

— De Lisa Chadbourne. Elle m'a appelée cet après-midi. »

Logan se redressa sur sa chaise. « Quoi ?

— Oui, pour me proposer un marché : ma vie sauve contre le crâne.

— Pourquoi ne m'avez-vous rien raconté ?

— Parce que vous n'étiez pas en état d'écouter, vous auriez fait n'importe quoi.

— Elle vous a menacée ?

— D'une certaine manière.

— Précisez.

— Elle était... triste. Mais qu'est-ce que ça peut faire ? Je veux que Gary et ma mère soient mis en lieu sûr, d'accord ?

— Elle n'a rien dit qui laisserait supposer qu'elle nous soupçonne d'être à Bainbridge ?

— Bien sûr que non. Trop intelligente pour ça. » Elle se tourna vers Gary. « Mais toi, tu dois...

— La seule chose que je dois faire, pour le moment, c'est d'appeler le *Bubba*. Tu préfères des travers ou un steak ?

— Je veux que tu t'en ailles, Gary, je t'en prie !

— Ou peut-être un sandwich au rôti de porc ?

— Gary... »

Il décrocha le téléphone et composa le numéro. « Dis-moi ce que tu veux, sinon je commande des travers. »

Elle le regarda tristement. L'idiot. « Steak.

— À la bonne heure ! »

Joe Quinn arriva une demi-heure après que le livreur du *Bubba* leur eut apporté la commande.

« J'ai tout, affirma-t-il en leur montrant deux sacs isothermes. Combien de temps vous faut-il, Kessler, pour faire la comparaison ?

— Cette nuit même, ce serait possible ? » s'enquit Eve avant qu'il ait le temps de répondre.

Kessler haussa les épaules. « Peut-être. Je vais appeler Chris et le prier de revenir m'aider. » Il s'essuya les mains et saisit le téléphone.

« Allez prendre l'air. Les pourparlers vont s'éterniser : il a travaillé tard la nuit dernière pour moi, et il ne va pas aimer ça du tout. »

Joe ouvrit la porte. « Quand vous serez prêt, Gary, je vous emmènerai au labo. »

Gary acquiesça d'un signe de la main.

« Tu vas bien ? demanda Joe à Eve alors qu'ils sortaient sous la galerie longeant l'enfilade de chambres.

— Gil Price a été tué », répondit-elle.

Joe regarda Logan. « Votre ami ? »

Logan hocha la tête. « J'ai écouté la conférence de presse à la radio. Ça devient vraiment chaud.

— Ouais, on peut le dire, répliqua Logan.

— Quel est votre plan, quand vous aurez l'analyse complète d'ADN ? questionna Joe.

— J'ai quelques amis à Washington qui n'hésiteront pas à monter au créneau en voyant les preuves que je détiens. »

Joe secoua la tête. « Trop risqué.

— Andrew Bennett est avec moi. Il est juge à la Cour suprême.

— C'est mieux qu'un politicien, mais c'est encore dangereux.

— Vous avez une meilleure idée ?

— Les médias.

— Lisa Chadbourne s'y entend drôlement bien pour manipuler la presse.

— Peut-être, mais nommez-moi un journaliste qui ne soit pas prêt à faire exploser un gouvernement si cela doit tripler les tirages.

— Les sièges de tous les journaux sont probablement surveillés, intervint Eve. On ne pourra jamais les approcher.

— Moi, je pourrai, affirma Joe. Je connais quelqu'un qui travaille à l'*Atlanta Journal*. Peter Brown. Il a reçu le Pulitzer il y a cinq ans.

— Pour l'amour du ciel, Joe, tu te ferais arrêter pour complicité avec des criminels !

— Peter saura tenir sa langue.

— Peut-être, dit Logan.

— J'en suis sûr, insista Joe. D'ailleurs, pour ne rien vous cacher, je l'ai déjà appelé et il est intéressé. Je peux même vous assurer qu'il en salive d'avance. Il attend comme nous la confirmation de l'empreinte génétique.

— Espèce de salaud, vous avez fait ça sans nous consulter ! gronda Logan.

— Il fallait bien agir, et je réponds de Peter. »

Eve leva la main en signe d'apaisement. « Attendons d'avoir tous les résultats avant de discuter de la marche à suivre.

— Pour moi, c'est clair, fit Joe. Je veux qu'on en finisse et que tu sortes en vie de cet enfer.

— Oui, moi aussi. Je dirais même... »

Eve se tut en voyant Kessler sortir de la chambre avec un sourire aux lèvres. « Chris a accepté de m'aider. J'ai rendez-vous avec lui au labo dans vingt minutes.

— Allons-y, dit Joe en se dirigeant vers une Chevrolet noire. Combien de temps ça vous prendra, Gary ?

— De six à huit heures.

— Fais ta valise, Eve. » Joe s'installa au volant et démarra. « Je reviendrai quand Gary aura fini, lança-t-il par la vitre baissée. On ira chercher ta mère et je vous trouverai une planque où vous attendrez tranquillement la fin de l'orage. »

Il sortit du parking sans lui laisser le temps de répondre.

« On est au moins tombés d'accord sur un point, constata Logan. Vous mettre en sûreté.

— Passer par les médias n'est pas une mauvaise idée.

— Non, elle est même excellente, et c'est ce que nous allons faire. Mais nous avons aussi besoin de Washington.

— Alors, pourquoi avez-vous critiqué son idée ? »

Il haussa les épaules. « Je crains que ce ne soit devenu une habitude. » Il se détourna. « Je vais boucler mon sac et donner quelques coups de fil à Washington. Pas question que Quinn me passe devant. »

Le laboratoire de Teller était plongé dans l'obscurité, à l'exception d'une lumière provenant du fond du rez-de-chaussée.

Ils faisaient des heures sup, pensa Fiske. Le labo était censé fermer à six heures du soir ; alors, qui pouvait bien y travailler à une heure du matin ? Deux voitures étaient stationnées sur le parking, dont une Chevrolet de location.

Il eut le sentiment d'avoir décroché la timbale. Il déverrouilla le coffre et sortit de la voiture pour prendre son matériel d'écoute.

Quelques minutes plus tard, il était de nouveau derrière le volant, installé confortablement. Il ne lui restait plus qu'à attendre qu'ils sortent.

20

4 h 5 du matin

Eve guettait à la fenêtre quand Joe et Gary s'arrêtèrent sur le parking du motel. « Ils sont là », annonça-t-elle par-dessus son épaule à Logan. Puis, leur ouvrant la porte : « C'est fait ?

— Oui. » Gary lui tendit la mallette. « L'échantillon de Millicent Babcock révèle un lien de sang évident, mais la salive de Chadbourne et le crâne ont strictement la même empreinte, ajouta-t-il avec un grand sourire.

— Je le savais bien, dit Eve. Tu m'aurais traitée de tous les noms, sinon.

— Et à raison. Pour m'avoir fait perdre un temps précieux.

— Un appartement vous attend dans une résidence de luxe à Fort Lauderdale, expliqua Logan. Il a été loué au nom de Ray Wallins. Vous resterez tranquillement là-bas jusqu'à ce qu'on vous annonce la fin de nos soucis. »

Kessler gloussa. « Un appartement de luxe ? Avec femme de chambre ?

— Peut-être, répondit Logan en souriant. Mais ne soyez pas trop exigeant, Kessler.

— Un homme de mon talent mérite tous les égards. »

Logan lui tendit une enveloppe. « Il y a là-dedans assez de cash pour tenir quelques mois.

— Ah ! voilà qui est mieux ! » Kessler glissa l'enveloppe dans la poche intérieure de sa veste. « Je m'en contenterai, jusqu'à ce que je touche une avance sur mon futur best-seller. » Il regarda Eve. « J'aurai

peut-être besoin d'une secrétaire, pour écrire sous ma dictée. Je pourrais t'héberger si tu me le demandais gentiment, Duncan.
— Je tape très mal à la machine.
— J'en déduis que c'est non. Oh ! c'est mieux comme ça, tu te serais débrouillée pour avoir le beau rôle ! »
Joe prit le sac d'Eve et sortit de la chambre. « Il faut s'en aller, Eve. Si nous partons tout de suite, nous pourrons être à Lanier dans la matinée. »
Elle acquiesça d'un signe de tête, sans quitter Gary des yeux. « Je te remercie. Tu as été formidable.
— Exceptionnel, tu veux dire.
— Tu vas filer, maintenant, hein ?
— Le temps de boucler ma valise, et en route pour Fort Lauderdale.
— Alors, dépêche-toi, nous ne partirons pas avant que tu aies déguerpi d'ici.
— Duncan, tu ne vas pas... » Il haussa les épaules. « Quelle tête de mule ! »
Il disparut dans sa chambre et en ressortit trois minutes plus tard. Il chargea ses affaires dans la Volvo et se tourna vers elle. « Satisfaite ?
— Oui. » Elle alla vers lui et le serra dans ses bras. « Merci, lui chuchota-t-elle à l'oreille.
— Tu commences à radoter, Duncan. » Il monta dans sa voiture et mit le moteur en marche.
« Vous êtes prête ? demanda Logan à Eve. Je suppose que vous montez avec Quinn, vu qu'il a déjà balancé votre sac dans sa voiture. Je vous suis, donc. »
Joe s'installa à son tour au volant.
« On y va. Vous avez tout pris, Logan ? s'enquit-il.
— Je n'ai rien oublié, si c'est votre question, répondit-il en se dirigeant vers la Taurus.
— Eve ? » appela Joe.
Elle ouvrit la portière et monta à côté de lui. Ils venaient de franchir le premier obstacle. Les résultats de l'expertise d'ADN étaient dans sa mallette. Gary serait en sécurité à Fort Lauderdale et, dans quelques heures, elle verrait sa mère.

4 h 10 du matin

Fiske ôta de son oreille l'écouteur du capteur de sons et appela Lisa Chadbourne.
« Ils séjournaient au *Roadway Stop* à Bainbridge, expliqua-t-il. J'ai

suivi Kessler et Joe Quinn depuis le laboratoire de Chris Teller. Logan et Duncan sont ici aussi. Mais ils vont s'en aller d'une minute à l'autre. Kessler vient juste de partir. Apparemment, Quinn et Duncan voyagent ensemble.

— Et Logan ?

— Il est en train de monter dans une Taurus marron.

— Est-ce que Duncan a le crâne avec elle ?

— Comment le saurais-je ? Elle ne le porte pas sous le bras. Elle a dû le mettre dans son sac, à moins que Logan ne l'ait dans le sien.

— Ou peut-être l'ont-ils caché quelque part. Quoi qu'il en soit, ne les perdez pas de vue. Il me faut ce crâne.

— Quinn vient de démarrer, Logan le suit.

– Qu'attendez-vous pour leur filer le train ?

— Y a pas le feu. Je sais où ils vont : au lac Lanier, retrouver la mère de Duncan.

— Vous en êtes sûr ?

— C'est ce que Quinn a dit. »

Un silence. « J'en déduis que vous ne risquez pas de les perdre, n'est-ce pas ?

— Non, et je sais aussi où se cache la mère, à Lanier.

— Alors, voici mes instructions. »

Ils avaient déjà parcouru une bonne soixantaine de kilomètres quand le portable sonna.

Eve décrocha. « Oui ?

— Duncan... ne te... »

La voix était faible, presque inaudible.

« Quoi ? Qui est à l'appareil ?

— Duncan... »

Elle tressaillit. « Gary ? C'est toi ? »

Une autre voix prit le relais. « Il voulait seulement vous dire adieu.

— Qui êtes-vous ?

— Fiske. Elle veut le crâne, Eve.

— Où êtes-vous ?

— Dans la chambre de ce brave Dr Kessler, au motel. Je l'ai rattrapé sur la route, et nous sommes revenus ici pour avoir une petite conversation.

— Laissez-moi parler à Gary.

— Désolé, mais il n'en est plus capable. Lisa m'a chargé de vous dire qu'il ne serait pas le dernier. Donnez-lui le crâne, Eve. » Il raccrocha.

« Oh ! mon Dieu ! gémit-elle en se couvrant le visage de ses mains.

— Qu'est-ce qu'il y a ? » s'enquit Joe, alarmé.

Elle avait le ventre noué et du mal à respirer. « Vite, fais demi-tour. Il faut retourner au motel.

— Quoi ?

— C'était Fiske... et Gary. Je sais que c'était lui.

— C'est peut-être un piège.

— Non ! cria-t-elle. Je sais que c'était Gary, je connais sa voix et il n'y a que lui pour m'appeler Duncan.

— Je suis sûr que c'est un piège.

— Je m'en fous. Il faut y retourner. » La voix gémissante de Gary lui vrillait les tympans. « Fais demi-tour, Joe !

— D'accord. Je vais mettre les feux de détresse pour avertir Logan.

— Vite ! » Elle essaya de réfléchir. Elle avait la mallette avec les analyses d'ADN, mais Logan avait le crâne. Si Fiske lui avait tendu un traquenard, il lui fallait prendre ses précautions. « Non, arrête-toi sur le bas-côté. Je vais lui confier le crâne. »

Une minute plus tard, Logan s'immobilisait derrière eux. Joe descendit et lui remit la mallette. « Nous retournons au motel : Kessler a appelé Eve, Fiske était avec lui.

— Montez avec moi, Quinn, dit Logan. Eve, vous nous attendrez ici.

— Non, Logan, refusa Eve, qui était sortie de la voiture. Dépêche-toi, Joe. »

Joe échangea un bref regard avec Logan et reprit sa place au volant.

« Je vous suis, décida Logan.

— Non ! lui cria Eve. Elle veut le crâne. Si je dois marchander avec elle pour sauver Gary, je le ferai. Mais je n'en aurais plus les moyens si Fiske s'en emparait.

— Fiske ne risque pas de me... »

Eve s'engouffra dans la Chevrolet, et Joe fit demi-tour dans un crissement de pneus.

Elle veut le crâne, Eve.

La porte de la chambre de Gary était ouverte, et de la lumière filtrait par l'entrebâillement.

« Reste ici, ordonna Joe en descendant de voiture.

— Non, je viens...

— Ne discute pas, Eve, d'accord ? Ça, c'est mon travail. » Il tira son pistolet du holster. « Ne t'inquiète pas. » Il se pressa contre le mur et donna un coup de pied dans la porte.

Aucun tir de barrage, pas de mouvement, rien qu'un grand silence.

Joe attendit un peu, puis il pivota et, l'arme pointée, s'engouffra dans la chambre. Eve ne put y tenir. Elle courut vers la porte.

Joe lui barra le chemin. « Non, Eve.

— Pour... pourquoi ? Non ! » Elle le repoussa.

Gary gisait dans une mare de sang, un couteau planté dans la gorge. Elle tomba à genoux à côté de lui. « Gary ! »

Joe essaya de la relever. « Allons, viens. Il ne faut pas rester là. »

Elle se dégagea avec violence. « Mais on ne peut pas le laisser comme ça ! » Elle remarqua alors les deux autres couteaux lui clouant les mains au plancher. « Oh ! Joe, regarde ce qu'il lui a fait !

— C'est fini, Eve. Il faut partir. »

Elle sanglotait. « Il lui a fait du mal ! Il voulait que je sache que Gary a souffert. Elle... c'est elle qui a voulu ça !

— Il a cessé de souffrir. »

Elle se balançait d'avant en arrière, laissant s'exprimer cette terrible douleur qui l'envahissait. « C'est tellement... injuste. Il voulait seulement que la vérité soit révélée...

— Eve, regarde-moi. »

Elle leva les yeux vers Joe à travers un brouillard de larmes. Il tendit la main vers elle et lui toucha les cheveux avec une grande douceur. « Je suis désolé », murmura-t-il.

Le poing de Joe la cueillit au menton, la mettant K.-O. sur le coup.

« Elle est blessée ? »

Logan accourait juste au moment où Joe ressortait de la chambre, Eve dans les bras.

« Non, aidez-moi à l'installer dans la voiture. »

Logan ouvrit la portière de la Chevrolet. « Que s'est-il passé ? Fiske ?

— Non, moi. » Il allongea Eve sur la banquette arrière. « Elle ne voulait plus quitter Kessler. »

Logan regarda en direction de la chambre. « Que lui est-il arrivé ?

— Il est mort.

— Fiske l'a tué ?

— Oui, mais ne restons pas là, dit-il en reprenant le volant. Sautez dans votre voiture. Elle vous a demandé de ne pas revenir.

— Fiske n'a jamais eu l'intention de marchander.

— Non, il a voulu secouer Eve, et il a réussi. C'était pas joli, joli. » Il prit des mouchoirs en papier dans la boîte à gants pour essuyer le sang qu'Eve avait sur les mains.

— Putain, mais qu'est-ce que vous lui avez fait ? gronda Logan.

— Je l'ai assommée, répondit Joe en démarrant, rester agenouillée dans le sang de Kessler ne lui valait rien de bon. C'est comme si ce fumier avait été là devant elle avec un autre couteau.

— Un couteau ?

— Oui, je vous répète que c'était moche.

— Elle ne va pas apprécier que vous l'ayez assommée.

— J'ai fait ce que je devais. Vous avez une arme ?

— Oui.

— Mais vous ne l'avez pas dit à Eve. » Joe eut un sourire en coin. « Vous saviez comment elle aurait réagi. Eh bien, gardez votre revolver à portée de main et restez derrière moi. Si jamais vous vous faites kidnapper sur la route, comme ce pauvre Gary, je m'arrêterai peut-être pour vous aider. » Sur ce, il démarra, laissant Logan songeur.

Du sang. Des couteaux. Cloué en croix. Seigneur ! il avait crucifié Gary ! Elle ouvrit la bouche pour crier.

« Réveille-toi. » On la secouait. « Réveille-toi, Eve. »

Elle battit des paupières. Joe était assis à côté d'elle. Un cauchemar. Elle avait dû s'endormir et faire cet affreux cauchemar.

« J'ai... rêvé ? »

Il acquiesça.

« Gary... » Elle se remit à pleurer. « Gary est mort. »

Joe hocha tristement la tête. Elle se rencogna dans son siège, essayant de fuir l'horrible image qui lui revenait. Tout ce sang, les couteaux plantés dans les paumes, et la main de Joe qui lui caressait les cheveux, puis ce choc au visage...

« Tu m'as frappée, chuchota-t-elle en massant son menton douloureux.

— Il le fallait.

— Tu croyais que j'allais perdre la tête ?

— Je ne sais pas. Mais c'était insupportable de te voir souffrir. »

Elle garda le silence pendant un moment.

« Elle le veut, ce crâne ; elle n'a même pas essayé de marchander. Pas étonnant, elle me l'a dit elle-même. Elle a voulu me montrer qu'elle avait le pouvoir de frapper ceux qui m'étaient le plus proches.

— Oui, elle ne recule devant rien.

— Gary ne pouvait être un danger pour elle, il n'avait gardé aucune preuve de son travail au labo. Elle n'avait pas besoin de le faire tuer. On n'aurait jamais dû le laisser partir seul...

— Nous avons pensé qu'il ne risquait plus rien. On ne pouvait pas savoir que Fiske était à Bainbridge. »

Elle veut le crâne, Eve.

« Où est Logan ?

— Derrière nous.
— Il a toujours le crâne ? »
Joe fit signe que oui.
Donnez-lui le crâne. Elle m'a chargé de vous dire que Kessler ne serait pas le dernier.
Elle frissonna. « Ma mère !
— On sera près d'elle dans un moment.
— Elle m'a avertie que Gary ne serait pas le seul. Dans combien de temps ?
— Trois heures.
— Va plus vite.
— Du calme.
— Joe, elle sait que je m'inquiète pour ma mère. Ça ne peut être qu'elle, la deuxième cible.
— Comment pourraient-ils savoir où Sandra est cachée ?
— Fiske nous a retrouvés à Bainbridge.
— Oui.
— Il peut donc très bien être en route pour Lanier. Il y a même de fortes chances qu'il soit là-bas avant nous.
— Mais pas nécessairement pour tuer Sandra. Sa mission consiste à récupérer le crâne avant toute chose. Si jamais il est avant nous à Lanier, ce sera plutôt pour nous tendre une embuscade. »
Elle sortit son portable. « Je vais les appeler.
— Bonne idée, mais ne les affole pas. Ils courront moins de risques en nous attendant là-bas. Dis à Pilton d'être sur ses gardes. »
Courir moins de risques ? Cela voulait dire quoi ? Mourir d'une balle en pleine tête au lieu d'être crucifié ? Sa main trembla en composant le numéro.

Fiske regagna sa voiture, qu'il avait de nouveau garée dans l'allée du cottage inoccupé. Le jour se levait et une pâle lumière filtrait à travers les frondaisons. Il estimait avoir près d'une heure d'avance. Une lampe était allumée dans le bungalow de Sandra Duncan, et il avait vu Pilton faire une reconnaissance des alentours avant de retourner à l'intérieur. Il en avait déduit qu'ils avaient été avertis de son arrivée. Eh bien, il préférait ça, les tuer n'en aurait que plus de sel. Il appela Lisa Chadbourne.
« Eve Duncan a certainement prévenu sa mère.
— Mais elle n'a pas bougé ?
— Non, je pense qu'elle les attend. Pilton est sorti il y a un quart d'heure, il a rangé quelques bagages dans le coffre de leur voiture mais, à part lui, personne ne s'est hasardé dehors.

— Empêchez-les de partir, mais ne les tuez pas. En tout cas, pas avant d'avoir récupéré le crâne.

— La vie de sa mère pèserait lourd dans la négociation, fit observer Fiske. Plus lourd que Kessler. À ce propos, je dois dire que je l'ai particulièrement soigné, celui-là. Vous voulez des détails ? »

Il y eut un silence. « Je vous ai fixé un but, je n'ai pas besoin d'en savoir davantage. »

Elle avait peur. « Je l'ai gardé assez longtemps en vie pour qu'il appelle Eve. Pourtant, ce n'était pas facile avec un couteau planté dans chaque...

— Épargnez-moi la suite, Fiske. Prenez garde toutefois avec Eve Duncan. Ne la poussez pas à la révolte, vous risqueriez de tout gâcher.

— On croirait entendre Timwick. »

Nouveau silence. « Très bien, je vous donne carte blanche. Je sais que vous ne me décevrez pas. » Elle raccrocha.

Toujours ce foutu crâne, qui lui liait les mains et l'empêchait d'achever sa mission. Bon, il avait tout le temps de tenir sa liste à jour. Il se pencha pour ouvrir la boîte à gants, en sortit la feuille et y barra le nom de Kessler d'un trait net en souriant d'un air satisfait.

8 h 35

À peine la voiture fut-elle arrêtée devant le cottage qu'Eve en jaillit. Mais Quinn lui barra le chemin. « Attends, laisse-moi passer le premier.

— Maman ! » appela Eve.

Le silence qui suivit parut durer une éternité, puis la voix de Sandra se fit entendre. « Pilton m'interdit de sortir, mais tout va bien, Eve. »

Eve poussa un soupir de soulagement. « Nous entrons. »

Logan venait d'arriver. « Pas de problème ? demanda-t-il à Joe en sortant de sa voiture.

— Non. » Joe scrutait le sous-bois autour d'eux. « En apparence, ajouta-t-il. Entrez avec Eve et assurez-vous qu'ils sont prêts à partir. Je vous attends dehors. »

Logan emboîta le pas à Eve. « Une minute, fit Joe. Où est le crâne, Logan ?

— La mallette est sous le siège avant. Je vous en confie la garde.

— Comptez sur moi, répondit Joe sans quitter les buissons du regard. De votre côté, faites-les s'activer. »

Fiske était là, quelque part, à guetter. Bon sang, Joe le sentait, comme un chien de chasse flaire le fumet d'une bête sauvage. Il avait une impression de retour dans le temps... le temps de ses missions, où il fallait tuer pour ne pas être tué. Fiske devait connaître ce monde-là. Il était là, tapi dans la végétation, prêt à frapper.

Qu'allait-il faire ? Jeter une bombe dans le cottage ? Attaquer au fusil d'assaut dès qu'ils sortiraient sous le porche ? Si c'était le cas, pensa Joe, il serait lui-même le premier descendu. Fiske avait toutefois un handicap ; il avait certainement pour ordre de les éliminer, mais il devait surtout rapporter le crâne.

Le crâne. Joe sourit. Alors, mieux valait en finir tout de suite. Inverser les rôles, et transformer le chasseur en proie.

Tu m'observes, Fiske ? Après avoir enlevé son veston, il se pencha à l'intérieur de la Taurus et tira la mallette de sous le siège.

Tu le vois bien, mon appât, Fiske ? Il leva délibérément la petite valise au-dessus de sa tête. Puis, soudain, il s'élança en zigzaguant parmi les buissons et se fondit dans l'ombre du sous-bois. Viens me chercher, salaud !

Fiske ouvrit de grands yeux. Il n'en revenait pas. Le flic le provoquait. Et avec cette mallette, qui devait sûrement contenir le crâne. Il suivit la course de Quinn. Ce type savait ce qu'il faisait et il était doué. Ce ne serait pas une cible facile.

Il sentit monter l'instinct de la chasse. Cette salope de Chadbourne lui avait ordonné de récupérer le crâne, et il n'aurait jamais cru que l'exécution de cet ordre lui fournirait un challenge digne de lui. Il disparut à son tour dans le sous-bois pour intercepter Quinn.

« Margaret, vous allez en voiture avec Pilton, dit Logan en descendant les marches du perron. Sandra viendra avec nous.

— Où voulez-vous que j'aille ? s'enquit Margaret. À Sanibel ? Quand m'appellerez-vous ?

— Dès que je pourrai. Quinn doit d'abord rencontrer ce journaliste et...

— Où est Joe ? interrompit Eve.

— Sans doute pas très loin. » Logan balaya du regard les alentours de la maison.

« Fiske ! s'écria soudain Eve.

— Non, je ne crois pas que Fiske ait pu prendre Joe par surprise.

— Il a eu Gary.

— Gary n'était pas de taille à lutter. Je parierais plutôt que c'est Quinn qui... » Il se tut pour courir à sa voiture. « L'imbécile !

— Qu'y a-t-il ?

— Quinn a embarqué la mallette.

— Pourquoi ? » Question stupide ! Elle savait pourquoi : comme d'habitude, Joe avait pris l'initiative. « Il doit penser que Fiske est là.

— Alors, je suis sûr qu'il a raison », dit Logan. Il se tourna vers Pilton. « Ne bougez pas d'ici. Je vais chercher Quinn. Si je ne suis pas de retour... mais où allez-vous, Eve ? »

Elle courait déjà en direction des bois. « Fiske ne tuera pas Joe ! Je ne le laisserai pas ! »

Elle entendit Logan jurer derrière elle. S'élançant à sa poursuite, il eut tôt fait de la rattraper. « Mais qu'est-ce que vous croyez pouvoir faire ? Vous n'êtes même pas armée.

— Joe est en train de risquer sa vie à cause de moi, je ne vais pas rester les bras croisés à le regarder se faire descendre.

— Et comment comptez-vous... ? »

Elle ne l'écoutait plus ; elle venait de pénétrer dans le sous-bois et s'arrêta, tendant l'oreille. Impossible d'appeler, cela alerterait Fiske. Elle se remit à avancer sans bruit, essayant de se fondre dans l'ombre des arbres. « Pour l'amour du ciel, regagnez le cottage, chuchota Logan. Laissez-moi faire.

— Chut ! Il doit être... »

Elle se tut en voyant le revolver dans la main de Logan. « Oui, heureusement que je suis armé », dit-il.

Elle s'étonna d'être de son avis. Si ce revolver pouvait sauver Joe, elle s'en servirait elle-même. Gary était mort parce qu'il était sans défense. Et Joe ne devait pas mourir.

Les buissons s'agitèrent doucement près de lui, et Joe se dissimula derrière le tronc d'un arbre. « Tu es là, Fiske ? demanda-t-il tout bas. Viens me chercher. »

Un froissement de feuillages lui répondit. « Tu veux le crâne ? Il est là. » Il s'éloigna de l'arbre et s'enfonça un peu plus dans les bois. Bon sang, tous les réflexes lui revenaient. Traquer, trouver, tuer. La seule différence était cette lumière filtrant à travers les branches. La plupart des missions auxquelles il avait participé avaient eu lieu la nuit.

Fiske se rapprochait. Joe décela une faible odeur d'après-rasage. D'où venait-elle ? Il huma l'air comme un braque. De la droite, à une vingtaine de mètres. Trop près. Il reprit sa progression, silencieux et rapide. L'odeur était plus faible. Il avait gagné le temps dont il avait besoin. Viens donc, Fiske. Je t'attends.

Où était passé ce salaud ? Fiske s'impatientait, de plus en plus irrité. Il avait l'impression de poursuivre un fantôme. S'arrêtant derrière des buissons, il tendit l'oreille. Rien, hormis le bourdonnement des insectes. Merde, ça faisait dix minutes que Quinn n'avait plus fait le moindre bruit.

Soudain un chuchotement lui parvint. « Par ici. »

Fiske tourna vivement la tête vers la gauche. Et vit la mallette posée au pied d'un grand chêne au feuillage touffu.

Ce ne pouvait être qu'un piège. Est-ce que Quinn le prenait pour un idiot ? À la seconde où il se montrerait, il se ferait descendre. Pourtant, la voix semblait provenir de l'endroit où se trouvait la mallette, mais il n'en était pas sûr. Où pouvait bien se cacher Quinn ? Fiske scrutait la zone tout autour de l'arbre.

Soudain, il y eut un léger bruissement de feuillage sur sa gauche. Il attendit. S'il tirait, il trahirait sa position. Il aperçut la tache bleue d'un jean à travers les feuilles. Quinn se rapprochait. Fiske leva son arme. Une branche morte craqua tout à coup à une vingtaine de mètres derrière lui. Il pivota, l'arme pointée.

Logan et Duncan avançaient droit vers lui, sans le voir.

Il resserra son index sur la détente.

« Non ! » Le cri retentit au-dessus de lui. Il leva la tête. Quinn venait de sauter de la branche sur laquelle il avait guetté. Fiske tira en même temps qu'il s'écroulait sous les quatre-vingt-dix kilos de Joe et qu'un nouveau coup de feu éclatait.

Ce salaud de flic l'épiait depuis là-haut, comme une panthère sa proie. Merde, Quinn aurait eu sa peau sans Logan et Duncan !

Mais voilà, il avait perdu, et lui, Fiske, avait gagné. Il sentait le sang chaud de sa victime imprégner sa chemise, et le corps qui le clouait au sol était inerte.

Un nouveau nom à barrer sur sa liste.

D'abord se dégager. Vite. Logan accourait, et Fiske devait libérer sa main tenant toujours l'arme.

Mais pourquoi son bras refusait-il de bouger ? Et cette douleur qui venait d'éclater dans sa poitrine ! Tout ce sang n'était pas seulement celui de Quinn, mais aussi le sien. Le second coup de feu... ce n'était pas lui qui l'avait tiré. Il avait échoué... Il avait échoué. L'obscurité l'enveloppait. L'horreur arrivait. Il se mit à hurler.

Fiske était mort quand Logan retourna doucement le corps de Joe. Eve tomba à genoux à côté de lui. Quinn avait la poitrine en sang. « Il est vivant ? » demanda Logan.

Elle lui prit le pouls, sentit une très faible pulsation. « Oui. Appelez le 911. Vite. »

Elle ne s'aperçut même pas que Logan avait déjà sorti son portable et composé les trois chiffres. Elle regardait le visage de Joe. « Ne meurs pas. Tu m'entends ? Ne me fais pas ça. » Puis elle remonta le T-shirt en se demandant ce qu'il avait fait de sa chemise bleue et pressa sa main sur le trou fait par la balle. Joe rouvrit lentement les yeux. « Fiske ? murmura-t-il.

— Mort. Pourquoi as-tu fait ça ?

— Fallait bien.

— Je m'en fous que tu aies tué cette ordure. Jamais tu n'aurais dû risquer ta vie. Qui t'a demandé de le faire ? Vous êtes tous les mêmes. Gary, Logan, toi. Vous croyez que vous allez pouvoir sauver le monde... Ne ferme pas les yeux, reste avec moi. »

Il esquissa un sourire. « Je fais ce que je peux.

— Comment est-il ? » s'enquit Logan en s'accroupissant à côté d'elle. Il lui tendit une chemise bleue. « Il l'avait jetée derrière les buissons. »

Elle s'empressa de déchirer une bande de tissu, qu'elle appliqua sur la blessure. « Vous avez appelé une ambulance ?

— Oui, seulement il vaudrait mieux de ne pas être là quand ils arriveront. Je leur ai parlé d'un accident de chasse, mais, quand ils verront de quel gibier il s'agit, ils appelleront les flics.

— Logan a raison, approuva Quinn d'une voix presque inaudible. Partez...

— Je ne vais tout de même pas te laisser. Et, cette fois, tu ne risqueras pas de me cogner.

— Ne te montre pas... Laisse Pilton... » Sa tête retomba. Il avait perdu connaissance.

« Mon Dieu ! il va très mal ! s'exclama Eve.

— Il n'est pas encore mort, répliqua Logan en se relevant. Je retourne au cottage pour avertir Pilton. Il dira aux ambulanciers que c'est lui qui a appelé. Dès que nous entendrons les sirènes, Margaret viendra veiller sur Quinn, et nous, nous filerons. C'est la seule solution, ajouta-t-il en fouillant les poches de Fiske.

— Que faites-vous ?

— Je prends ses papiers. La police mettra plus longtemps à l'identifier et, en attendant, Lisa Chadbourne n'engagera pas un autre tueur. » Il trouva des clés de voiture et un portefeuille contenant des papiers et des cartes de crédit au nom d'un certain Roy Smythe, et fourra le tout dans sa poche. « Je demanderai à Pilton et à Margaret de retrouver la voiture de Fiske avant de partir et de la vider de tout ce qu'il a pu y laisser. »

Elle l'écoutait sans vraiment lui prêter attention. « Je vais avec Joe à l'hôpital.

— Non, nous suivrons l'ambulance. » Il leva la main pour prévenir toute protestation. « Réfléchissez un peu, Eve : montrez-vous et vous finirez en prison, si vous n'êtes pas abattue à vue. » Puis, se relevant : « Ce serait dommage de ne pas être là quand Quinn ira mieux, et de ne pas pouvoir lui apporter des bonbons et lui exprimer votre gratitude.

— Il vous a sauvé la vie, espèce de salaud !

— Qui le lui a demandé ? Je suis las des exploits du grand Quinn. » Il alla chercher la mallette au pied de l'arbre et s'en fut en direction du cottage.

Pourquoi réagissait-il de cette manière ? Il n'avait aucune raison de parler ainsi de Joe. Sous sa main, la blessure continuait à saigner. Elle pressa plus fort. Ne meurs pas, Joe. Ne meurs pas !

Joe fut conduit aux urgences de l'hôpital Gwinnett, à trente kilomètres du lac Lanier. Logan, Sandra et Eve suivirent l'ambulance dans la Taurus.

« Je vais prendre de ses nouvelles, déclara Sandra. Garez-vous discrètement sur le parking, au milieu des voitures. Je reviendrai le plus vite possible.

— Mais je peux y aller...

— Tais-toi, Eve ! l'interrompit Sandra avec fermeté. J'en ai assez que tu me dises ce que je dois faire. Joe est aussi mon ami. De plus, je ne pense pas qu'il me remercierait si je te laissais entrer et que tu te fasses arrêter. » Sur ces paroles, elle s'éloigna d'un pas décidé.

« Elle a raison, approuva Logan en se parquant derrière deux camions qui faisaient un parfait écran. Voilà, nous n'avons plus qu'à attendre. »

Eve hocha la tête d'un air las et sortit son portable. « Je vais appeler la femme de Joe. »

Diane décrocha à la deuxième sonnerie. « C'est Eve. J'ai une mauvaise nouvelle, Diane... Joe est... Joe a été blessé.

— Mon Dieu !

— Il est à l'hôpital de Gwinnett. Il faut que tu viennes.

— C'est grave ?

— Je ne sais pas. Il a reçu une balle. On vient de le transporter aux urgences.

— Je te maudis, Eve Duncan », et Diane raccrocha avec rage.

Eve éteignit son portable d'une main tremblante.

« Annoncer une mauvaise nouvelle n'est jamais plaisant, murmura Logan.

— Elle m'a assené ça avec une telle haine... mais je ne peux pas lui en vouloir. C'est ma faute, je n'aurais jamais dû laisser Joe...

— Il ne vous a pas demandé la permission, que je sache. Et, s'il l'avait fait, ni vous ni personne n'aurait pu le retenir.

— Je le connais. J'ai vu son expression quand on est arrivés au cottage. J'aurais dû deviner ses intentions.

— Allons, vous dites ça maintenant parce que vous êtes bouleversée.

— Mais il va mourir !

— Ça, nous l'ignorons.

— Moi, je le sais. Je... je l'aime, vous comprenez ? »

Il détourna les yeux. « Vous l'aimez ?

— Oui, comme le père et le frère que je n'ai jamais eus. Je ne sais pas ce que serait ma vie sans Joe. C'est drôle, je n'avais jamais pensé à ça. Il était toujours là et je croyais que c'était pour la vie.

— Il n'est pas encore mort. »

Si Joe mourait, serait-il avec Bonnie ?

« Ne pleurez pas », dit Logan d'une voix rauque. Il l'attira contre lui et la berça doucement. « Laissez-moi vous aider. »

Il l'aidait. Il se dégageait de lui un réconfort et une chaleur qui enveloppaient Eve. Il ne pouvait panser sa blessure, mais il chassait le terrible sentiment de solitude qu'elle aurait éprouvé sans sa présence. C'était plus que suffisant pour le moment.

21

Sandra revint deux heures plus tard. La gravité de son expression alarma Eve. « Comment est-il ?

— Les médecins sont réservés, répondit Sandra en montant à l'arrière. Ils l'ont opéré et emmené au service de réanimation.

— Je veux le voir.

— C'est impossible. Seule la famille en a le droit.

— Ce n'est pas juste, il aimerait que je sois là. » Elle se tut, sachant qu'elle ne pouvait aller auprès de lui. « Est-ce que Diane est arrivée ?

— Oui, au moment précis où il sortait du bloc opératoire. » Sandra eut une moue de dépit. « C'est tout juste si elle m'a dit bonjour. Elle m'a regardée comme si c'était moi qui lui avais tiré dessus.

— C'est après moi qu'elle en a. Tu es ma mère, probablement qu'elle t'en veut de m'avoir mise au monde.

— Oui, je suppose, pourtant je pensais qu'elle m'aimait bien. J'ai pris le café avec elle il y a deux semaines. Je la considérais comme une amie.

— Elle est sous le choc. Elle verra les choses différemment quand l'état de Joe se sera amélioré. Qu'a dit le chirurgien ?

— Rien, si ce n'est qu'il ne se prononcerait pas avant demain. Mais je ne pourrai pas retourner là-bas, Eve. Avant que je m'en aille, deux hommes qui se disaient de la police se renseignaient sur l'état de Joe. »

Logan fit démarrer le moteur. « Alors, il vaut mieux qu'on file avant d'être repérés.

— Où allons-nous ? s'enquit Sandra.

— J'ai dit à Margaret et à Pilton qu'on se retrouverait chez *Hardee*, près d'Emory, là où j'ai rencontré Quinn pour la première fois. »

Logan sortit du parking. « Elle vous emmènera à Sanibel puis s'arrangera pour vous faire quitter le pays.

— Non », dit Sandra.

Eve se tourna vers sa mère. « C'est la seule chose envisageable, maman. Pour ta sécurité.

— Ma sécurité ? répéta Sandra. Qui prétend ça ? Toi ? Logan ? Qu'est-ce que vous avez fait l'un comme l'autre pour votre propre sécurité ? Joe est à l'hôpital, entre la vie et la mort. Et vous osez encore me garantir que je ne risque rien avec vos plans ?

— Je t'en prie, maman. Tu dois nous écouter.

— Foutaises ! répondit Sandra en regardant Eve au fond des yeux. Je t'ai obéi ainsi qu'à Margaret. Vous m'avez traitée comme une demeurée. C'est terminé, Eve.

— Mais c'est pour ton bien qu'on a agi ainsi.

— Et c'est pour mon bien que M. Logan va se faire un devoir de m'accompagner à la résidence de Peachtree Arms. C'est juste à la sortie de Piedmont. »

L'adresse n'était pas inconnue d'Eve. « Tu vas chez Ron ?

— Un peu que j'y vais, et c'est ce dont j'avais envie depuis le début.

— Crois-tu vraiment qu'il va te cacher chez lui ?

— Je verrai bien, non ? Si ça doit lui poser un problème, je pourrai toujours me présenter à la police en tant que témoin de la tentative d'homicide dont Joe a été victime, et je demanderai à être protégée. Mais, quoi que je fasse, ce sera ma propre décision. » Regardant Logan : « Alors, ou vous m'emmenez ou vous me déposez à la prochaine station de taxis. »

Logan hésita, puis accéléra. « C'est peut-être une erreur, Sandra.

— Si c'en est une, ça ne sera pas la première. Merde, je n'en ai pas raté une, dans le temps. » Elle lorgna vers Eve. « Je ne pourrai pas retourner à l'hôpital, mais j'appellerai le service de réanimation et je t'informerai de l'état de Joe.

— Maman, ne prends pas ce risque. Je ne me le pardonnerais jamais s'il t'arrivait quelque chose.

— Comment oses-tu dire ça ? Tu es ma fille, pas ma mère. Prends soin de toi, j'en ferai autant pour moi. Pas de culpabilité, bon sang ! Je n'ai pas l'intention d'être une seconde Bonnie pour toi ! »

Eve ouvrit de grands yeux.

« Oh ! ne me regarde pas comme ça ! » Sandra se pencha en avant pour serrer l'épaule de sa fille. « Laisse-moi m'en aller, Eve. Et fais de même avec ta propre fille.

— Nous ne parlons pas de Bonnie.

— Que si ! Elle est avec toi à chaque minute de la journée. Elle est derrière le moindre de tes gestes.

— Ce n'est pas vrai. »

Sandra secoua la tête. « Je ne te demande pas de l'oublier, ma chérie, juste de ne plus vivre avec. Laisse entrer un peu de lumière dans ton existence. Bon Dieu ! qu'il fait sombre, là où tu vis !

— Je... je vais bien, et tout ira encore mieux quand je serai sortie de ce merdier, répondit Eve avec chaleur.

— Vraiment ?

— Écoute, maman, ce n'est pas le moment de parler de ça.

— Je me tais. Je sais que tu souffres, mais n'essaie pas de diriger ma vie, Eve. Ça m'a pris trop longtemps pour apprendre à le faire moi-même.

— Nous sortons de Piedmont, annonça Logan.

— Peachtree Arms est au prochain carrefour.

— Et si Ron n'est pas chez lui ? s'inquiéta Eve.

— J'ai une clé. » Sandra sourit. « Il me l'a donnée dès notre troisième rendez-vous. Et le fait que je ne t'en aie jamais parlé en dit long sur la pression que tu exerçais sur moi, n'est-ce pas ?

— Pourtant je n'ai jamais essayé de...

— Je sais. » Logan s'était arrêté devant la résidence. Sandra sortit de la voiture et empoigna son sac de voyage. « Je téléphonerai toutes les trois heures à l'hôpital, et je te préviendrai dès qu'il y aura une amélioration.

— Sois prudente. Ça ne me plaît pas du tout de te voir prendre ce risque.

— Et moi, ça me plaît bien d'avoir enfin retrouvé ma liberté. J'avais l'impression d'être un pion sur votre échiquier. Il était temps que je reprenne le contrôle. »

Sur ce, Sandra tourna les talons, et Eve la regarda avec stupeur marcher d'un pas déterminé vers la porte d'entrée de l'immeuble.

« Le phénix renaît de ses cendres, murmura Logan.

— Elle est en train de commettre une grosse erreur. Je suis morte de peur.

— Je ne suis pas de votre avis. Je ne connais pas Ron, mais je suis sûr que c'est un type bien, et il fera tout pour la protéger.

— Contre Lisa Chadbourne ? Contre Timwick ?

— Ma foi, Fiske a été rayé de la carte. Notre Première Dame devra engager un nouveau tueur, cela lui prendra du temps. Surtout si elle n'apprend pas tout de suite la mort de son cher Fiske.

— Ce n'est pas suffisant...

— Peut-être, mais vous n'y pouvez rien. Votre mère a choisi, Eve. Il vous est impossible de la protéger contre son gré.

— Elle ne mesure pas le danger qu'elle court.

— Je crois au contraire qu'elle le mesure très bien. Elle a vu Joe emmené dans l'ambulance. Elle n'est pas idiote.

— Je n'ai jamais dit ça.

— Alors, pourquoi la traitez-vous comme si elle n'était pas capable de prendre conscience de la réalité ?

— Parce que je veux la protéger et non pas la perdre.

— Comme vous avez perdu Bonnie ?

— Taisez-vous, Logan.

— Oh ! je me tais ! Sandra vous en a dit assez pour la journée, et dans des termes on ne peut plus clairs. » Il prit la bretelle menant à l'autoroute. « À votre place, je réfléchirais à ses paroles. J'avoue qu'elle est infiniment plus intelligente que je ne l'aurais pensé.

— Où allons-nous ?

— Retrouver Margaret et lui ordonner de quitter la ville. Je suppose que j'aurais du mal à vous convaincre de partir avec elle ?

— Et vous, pourquoi ne prenez-vous pas ce bateau pour Djibouti ? répliqua Eve avec colère. Pourquoi n'oubliez-vous pas Gil ? Et Ben Chadbourne ? Oui, pourquoi ne pas tout lâcher ? »

Il secoua la tête, amusé. « Inutile de vous mettre dans cet état. Ce n'était qu'une suggestion. Je savais bien comment vous réagiriez.

— C'était une suggestion imbécile. Je n'abandonnerai ni maman ni Joe. Je suis fatiguée de fuir et de me cacher, et d'avoir peur. Fatiguée de voir tomber les gens que j'aime sans rien pouvoir pour eux. Je me suis juré un jour de ne plus être une victime, et voilà que ça recommence. Et c'est elle, Lisa Chadbourne, qui en est responsable. » Sa voix tremblait de rage. « Je ne le supporterai pas plus longtemps. Vous m'entendez, Logan ? Je ne la laisserai jamais...

— Je vous entends, l'interrompit Logan. Et je vous approuve, mais je me demande comment nous allons pouvoir la coincer. »

Eve aussi se le demandait. Puis elle se rappela les derniers mots de sa mère. *Il était temps que je reprenne le contrôle.*

Et le contrôle de la situation, c'était Lisa Chadbourne qui l'avait eu jusqu'ici, elle qui avait attaqué. Elle avait tué Gary. Et essayé de tuer Joe.

Mais Sandra, Logan et elle-même étaient en vie. Et ils le resteraient. Elle avait prié pour qu'il n'y ait plus de morts. Elle ne prierait plus. Elle passerait à l'action.

Margaret sortit de la voiture, alors que Pilton restait au volant. « Comment va Quinn ?

— Toujours dans un état critique, répondit Logan. Il est en réa.

— Je suis désolée. Et vous, Eve, ça va ? »

Eve hocha la tête.

« Comment va Sandra ? reprit Margaret. Elle aimait beaucoup Joe, n'est-ce pas ?

— Oui », acquiesça Eve, impatiente de changer de sujet. Il ne fallait pas qu'elle pense à Joe ; cela lui faisait trop mal. « Elle ne viendra pas avec vous, Margaret. Maman est restée là-bas.

— Ce n'est pas une très bonne idée.

— Je sais, mais elle n'a pas voulu m'écouter.

— Je pourrais essayer de lui parler, suggéra Margaret.

— Non, c'est inutile, Sandra a pris sa décision, intervint Logan. Maintenant, vous allez filer, Pilton et vous.

— Ce pauvre Pilton mérite une prime, vous savez. Il ne pensait pas qu'il devrait se mettre en cavale comme un vulgaire voyou quand il a accepté ce travail. La police va le rechercher.

— Donnez-lui une prime.

— J'y compte bien, elle sera à la hauteur de son dévouement...

— Vous avez retrouvé la voiture de Fiske ? demanda soudain Eve.

— Elle était garée dans l'allée d'un cottage inoccupé, à environ deux kilomètres du nôtre.

— Vous avez récupéré ce qu'il y avait dedans ?

— Oui. Nous avons vidé la boîte à gants et le coffre et tout mis dans des sacs-poubelle. Puis nous avons abandonné la voiture sur le parking long séjour de l'aéroport.

— Qu'avez-vous fait des sacs-poubelle ?

— Dans la voiture. »

Eve s'approcha du break. « Logan, vous voulez bien m'aider ? »

Margaret les observa transporter les sacs du break à la Taurus. « Vous pensez que Fiske détenait quelque chose d'important ? s'enquit Logan.

— Je ne crois pas, répondit Eve, c'était un professionnel. Mais on ne sait jamais.

— Faites attention au plus gros des sacs, avertit Margaret en remontant dans le break. Il y a toute une artillerie là-dedans. Un fusil, deux revolvers, des cartouches et un capteur de sons. Il ne voyageait pas léger. » Elle leur sourit. « Bonne chance. Restez en vie, John. La prime que je vous demanderai pour m'avoir entraînée dans cette histoire fera passer celle de Pilton pour des cacahuètes. »

Eve monta à l'arrière de la Taurus, alors que Pilton quittait le parking. « Roulez, Logan, dit-elle. Je vais regarder ce qu'il y a dans ces sacs. »

Elle ouvrit d'abord le plus volumineux. Que savait-elle des armes ? Rien, si ce n'est qu'elles lui faisaient horreur et qu'elle en avait peur. Mais Fiske devait les aimer. Il s'en était servi, et certainement avec plaisir. Lisa Chadbourne aussi devait les apprécier, elle qui avait ordonné leur utilisation.

Elle caressa du bout des doigts le canon du fusil. Le métal était chaud, lisse, presque agréable au toucher, et non pas froid comme elle s'y était attendue.

« Vous avez trouvé quelque chose ? questionna Logan.

— Non, pas encore.

— Je doute que ces armes permettent de remonter jusqu'à Lisa Chadbourne.

— Je sais. » Lisa ne laisserait aucune trace susceptible de la compromettre. Mais Eve ne perdait pas espoir. Elle passa au second sac, qui contenait les papiers de la voiture de location, un billet d'avion de première classe Atlanta-Washington, des horaires de vols, quelques notes de restaurants, deux à Atlanta, une à Bainbridge.

Ne pense pas à Bainbridge. Ne pense pas au motel où Gary est mort. Il y avait aussi une feuille de papier soigneusement pliée. Elle la déplia et tressaillit.

C'était une liste de quelques noms. Certains tapés à la machine, d'autres écrits à la main. Il y avait là son propre nom, et ceux de Logan, de Joe, de sa mère... mais aussi de Dora Bentz, de James Cadro, de Scott Maren, d'un certain Kenner.

Les deux suivants la stupéfièrent. Bon sang !

La liste s'achevait par le nom de Gary Kessler, nettement barré d'un trait de stylo-bille.

Gil avait dit que Fiske était un maniaque de l'ordre et de l'efficacité. Un monstre froid, capable de tuer et ensuite de tirer un trait sur le nom de sa victime.

« C'est quoi ? s'informa Logan, en la guettant dans le rétroviseur.

— Rien qu'une liste. » Elle replia la feuille et la rangea dans son sac. Elle l'examinerait de nouveau et y réfléchirait plus tard. Pour le moment, cela lui faisait trop mal. Elle fouilla parmi les autres papiers, mais ils ne présentaient aucun intérêt. « Je voudrais qu'on s'arrête quelque part, dit-elle.

— Un motel ?

— Non, toute la région à cent kilomètres à la ronde fera l'objet d'une surveillance quand Lisa Chadbourne aura compris la raison du silence de Fiske. Et Timwick saura très bientôt, s'il ne le sait pas déjà, que Joe est à l'hôpital de Gwinnett. »

Joe. Elle s'efforça de chasser l'image de Joe gisant sur un lit d'hôpital.

« Je sais, reconnut Logan, c'est pourquoi il faut filer le plus loin possible.

— Non, Joe a besoin de moi.

— Vous n'êtes pas raisonnable, Eve. Vous savez bien que vous ne pouvez pas...

— Je m'en fous. » Impossible d'abandonner Joe, alors qu'elle ne savait même pas s'il allait passer la nuit. « Trouvez un endroit où souffler un moment. J'ai besoin de réfléchir.

— Nous devrions plutôt essayer de joindre Peter Brown, le journaliste que connaît Joe.

— Peut-être, mais il faut nous assurer que Joe...

— Écoutez, calmez-vous, l'interrompit Logan avec fermeté. Nous ne sommes pas obligés de prendre une décision dans la seconde. Continuons de rouler et je m'arrêterai quand j'aurai trouvé un endroit discret. »

Logan s'arrêta à dix kilomètres au sud de Gainesville dans un McDonald's où il acheta des hamburgers et des sodas. Puis il quitta la route pour prendre un chemin de terre et parcourut plusieurs kilomètres avant de stopper non loin d'une grande mare.

« Voilà, on ne peut pas trouver plus tranquille. » Il coupa le moteur. « Il y a probablement une ferme un peu plus loin, mais ça ne devrait pas être un problème.

— Nous sommes loin de l'hôpital ?

— Quarante minutes, en roulant vite. » Il descendit de la voiture, saisit la mallette contenant le crâne et ouvrit la portière arrière. « Venez, marchons jusqu'à cette mare. Un peu d'exercice nous fera du bien. »

Elle prit son sac et le rejoignit. L'étang était boueux et la rive glissante. Le soleil déclinait lentement, irisant l'eau dormante. Ils se promenaient en silence depuis une demi-heure, lorsque Logan demanda : « Vous vous sentez mieux ?

— Euh... oui. » Elle alla près d'un arbre et appuya doucement sa joue contre l'écorce rugueuse. « En vérité, je ne sais pas.

— Je voudrais vous aider, mais bon sang, comment m'y prendre avec vous ? »

Elle baissa la tête. Elle avait envie de lui répondre : Eh bien, ressuscitez Gary et guérissez Joe.

« Quinn n'est pas le seul qui puisse vous épauler, reprit Logan. Laissez-moi essayer. »

Elle s'assit, le dos contre le tronc moussu. « Quand j'aurai réfléchi, ça ira mieux. Je suis sûre qu'il y a un moyen de nous en sortir, mais je n'arrive pas à avoir les idées claires.

— Vous avez faim ?

— Non.

— Vous devriez manger. Vous n'avez rien pris depuis vingt-quatre heures. »

Gary avait passé une commande au *Bubba Blue's Barbecue...*

Logan posa la mallette à côté d'elle.

« Écoutez, restez ici. Je vais vous chercher un Big Mac et un soda. »

Elle le regarda s'éloigner. Allons, ressaisis-toi, se raisonna-t-elle, en colère contre elle-même. Elle se comportait comme une chiffe molle. Le nom barré de Gary sur la liste de Fiske l'avait profondément secouée, et elle avait besoin d'un peu de temps pour se reprendre. Son portable sonna dans son sac.

Sa mère ? Elle sortit l'appareil. « Eve ? »

Lisa Chadbourne.

« Je vous hais, je vous maudis ! persifla Eve d'une voix tremblante.

— Vous ne m'avez pas laissé le choix. Je vous ai proposé un marché.

— Après ça, vous avez tué Kessler !

— Non, c'est Fiske qui l'a tué... mais j'avoue que c'était sur mon ordre.

— Et vous lui avez aussi ordonné de tuer Joe Quinn ?

— Non, ce n'était pas prévu, du moins pas dans l'immédiat. »

Autrement dit, pas aujourd'hui mais... demain. « Il est dans le coma, reprit Eve.

— Je suppose que le cadavre découvert à côté de lui était celui de Fiske ?

— Joe s'est défendu.

— Avec succès, il me semble. Il est grièvement blessé, mais il pourrait s'en sortir, paraît-il ?

— Ça vaudrait mieux pour vous.

— Une menace ? Je comprends votre ressentiment, mais ne voyez-vous pas que vous ne pouvez gagner ? Combien de gens devront encore mourir pour vous le prouver, Eve ?

— Vous n'avez plus Fiske.

— Timwick lui trouvera un remplaçant. Quinn est très vulnérable, maintenant. Il est en salle de réanimation, n'est-ce pas ? »

Eve était folle de rage. « N'y pensez même pas, gronda-t-elle.

— À faire tuer Quinn ? Mais je n'y pense pas. L'idée seule me révolte, cependant j'ordonnerai quand même son élimination, comme pour Kessler. Comme pour tous ceux qui vous sont proches. Pour empêcher cela, vous n'avez qu'à me remettre le crâne et l'analyse de l'ADN.

— Allez au diable !

— Réfléchissez, Eve. Est-ce que ça en vaut vraiment la peine ?

— Vous êtes en train de me dire que Joe vivra si je vous donne le crâne ?

— Oui.

— Sale menteuse ! Joe ne sera jamais en sécurité tant que vous n'aurez pas été arrêtée et emprisonnée. Vous avez fait tuer Scott Maren, qui était votre ami ! »

Il y eut un silence. « Ce n'est pas sur mon ordre qu'il a été tué. C'est Timwick le responsable. Je veillerai à ce que Quinn soit libre, croyez-moi.

— Je serais débile de vous croire.

— Alors, que voulez-vous, Eve ?

— Je veux que vous soyez jugée pour tous vos crimes.

— Je suis désolée de vous décevoir, mais cela ne risque pas d'arriver. Choisissez autre chose.

— Je ne veux rien d'autre.

— Ce n'est pas vrai. » Lisa observa un bref silence. « J'avais peur que Fiske n'échoue. Aussi ai-je réfléchi à ce que je pouvais vous offrir. Et j'ai trouvé. Il y a en vous un désir qui passe bien avant celui de me voir jugée.

— Non, il n'y en a pas d'autre.

— Détrompez-vous, Eve, il y a au moins une chose que vous voulez par-dessus tout. »

Eve contemplait fixement le téléphone dans sa main lorsque Logan revint. Il s'arrêta devant elle et la considéra avec attention. « C'était votre mère ? Comment va Quinn ?

— C'était Lisa Chadbourne. »

Il fronça les sourcils. « Et alors ?

— Elle veut le crâne.

— Ce n'est pas une nouveauté. Et cela suffit à vous mettre dans cet état ?

— Oui. » Elle rangea l'appareil dans son sac.

« Elle vous a menacée ?

— Pas moi, mais ma mère et Joe.

— Charmante personne.

— Mais je ne suis pas sûre qu'elle puisse me garantir leur sécurité, même si j'accepte son marché. D'après elle, Timwick a paniqué et a tué Maren de sa propre initiative. Elle craint d'avoir perdu tout contrôle sur lui.

— Oui, c'est ce qu'elle prétend, mais elle a très bien pu donner l'ordre elle-même.

— Sans doute. À vrai dire, je ne sais plus quoi penser. »

« Si j'accepte son marché. » La phrase lui avait échappé pendant un instant. « Que vous a-t-elle proposé ? »

Pas de réponse. Il s'agenouilla à côté d'elle. « Dites-le-moi.

— Non, pas maintenant. Je vous le dirai peut-être, plus tard.

— Peut-être ? »

Elle changea de sujet. « Je veux que vous téléphoniez à l'hôpital.

— Pourquoi ? Votre mère vous...

— Non, c'est le bureau des infirmières que vous allez appeler. Pour leur dire que vous projetez de tuer Joe.

— Quoi ?

— Oui, et vous ferez en sorte qu'on vous prenne au sérieux. Ajoutez que, malgré toutes les mesures de protection, vous réussirez à entrer dans sa chambre et à l'éliminer. »

Il la regarda pensivement, avant de hocher la tête. « Vous voulez que mon appel soit transmis aux collègues de Joe afin qu'ils soient sur leurs gardes.

— Oui, je les aurais déjà appelés moi-même si je ne craignais qu'ils prennent moins au sérieux les menaces d'une femme.

— L'erreur est humaine, dit Logan. Je vais m'en occuper... mais qu'est-ce que vous faites ? s'enquit-il en la voyant tendre la main vers la mallette qu'elle avait posée à côté d'elle.

— Rien, je veux seulement l'avoir sur les genoux.

— Pourquoi ?

— Oh ! n'ayez crainte, je ne vais pas m'enfuir avec ! Je veux seulement la tenir, c'est tout. »

Décidément, il n'aimait pas la façon dont se conduisait Eve depuis quelques heures. « On ferait mieux de partir d'ici et d'aller dormir quelque part.

— Nous irons à Gainesville, cette nuit, dit-elle. Contactez l'hôpital. »

Sandra joignit Eve à onze heures, ce soir-là. « L'état de Joe s'est stabilisé. Le diagnostic des médecins est toujours prudent, mais il y a de l'espoir.

— Quand saura-t-on s'il est vraiment tiré d'affaire ? demanda Eve, soulagée.

— Je ne sais pas. Demain matin, peut-être. Et toi, comment vas-tu ?

— Bien.

— On ne le dirait pas, à ta voix.

— Ne t'inquiète pas. Ron est avec toi ?

— Oui, et il n'a pas l'intention de me lâcher d'une semelle tant que nous ne serons pas sortis du tunnel. Il est d'avis que tu devrais te rendre à la police et leur expliquer ce qui s'est passé. »

Oui, cela semblait si facile, pensa-t-elle avec lassitude, de s'en remettre à l'ordre et à la loi. « Rappelle-moi quand tu en sauras plus sur Joe. Et prends soin de toi, maman. »

Elle éteignit son portable.

« Quinn va mieux ? demanda Logan.

— Disons que son état ne s'est pas aggravé. » Elle ouvrit la portière. « J'ai envie de marcher. Je vais jusqu'à la mare, mais ne vous croyez pas obligé de me suivre.

— En d'autres termes, je ne suis pas invité. » Il jeta un coup d'œil à la mallette, qu'elle avait reprise. « Mais le crâne l'est, lui. Voilà des heures que vous n'avez pas lâché cette valise. Pourriez-vous me dire pourquoi ? »

Elle ne le savait pas elle-même. Peut-être espérait-elle qu'il allait lui fournir la bonne réponse, celle qu'elle cherchait ardemment. « Je tiens à l'avoir avec moi, c'est tout.

— Bizarre.

— Oui, mais vous savez bien que je n'ai pas toutes mes billes.

— Vous êtes parfaitement saine de corps et d'esprit. »

Elle s'en fut sur le chemin éclairé par la pleine lune. Le cuir de la mallette était doux au toucher. Aide-moi, Ben. Je me sens perdue, j'aimerais que quelqu'un me retrouve.

Depuis deux heures, Eve était assise sous l'arbre, près de la mare. Elle gardait la mallette dans ses bras comme un bébé. Logan n'y tint plus. Il descendit de voiture et alla la rejoindre.

« Ma patience a des limites, Eve, affirma-t-il d'un ton sec. Vous allez m'apprendre ce qui se passe, vous entendez ? Je veux savoir ce que Lisa Chadbourne vous a dit. »

Elle resta silencieuse un court instant, avant de murmurer : « Bonnie.

— Quoi ?

— Elle m'a offert Bonnie. Elle m'a offert de la retrouver.

— Comment compte-t-elle y arriver ?
— Elle ordonnera la réouverture de l'affaire. Elle a précisé qu'elle enverrait une armée de policiers à sa recherche. Officiellement, l'enquête porterait sur une autre fillette disparue mais, en réalité, ce serait Bonnie que chaque homme aurait pour mission de retrouver.
— Incroyable.
— Elle m'a dit qu'ils y consacreraient des années s'il le fallait, mais m'a promis de la ramener.
— Si je vous suis bien, elle vous propose un échange d'ossements. Le squelette de votre fille ou ce qu'il en reste contre le crâne de son mari, y compris, bien sûr, son empreinte génétique.
— Non, rien que le crâne. Je pourrais quitter le pays et garder le résultat de l'analyse d'ADN jusqu'à ce qu'elle m'ait remis... ses restes, comme vous dites.
— Jamais elle ne tiendra parole.
— Pourquoi pas ?
— Je vous empêcherai de faire une bêtise pareille. »
Elle le regarda durement. « Écoutez-moi, Logan. Si je décide de le faire, ni vous ni personne ne m'arrêtera. Si quelqu'un a le pouvoir de retrouver Bonnie, c'est bien Lisa Chadbourne. Savez-vous réellement ce que le retour de Bonnie représente pour moi ?
— Oui, je le sais, dit-il d'un ton âpre. Elle aussi le sait. Ne la laissez pas vous manipuler de cette façon. »
Elle secoua la tête. « Vous ne comprenez pas. »
Il comprenait et avait mal pour elle. Lisa Chadbourne avait utilisé le seul leurre susceptible d'attirer irrésistiblement Eve Duncan. « Quand devez-vous lui donner votre réponse ?
— Elle me rappellera demain matin à sept heures.
— Vous commettriez une terrible erreur en lui cédant.
— Elle a ajouté que Joe et maman n'auraient plus rien à redouter, que la tuerie cesserait. Elle essaiera de convaincre Timwick d'abandonner les poursuites contre vous.
— Et je devrais accepter ce tissu de mensonges ? s'écria Logan.
— Je crois sincère son désir que cesse cette tuerie. Ce que je ne sais pas, c'est si elle en a le pouvoir.
— Laissez-moi lui parler, lorsqu'elle vous appellera. »
Elle fit un signe de dénégation.
« Ne marchons-nous pas ensemble ?
— Ensemble ? Vous voulez m'empêcher de faire ce que vous considérez comme une bêtise.
— Parce que c'en est une.
— C'en est une aussi de laisser Bonnie seule je ne sais où.

— Eve, les chances de la retrouver sont trop infimes pour...

— Taisez-vous, Logan, et laissez-moi réfléchir. Vous n'arriverez pas à me convaincre, je connais à l'avance tous vos arguments. »

Il se redressa. L'envie d'étrangler Lisa Chadbourne le démangeait furieusement. « Très bien, je ne gaspillerai pas ma salive, dit-il. Souvenez-vous quand même de Kessler et de Joe, sans parler de Gil, et de quelques autres innocents qui sont morts sur l'ordre de cette...

— Je m'en souviens, je ne pense même à rien d'autre.

— Faux ! Vous ne pensez plus qu'à vous-même et à vous enfoncer un peu plus dans cette névrose que vous avez bâtie autour de la disparition de votre enfant. »

Mais elle ne l'écoutait plus. Regardant la mallette, elle n'entendait que le chant des sirènes entonné par Lisa Chadbourne pour mieux la perdre.

22

Lisa Chadbourne appela à sept heures tapantes, le lendemain matin. « Eh bien ? »

Eve laissa passer un bref silence avant de répondre. « C'est d'accord.

— J'en suis heureuse. Croyez-moi, c'est mieux pour tout le monde.

— Peu m'importent les autres. Sinon je ne ferais pas affaire avec vous. Écoutez-moi : je veux que vous nous fassiez sortir du pays, ma mère et moi, pour nous installer quelque part comme vous l'avez promis. Je veux que vous rappeliez vos chiens lancés après Logan et que vous ne touchiez pas à un cheveu de Joe Quinn.

— Et vous voulez Bonnie.

— Oui. » Sa voix tremblait légèrement. « Vous devrez la retrouver et me la ramener.

— Je vous la ramènerai, je vous le promets, Eve. Je vais vous envoyer Timwick, à qui vous remettrez le crâne et...

— Non. Je prends un énorme risque en vous faisant confiance. Qui me garantit que vous ne reviendrez pas sur votre parole une fois en possession du crâne ?

— Vous avez l'empreinte génétique de Ben. Vous savez que cela pourrait me causer beaucoup d'ennuis.

— Peut-être, mais l'analyse d'ADN n'a aucun poids sans le crâne.

— Alors, que demandez-vous ?

— Je ne demande pas, *j'exige* de vous voir en personne. Je veux que ce soit vous qui veniez récupérer le crâne.

— Ce n'est pas possible.

— C'est ça ou... rien.

— Écoutez, ma position ne me permet pas de me déplacer librement. Ce que vous exigez n'est pas réalisable.

— Ne me racontez pas d'histoires ! Une femme capable de tuer en toute impunité son mari, président des États-Unis, peut trouver le moyen de me rencontrer. Je remets ma vie entre vos mains, aussi dois-je prendre des précautions. Je n'ai pas d'autre arme que mon métier : j'ai étudié les expressions faciales et je vous ai également observée sur des cassettes ; je suis assez bonne dans ce domaine, et je veux jauger votre sincérité sur votre visage. »

Il y eut un silence. « Vous apporterez le crâne avec vous ?

— Il sera caché non loin, mais je vous assure que vous ne pourrez pas le trouver si jamais vous m'avez attirée dans un piège.

— Et si le piège était pour moi ?

— Vous êtes libre de prendre toutes les précautions qu'il vous plaira aussi longtemps qu'elles ne seront pas une menace pour moi.

— Où suggérez-vous que nous nous rencontrions ?

— Quelque part près de Camp David. Il vous sera facile de vous rendre là-bas à l'occasion du week-end. Après tout, vous avez besoin de calme après la mort tragique de votre ami Scott Maren. Vous n'aurez qu'à ordonner au pilote de votre hélicoptère de se poser à l'endroit que je vous aurai indiqué au préalable.

— Oui, cela me paraît possible. Logan ?

— Il ne songe plus qu'à sauver sa peau. J'ai emporté le crâne et les papiers, la nuit dernière. Il est persuadé que je suis folle et que vous me trahirez.

— Mais vous ne l'avez pas écouté ?

— Au contraire, et je pense qu'il a sans doute raison. Mais peu importe le risque, je dois le faire. Vous saviez que je ne résisterais pas à cette proposition, n'est-ce pas ? »

Nouveau silence à l'autre bout de la ligne. « Cette rencontre n'est pas une bonne idée. Ce serait beaucoup moins risqué si vous laissiez le crâne quelque part où Timwick pourrait le récupérer.

— Moins risqué pour vous.

— Pour nous deux.

— Non, je veux vous regarder dans les yeux quand vous me promettrez de me ramener Bonnie. Vous m'avez déjà trop menti. Je ne vous en donnerai pas l'occasion une nouvelle fois.

— Je persiste à croire que ce n'est pas une bonne idée.

— À prendre ou à laisser.

— Laissez-moi un moment pour y réfléchir. »

Eve n'eut pas à attendre longtemps. « Très bien. Je viendrai. Mais Timwick m'accompagnera, décréta Lisa.

— Non.
— Timwick sait piloter un hélicoptère, et il est du Service secret. Cela signifie que je peux me passer à la fois de mon garde du corps et du pilote sans éveiller de soupçons. Timwick disposera en outre d'un équipement de détection qui m'avertira de la présence de tout système d'écoute, qu'il soit sur vous ou aux alentours. Moi aussi, je dois me protéger.
— Et qui me protégera de lui ?
— J'éloignerai Timwick une fois certaine que vous ne m'avez pas tendu un piège.
— D'accord, mais personne d'autre. Rien que vous et lui.
— C'est entendu. Maintenant, dites-moi où vous voulez me rencontrer.
— Quand vous serez en l'air.
— Quelle prudence ! À quel moment voulez-vous qu'on décolle ?
— Demain matin, huit heures précises.
— Très bien, alors notez qu'il faut une demi-heure pour atteindre Camp David depuis la Maison-Blanche. Ce serait plus simple si vous m'indiquiez tout de suite où nous devrons nous poser.
— Je vous le dirai demain, sitôt après le décollage.
— Alors, à demain. » Lisa raccrocha.
Voilà, c'était fait. Logan avait prétendu que ce serait une terrible erreur, mais Eve venait de lancer les dés. Elle devait gagner Washington dans la journée et avait une dernière chose à faire avant de partir. Elle appela sa mère. « Comment va Joe ?
— Je viens de téléphoner à l'hôpital. Il est sorti de réanimation. »
Elle ferma les yeux de soulagement. « Il va mieux ? Il vivra ?
— Il a repris conscience, la nuit dernière. Les médecins sont toujours prudents, mais tous les signes sont encourageants.
— Je veux le voir.
— Allons, tu sais bien que ce n'est pas possible. »
Elle avait tellement envie de le revoir ! Qui savait ce qui se passerait demain ? « D'accord. J'ai besoin d'un coup de main, maman. Pourrais-tu louer une voiture et venir me chercher ?
— Qu'est-il arrivé à Logan ?
— Nous avons dû nous séparer. Ils ont probablement ordre de l'abattre à vue, et on ne pouvait plus rester ensemble.
— Je suis contente que tu ne sois plus avec lui. Cela ne me plaisait pas de vous savoir...
— Maman, je n'ai vraiment pas beaucoup de temps. Je me trouve dans les toilettes du parc d'attractions de Gainesville. Il n'y a personne

à cette heure, mais je ne peux pas m'attarder longtemps là. Peux-tu venir me chercher ?

— J'arrive. »

Eve prendrait le volant, elle déposerait sa mère à l'appartement de Ron et poursuivrait sa route. Elle entra dans l'une des cabines, ferma la porte et s'assit sur le couvercle de la lunette. Elle avait une bonne heure à attendre avant que sa mère arrive. S'adossant au mur, elle ferma les yeux. Se détendre, ne plus penser. Demain matin, à huit heures, elle ferait ce qu'elle avait à faire.

Demain matin, à huit heures.

Lisa se leva et gagna la fenêtre. Demain, elle aurait récupéré le crâne de Ben, et le premier danger serait écarté.

Bien sûr, c'était peut-être un piège, cependant, elle avait parfaitement conscience d'avoir joué la seule carte à laquelle Duncan ne pouvait résister. Eve était obsédée par le besoin de retrouver sa fille, et c'est sur cette déchirure que Lisa avait misé. Elle se serait réjouie de cette première victoire si elle avait réussi à convaincre Eve que ce face-à-face n'était pas nécessaire. Son intention de respecter sa promesse avait été sincère... En vérité, elle n'en était pas si sûre, s'avoua-t-elle brusquement, au souvenir du sang répandu. Elle regretta soudain qu'Eve Duncan ait exigé de la rencontrer.

Près de Catoctin Mountain Park
Le lendemain
8 h 20

L'hélicoptère approchait, venant du nord. Eve composa le numéro de portable de Lisa Chadbourne. « Il y a une grande clairière dans les bois séparant la route 77 du village de Hunting Creek. Hunting est à dix kilomètres de la 77, et la clairière est à égale distance de la route et du village. Vous ne pouvez pas la manquer.

— Nous nous poserons quand nous aurons vérifié que la zone est sûre, dit Lisa Chadbourne. Timwick est un homme prudent. »

C'était plutôt Lisa, la prudente, pensa Eve. Elle-même avait pris toutes ses précautions avant d'appeler Chadbourne.

Les mains enfoncées dans les poches de son manteau, elle regarda l'appareil décrire des cercles au-dessus de la clairière.

« Il n'y a qu'une seule personne, constata Timwick en désignant la tache floue que les rayons infrarouges projetaient sur l'écran du radar.

Il y a bien une autre source de chaleur, mais elle provient du fast-food situé en bordure de la nationale 77, à cinq kilomètres de la clairière.

— Pas de système d'écoute électronique ? »

Timwick consulta un autre écran. « Non, rien dans la zone proche de Duncan.

— Vous en êtes sûr ?

— Évidemment, c'est aussi ma peau que je joue, je vous rappelle. »

Lisa éprouvait un sentiment de tristesse à la vue de la tache rouge sur le radar. Eve était seule et sans protection. « Alors, posons-nous, et voyons si nous pouvons la sauver... notre peau. »

Eve avait beau être l'instigatrice de ce rendez-vous, elle avait du mal à croire que c'était bien Lisa Chadbourne qui descendait de l'appareil. Elle l'observa sauter dans l'herbe humide. La Première Dame était telle qu'elle avait pu la voir sur les vidéos... belle, sereine, rayonnante. À quoi s'était-elle attendue ? À un faciès cruel et brillant de perversité ? Lisa avait tué son mari et ensuite souri aux caméras. Pourquoi un nouvel assassinat assombrirait-il ses traits ?

L'image de Gary crucifié sur le plancher de la chambre lui revint à l'esprit. Lisa avait-elle eu connaissance de cette horreur ? Certainement.

N'y pense plus, se dit-elle. Garde ton calme.

Elle s'approcha de l'hélicoptère, dont Timwick avait coupé le moteur.

« Bonjour, Eve, commença Lisa Chadbourne. James vient d'appeler la sécurité à Camp David, afin de leur annoncer qu'on s'était posé pour vérifier l'ampoule d'un des voyants du tableau de bord. Nous disposons de dix minutes, pas une de plus. Après quoi, ils commenceront à s'inquiéter et enverront du monde dans le secteur.

— Dix minutes suffiront. »

Lisa allait poursuivre, mais Timwick l'en empêcha. « Attendez, ne dites rien. » Il sauta de l'appareil et marcha vers Eve. Celle-ci recula instinctivement. Il tenait un instrument similaire à ces détecteurs de métaux utilisés par le personnel des aéroports. « Levez les mains, je vous prie, ordonna-t-il à Eve.

— Vous m'avez promis que nous n'avions rien à redouter, James, intervint Lisa.

— Deux précautions valent mieux qu'une. Tournez-vous, dit-il à Eve.

— Ne me touchez pas ! »

Il passa derrière elle et la balaya de la tête aux pieds avec le détecteur. « C'est bon. Pas d'arme, pas de micro.

— Excusez James, murmura Lisa. Il est très nerveux depuis quelque temps. Mais c'est votre faute, à Logan et à vous-même. Éloignez-vous, James. J'ai à parler à Eve. »

Timwick commença à se diriger vers les arbres. « Non ! cria Eve. Il vient de s'assurer que je ne suis pas armée, et moi je n'aurais pas ce droit ? Je veux l'avoir sous les yeux. » Elle désigna le terrain herbeux à une dizaine de mètres de l'appareil. « Allez vous asseoir.

— Quoi ?

— Vous m'avez très bien entendue. Asseyez-vous les jambes croisées. Vous vous relèverez moins vite si jamais il vous prenait l'envie de m'attaquer. »

Timwick regarda Lisa. « Ce qu'elle me demande est humiliant.

— Obéissez, répondit Lisa avec un léger sourire. Vous n'êtes pas aussi désarmée que je le pensais », poursuivit-elle à l'intention d'Eve. »

Timwick s'installa dans l'herbe, en tailleur. « Satisfaite ? questionna-t-il.

— Non, glissez la main sous votre veste et sortez votre pistolet de son holster. Mettez la sûreté et jetez-le loin devant vous.

— Je n'ai pas de...

— Faites ce que je vous dis ! ordonna Eve.

— Dépêchez-vous, James », ajouta Lisa, pressée d'en finir.

Timwick jura tout bas et s'exécuta. Eve se tourna alors vers Lisa. « Maintenant, je suis satisfaite.

— Vous avez perdu du temps, constata Lisa en jetant un coup d'œil à sa montre. Deux minutes, exactement.

— Cela en valait la peine. Je n'ai pas confiance en lui.

— Vous avez vos raisons. » Elle marqua une pause. « À présent, donnez-moi le crâne de Ben.

— Pas tout de suite.

— Vous voulez d'abord que je vous répète que je mettrai tout en œuvre afin de retrouver Bonnie ? demanda-t-elle en regardant Eve fixement. Eh bien, je vous le promets, Eve. L'entreprise est hasardeuse, mais je ferai tout ce qui est en mon pouvoir pour la mener à bien. »

Oh ! Seigneur, elle disait la vérité ! Bonnie pourrait rentrer à la maison.

« Le crâne, Eve. Je n'ai pas beaucoup de temps. J'ai des papiers et de l'argent pour vous dans l'hélicoptère, et James a organisé votre départ du pays, à votre mère et à vous. Donnez-moi le crâne, et je disparaîtrai à jamais de votre vie. Où est-il ?

— Derrière moi, à la lisière du bois. » Elle jeta un regard prudent en direction de Timwick et recula vers les buissons bordant la clairière. « Ne bougez pas, Timwick.

— James ne bougera pas, assura Lisa en la suivant. Il désire ce crâne autant que moi.

— Et quand je vous l'aurai donné, que se passera-t-il ? »

Lisa ne répondit pas. Un pli inquiet barrait son front. « Où est-il ? Vous l'avez enterré ?

— Non. » Eve s'arrêta et désigna la mallette de cuir, à demi dissimulée sous un buisson. « Il est là.

— Exposé à la vue de tous ?

— À quoi cela m'aurait-il servi de l'enterrer ? Vous seriez arrivée avec toutes sortes de détecteurs et vous l'auriez trouvé de toute façon.

— Dans ce cas, je vous ai surestimée, dit Lisa en riant. Je m'attendais de votre part à je ne sais quelle manœuvre brillante. Évidemment, ce n'est peut-être pas le vrai crâne, vous nous avez déjà fait le coup. »

Eve secoua la tête. « C'est Ben Chadbourne. Vérifiez vous-même. »

Lisa prit la mallette. « J'ai appris que vous faisiez de très belles reconstitutions des visages. Est-ce que celle-ci est vraiment ressemblante ?

— Ouvrez. »

Lisa considéra la petite valise. « Non, je n'en ai pas vraiment envie.

— Comme vous voudrez, fit Eve avec un haussement d'épaules. Mais je suis étonnée que vous preniez ce risque.

— Vous avez raison, je ne peux pas me le permettre. » Lisa posa la mallette par terre et manipula le fermoir. « Voyons si vous êtes à la hauteur de votre réputation... mon Dieu ! » Elle eut un mouvement de recul, les yeux fixés sur le crâne nu. « Mais je croyais que...

— Oui, il n'était pas comme ça quand j'ai reconstitué le visage de votre mari. Mais Gary Kessler aimait travailler sur des ossements propres, alors j'ai dû défaire tout mon travail. Vous vous souvenez de Gary ? Vous avez donné l'ordre à Fiske de le tuer. »

Lisa contemplait le crâne avec horreur. « C'est... c'est Ben ?

— C'est à cela que ressemble un homme quand on le fait incinérer. La peau s'embrase, se craquelle et...

— Taisez-vous ! » Des larmes ruisselaient maintenant sur les joues de Lisa.

« Et vous voyez ce trou à l'arrière ? Il est provoqué par l'explosion du cerveau. En effet, le cerveau bouillonne sous une forte température et il finit par éclater...

— Fermez-la, salope !

— Mais la mort de Gary a été différente. Vous avez dit à Fiske de me prouver que j'avais intérêt à vous donner le crâne. C'est vous qui avez suggéré de le crucifier ?

— Non, je lui ai seulement ordonné de vous faire peur. Il le fallait, vous me résistiez. Je voulais mettre un terme à ces tueries, et je vous ai dit que je le ferais si vous me rendiez le crâne, mais vous ne vouliez rien entendre.

— Votre mari, quel genre de mort lui aviez-vous réservé ?

— Scott Maren lui a fait une injection. Il n'a pas souffert. » Elle respira profondément, s'efforçant de retrouver sa maîtrise. « C'était cruel de votre part, Eve, de m'avoir montré ce crâne...

— Quoi ? C'est vous qui m'accusez de cruauté ! Vous avez fait tuer Gary et Gil Price, sans parler de Joe, qui est encore dans un état critique !

— Vous êtes satisfaite, à présent ? répliqua Lisa. Bon Dieu ! et moi qui avais sincèrement de la peine pour vous !

— De la peine pour moi ? Cela signifie que vous aviez quelque vague scrupule à me tuer... Une fois que je vous aurais remis ce foutu crâne, bien entendu.

— C'est vous qui avez fixé ce rendez-vous, alors qu'il vous suffisait de déposer le crâne quelque part. Je savais que je ne pourrais pas vous laisser en vie si vous me donniez la possibilité de vous... C'est mon devoir. » Elle se tourna vers Timwick. « Nous partons, James. Occupez-vous d'elle. »

Timwick se releva lentement. « Vous voulez que je la tue ?

— Ça ne me plaît pas, mais ce doit être fait. Alors, faites-le. »

Timwick regarda Eve puis, se détournant, il se dirigea vers l'hélicoptère.

« James !

— Allez vous faire foutre ! »

Lisa se figea. « Nous étions d'accord, James. »

Il ouvrit la portière de l'appareil. « Peut-être, mais certainement pas pour que Fiske me supprime. Quand devait-il me descendre, Lisa ?

— Mais qu'est-ce que vous racontez ?

— Je parle de la liste que vous avez remise à Fiske. Je l'ai vue. Il l'a ajoutée à celle que je lui avais donnée. Je connais son écriture.

— Comment avez-vous pu voir quelque chose qui n'existe pas ? S'il avait une liste, elle ne venait certainement pas de moi. Vous savez bien que Fiske prenait des initiatives et qu'il vous jalousait.

— Oui, mais pas au point de mordre la main qui le nourrissait. Sauf si quelqu'un d'autre lui promettait une meilleure pitance. En vérité, vous avez pensé ne plus avoir besoin de moi.

— Impossible de le prouver. Fiske est mort.

— Vous auriez trouvé un autre tueur.

— Non, vous vous trompez, James. » Elle se dirigea vers l'hélicoptère. « Écoutez-moi.

— Je ne veux plus vous entendre ; je me tire.

— Ils vous rattraperont.

— Pas si j'ai une bonne longueur d'avance, ce qui fait partie du marché que j'ai passé avec eux. Je vais appeler Camp David et leur dire que nous arrivons. » Il s'installa aux commandes. « Allez au diable, vieille salope !

— Timwick ! » Elle courut à la portière. « C'est un piège, un mensonge ! N'abandonnez pas tout ce que nous avons bâti. Kevin vous nommera... »

Le bruit des rotors couvrit la voix de Lisa. Elle perdit l'équilibre sous le souffle des pales et tomba dans l'herbe, tandis que l'appareil s'élevait rapidement. Se redressant sur les genoux, elle regarda dans la direction d'Eve. « C'est vous qui avez combiné tout ça, hein ?

— Je dois reconnaître que, sans votre aide, je n'y serais pas arrivée, répondit Eve en se rapprochant. Mais c'est vous qui m'avez appris que Timwick paniquait. Et un homme affolé est mûr pour tous les compromis.

— Vous m'avez piégée ! s'exclama Lisa avec stupeur.

— Oui, c'était mon intention, mais c'est Logan qui a pris contact avec Timwick et lui a montré la liste que nous avons retrouvée sur Fiske.

— Pourtant, quand je vous ai dit que j'emmènerais Timwick, vous avez refusé.

— Je savais que vous viendriez avec lui. Si vous ne l'aviez pas suggéré, Timwick vous aurait persuadée de le laisser vous accompagner. » Elle sourit. « Il n'a même pas eu à le faire, n'est-ce pas ?

— Tout cela ne vous servira à rien. Je peux me passer de Timwick... » Elle se tut abruptement. « Ah ! vous avez tout enregistré, n'est-ce pas ?

— Oui.

— Et vous m'avez montré le crâne de Ben pour m'ébranler.

— En effet. Les restes humains effraient la plupart des gens, surtout leurs assassins. »

Lisa se taisait. Elle essayait de se remémorer leur conversation. « Après tout, je n'ai rien dit de véritablement compromettant...

— Vous croyez ? demanda Eve. Logan a invité trois personnes à écouter vos... aveux : Peter Brown, journaliste de renom, Andrew Bennett, juge à la Cour suprême, et le sénateur Denis Lathrop. Trois hommes éminemment respectés. Une fois notre décision prise et notre plan arrêté, Logan est passé à l'action. Il avait près de vingt-quatre heures pour convaincre Timwick qu'il serait la prochaine victime. »

Lisa avait pâli et semblait vieillie de dix ans. « Bravo ! dit-elle d'une voix sans timbre. J'ai toujours prévenu Timwick que nous devions nous méfier de vous. Il a pu me tromper en prétendant qu'il n'avait détecté aucun système d'écoute, mais la tache infrarouge sur le radar ne mentait pas, donc je suppose que j'ai quelques minutes avant que Logan arrive. »

Eve hocha la tête.

« Bien. J'ai besoin d'un peu de temps pour me remettre. Ça me semble tellement... incroyable que tout soit perdu. J'étais convaincue que je vous tenais, je pensais que Bonnie était la clé.

— Elle l'était.

— Mais vous avez renoncé à la seule chance de...

— Non, les chances de la retrouver sont bien trop infimes, et puis vous avez fait du mal à des gens que j'aimais.

— Mais j'aurais tenu ma promesse, concernant Bonnie. Ne serait-ce que pour me donner bonne conscience.

— Je vous crois... sur ce dernier point. »

Eve se raidit lorsque Lisa se remit debout. « Je n'ai pas l'intention de vous faire du mal. Vous m'avez détruite, souffla Lisa.

— Non, vous n'avez pas eu besoin de moi pour ça. Où allez-vous ?

— J'ai laissé tomber... Ben quand j'ai couru à l'hélico. » Elle s'agenouilla à côté de la mallette. « Le crâne est tellement petit que ça me surprend. Ben était si grand... dans tous les sens du mot. Si vivant...

— Jusqu'à ce que vous le tuiez. »

Lisa ne répondit pas ; peut-être n'avait-elle pas entendu. « Il était tellement intelligent. Il avait tant d'ambitions pour son pays. Et il les aurait réalisées. » Puis, caressant l'os pariétal : « Quel homme formidable tu as été, Ben Chadbourne ! »

La caresse de Lisa était presque aimante, réalisa Eve avec surprise. Lisa leva vers elle des yeux emplis de larmes. « La presse à sensation voudra des photos de lui. Ces gens-là adorent ce qui est horrible et morbide. Ne les laissez pas prendre des clichés du crâne. Je veux que les gens se souviennent de lui tel qu'ils l'ont connu. Promettez-moi de ne pas le livrer aux chiens.

— Je vous le promets. Il n'y aura pas d'autres photos que celles présentées comme pièces à conviction lors du procès. Après ça, je veillerai à ce que le crâne ait une sépulture décente.

— Oui, c'est très important pour moi. Ben se fichait de ce qu'on pouvait devenir après la mort. Il affirmait que seul importait ce qu'on laissait derrière soi. » Elle regarda le crâne calciné et eut de nouveau les larmes aux yeux. « Cela me fait mal de te voir ainsi, Ben. Tu m'avais promis que tu disparaîtrais sans laisser d'autres traces qu'un tas de cendres. »

Eve tressaillit. « Qu'avez-vous dit ? »

Lisa la regarda. « Je l'aimais, avoua-t-elle simplement, je l'ai toujours aimé. Il était bon et généreux, il était extraordinaire. Pensez-vous sincèrement que j'aurais pu tuer un homme pareil ?

— C'est pourtant ce que vous avez fait. Ou, plutôt, Maren s'en est chargé pour vous.

— J'ai persuadé Scott de préparer l'injection, mais Ben lui a pris la seringue des mains et s'est piqué lui-même. Il ne voulait pas que Scott assume cette responsabilité. Voilà l'espèce d'homme qu'était mon mari.

— Pourquoi ?

— Ben allait mourir d'un cancer du foie. »

Eve mit un moment à revenir de sa stupeur. « C'était donc un... suicide ? balbutia-t-elle.

— Non, Ben considérait le suicide comme une lâcheté. Il voulait seulement épargner au... » Elle se tut un bref instant pour raffermir sa voix. « Il a tout préparé. Il savait que ses rêves allaient prendre brutalement fin. Nous avions lutté pendant quinze ans pour accéder à la Maison-Blanche. Quelle équipe nous formions ! Il avait dû choisir Mobry comme vice-président parce que nous avions besoin du Sud, mais il répétait toujours que j'étais la seule à mériter cette place. Cela m'était égal, j'étais à ses côtés pour l'aider, et c'était suffisant. Alors, quand il a pris connaissance de son mal, il a refusé que sa mort vienne interrompre ses projets pour le pays.

— C'est lui qui a monté cette machination ?

— Il a choisi Kevin Detwil. Il m'a expliqué comment le manœuvrer pour en tirer le meilleur parti. Il estimait que j'aurais besoin de Timwick et il m'a dit ce que je devais faire pour l'amener à coopérer.

— Timwick savait qu'il était malade ?

— Non, Timwick a toujours été convaincu qu'il s'agissait d'un meurtre. Ben pensait que James serait plus docile s'il se croyait le complice de l'assassinat du Président. Il avait raison. » Elle eut un sourire amer. « Il avait toujours raison. Et tout s'est passé comme il l'avait prévu. Nous avions chacun notre tâche. Moi, je manipulais Kevin, en veillant à faire passer au Congrès les lois qu'avait prévues Ben : sept en tout. Mesurez-vous l'ampleur du travail que j'ai accompli ?

— Quel était le rôle de Timwick ?

— Nous protéger et veiller au bon fonctionnement de la supercherie. Mais il a pris peur, et j'ai perdu tout contrôle sur lui.

— Ben s'était donc trompé au sujet de Timwick.

— Non, tout aurait très bien marché si Timwick s'était assuré de l'incinération totale du corps et n'avait pas fourni à Donnelli un formidable moyen de chantage, si Logan n'était pas entré en scène, et si vous vous étiez occupée de vos propres affaires.

— Oui, et si tout le monde ne s'était pas douté de quelque chose.

— Pourtant, sans l'erreur initiale de Timwick, jamais personne n'aurait soupçonné quoi que ce soit. Le plan de Ben était parfait. Vous vous rendez compte de tout ce que vous avez détruit ? Nous voulions apporter le bien-être au plus grand nombre.

— Vous avez peut-être commencé avec de bonnes intentions, et vous avez fini par ordonner à Fiske de tuer.

— Je ne voulais pas ça, mais tout s'est mis à déraper, je ne sais pas comment. J'avais promis à Ben de veiller à ce que tout se passe bien, et puis un domino est tombé, en a entraîné un autre, et j'ai été prise dans un... » Elle se tut soudain. « Je me tiens mal, je devrais faire preuve d'autant plus de dignité que tout cela est probablement enregistré. » Elle se redressa, un sourire illuminant son visage. « Vous voyez, je sais faire face, il se pourrait même que je m'en sorte. Je sourirai et montrerai une telle franchise que les jurés ne croiront même pas au contenu de ces bandes.

— Oh ! ils le croiront ! Tout est fini pour vous. »

Lisa releva le menton. « Pas avant d'avoir mené mon dernier combat.

— Est-ce que Ben approuverait que vous vous battiez ? Un scandale de cette importance va désorganiser le gouvernement pendant des mois et ternir gravement vos réalisations.

— Je saurai me retirer en temps voulu... comme Ben. » Elle garda le silence un moment. Quelle ironie d'avoir choisi Camp David comme lieu de rendez-vous. Saviez-vous comment Reagan a surnommé Camp David ? Shangri-La : Le rêve perdu... » Elle regarda de l'autre côté de la clairière, où la voiture de Logan et trois autres véhicules venaient de s'arrêter. « Les voilà. Je pars à leur rencontre : l'attaque est toujours la meilleure défense. »

Eve la vit se mettre en marche d'un pas solennel et gracieux à la fois. Soudain, elle se figea. Lisa venait de s'arrêter à l'endroit où l'arme de Timwick avait atterri et contemplait le revolver à ses pieds.

« Non ! cria Eve.

— Vous avez détruit tout ce que Ben et moi avons construit. Vous me prenez pour une meurtrière, je pourrais ramasser cette arme et vous prouver que vous avez raison. Vos amis sont bien trop loin pour intervenir à temps. Avez-vous peur de mourir, Eve ?

— Non, je ne pense pas.

— Oui, c'est aussi mon avis. Ce dont vous avez peur, c'est de vivre... J'aurais peut-être retrouvé votre fille, c'est une éventualité avec laquelle vous devrez vivre. À présent, tout espoir est perdu pour vous. » Elle donna un petit coup de pied au revolver. « Vous voyez, je suis une non-violente. J'écarte la tentation de me venger et je m'en vais à la rencontre de la justice. » Elle sourit. « Au revoir, Eve. Je vous verrai sans doute au tribunal. » Puis, se remettant en marche : « Si toutefois il y a procès. »

« Elle pense qu'elle peut encore s'en tirer, dit Eve à Logan, en observant Lisa monter à l'arrière d'une voiture entre deux agents fédéraux. Et elle serait bien capable d'y parvenir.

— Pas si nous l'isolons de Kevin Detwil, ce qu'ils essaieront de faire. Mais ce sera difficile, en raison de la position qu'elle occupe. Le juge Bennett va de ce pas trouver Detwil et lui faire écouter la bande.

— Vous pensez qu'il flanchera ?

— Oui. C'est un faible et, sans elle, il n'est rien. En outre, si l'enregistrement ne suffit pas, nous lui montrerons la liste.

— Mais pourquoi son nom – ou plutôt celui de Chadbourne – est-il sur cette liste ? Je peux comprendre que Timwick y soit : il paniquait et représentait un danger. Mais elle avait tout de même besoin de Detwil pour briguer un second mandat.

— Je doute qu'il ait été une cible immédiate. Elle a probablement mentionné son nom pour appâter Fiske. Quel défi pour un tueur comme lui que d'abattre le Président !

— De toute façon, elle l'aurait fait abattre tôt ou tard.

— Oui, Detwil était une preuve vivante. J'imagine qu'elle aurait chargé Fiske de s'arranger pour qu'il ne reste plus rien de lui. Une bombe dans l'avion présidentiel, par exemple.

— Il y a beaucoup de monde qui voyage à bord de l'avion présidentiel.

— Pensez-vous que cela l'aurait arrêtée ?

— J'aimerais le croire mais, à vrai dire, je n'en sais rien. »

Il la prit par le bras. « Venez, partons d'ici.

— Où allons-nous ?

— Vous me laissez le choix de la destination ? J'étais sûr que, après m'avoir contraint de piéger Lisa Chadbourne, vous auriez un plan de repli. »

Non, elle était épuisée, vidée. « Je voudrais rentrer chez moi.

— C'est impossible pour le moment, je le crains. Nous allons séjourner chez le sénateur Lathrop jusqu'à ce que le plus fort de la tempête soit passé et que nous soyons officiellement lavés de tout soupçon. Personne ne veut courir le risque que quelques flics ou fédéraux mal renseignés nous prennent par erreur pour cibles.

— C'est charmant.

— On a vu pire. Nous sommes devenus des témoins très importants, et nous n'échapperons pas à une surveillance draconienne.

— Quand pourrai-je retrouver ma maison ?

— Dans une semaine, j'espère. »

Elle secoua la tête. « Trois jours, pas un de plus.

— Nous essaierons. Mais souvenez-vous que nous sommes à la veille d'un renversement de présidence.

— Ça, c'est votre dada, Logan. Pas le mien. » Elle monta dans la voiture. « Trois jours chez votre sénateur, ensuite j'irai rendre visite à ma mère et à Joe avant de rentrer chez moi. »

23

Washington D.C.

« C'est du délire ! » Eve se détourna de la fenêtre voilée de tulle. « Il y a bien une centaine de reporters là-dehors. Pourquoi ne s'en vont-ils pas assiéger quelqu'un d'autre ?

— Eh ! nous sommes l'événement de cette fin de millénaire ! dit Logan. À côté, l'affaire O.J. Simpson et les frasques de Clinton sont de la gnognote. Il faudra vous y habituer.

— Je n'en ai pas l'intention, répliqua-t-elle en arpentant le salon comme un fauve en cage. Voilà cinq jours que nous sommes ici, chez votre ami Lathrop. J'ai besoin de rentrer chez moi ; j'ai besoin de voir Joe.

— Votre mère a dit que Joe allait de mieux en mieux.

— Oui, mais chaque fois que j'ai appelé, on ne m'a pas laissée lui parler.

— Pourquoi ?

— Comment le saurais-je ? Je ne suis pas là-bas. » Elle s'arrêta devant le fauteuil dans lequel il était assis. « Je suis cloîtrée ici. Je ne peux pas sortir sans me faire assaillir par une meute de journalistes. Nous n'avons même pas pu assister aux enterrements de Gil et de Gary. Et ça n'est pas près de se terminer, n'est-ce pas ? »

Logan secoua la tête. « Je vous avais avertie. Dès l'instant où Detwil a craqué et a tout avoué, ça a déclenché la panique. »

Et ils avaient été emportés par ce maelström, pensa Eve. Depuis, ils étaient virtuellement prisonniers dans la maison du sénateur, à observer les événements à la télévision. Kevin Detwil avait fait des aveux publics, Chet Mobry remplaçait le Président, et Lisa Chadbourne avait été incarcérée.

« Oui, j'ai l'impression de vivre dans un bocal à poissons. Quand pourrai-je me remettre au travail ? Me remettre à vivre ? Je n'y tiens plus.

— Allons, Eve, les médias finiront par se lasser. Quand le procès sera terminé, plus personne ne parlera de nous.

— Cela pourrait durer des années. Oh ! j'ai envie de vous étrangler, Logan !

— Mais non, dit-il en souriant, vous n'auriez plus personne avec qui partager votre misère. C'est important de ne pas être seul dans un moment pareil.

— Je ne veux pas de votre compagnie. Je veux maman et Joe.

— Si vous allez les voir maintenant, ils seront des cibles pour les reporters. Ils ne pourront plus faire un pas sans une caméra braquée sur eux. Leur vie deviendra impossible. Croyez-vous que la relation de votre maman avec Ron survivrait à une telle pression ? Et Joe Quinn ? Que penseraient ses collègues de la police d'Atlanta d'un flic qui ne peut pas se déplacer sans une horde de journalistes à ses trousses ? Et son mariage ? Est-ce que sa femme pourra supporter...

— Taisez-vous, Logan.

— J'essaie seulement de vous montrer les choses telles qu'elles sont. Ne m'avez-vous pas demandé d'être franc envers vous ?

— Vous saviez que cela se déroulerait ainsi, hein ?

— Non, je n'ai jamais réfléchi aux répercussions médiatiques. J'aurais dû y songer, pourtant, mais je ne voulais rien d'autre que la chute de Lisa Chadbourne. C'était pour moi le plus important. »

Il disait la vérité, hélas ! Mais elle éprouvait une telle frustration qu'elle avait envie de le culpabiliser.

« De plus, je suis persuadé, ajouta-t-il calmement, que c'était aussi votre désir.

— Oui, reconnut-elle en retournant à la fenêtre. Mais cela ne devrait pas se passer de cette façon. Nous avons détrôné Lisa, et j'ai le sentiment qu'elle nous entraîne dans sa chute.

— Je ne vous laisserai pas tomber. » Il s'approcha et posa légèrement ses mains sur les épaules d'Eve. « Si toutefois vous me permettez de vous aider.

— Pouvez-vous me rendre ma vie d'avant ?

— C'est mon intention. Cependant, ça risque de prendre un peu de temps. » Il se mit à lui masser les muscles noués des épaules puis, se penchant, il lui murmura à l'oreille : « Vous êtes tendue. Je crois que vous avez besoin de vacances.

— J'ai besoin de travailler.

— Nous pourrions combiner les deux. Saviez-vous que je possède une maison sur une île juste au sud de Tahiti ? La propriété est très isolée mais bien gardée. Je m'y rends quand j'ai envie de m'échapper pour une raison ou pour une autre.

— Que dites-vous ?

— Un peu d'évasion nous ferait du bien. Et il faudrait beaucoup d'audace aux journalistes pour nous suivre jusque là-bas. » Il la fit se retourner. « Regardez-vous. Je vous ai fait traverser l'enfer, à présent je voudrais réparer mes torts. Il faut vous reposer, panser vos blessures. L'île est belle, bien qu'on s'y ennuie car il n'y a pas d'autre occupation que marcher sur la plage, lire et écouter de la musique. »

Le tableau qu'il en dressait ne paraissait pas ennuyeux à Eve, il avait plutôt des airs de paradis. « Je pourrais y travailler ? »

Il grimaça d'un air amusé. « J'attendais cette question. Je vous ferai installer un atelier et, cette fois, Margaret saura exactement comment vous satisfaire.

— Mais nous autoriseront-ils à partir ?

— Il n'y a aucune raison que les magistrats instruisant l'affaire s'opposent à notre départ s'ils ont la possibilité de nous joindre en cas de besoin. D'ailleurs, ils préféreront nous savoir à l'abri des médias.

— Quand partirions-nous ?

— Je vais voir, peut-être la semaine prochaine.

— Et je pourrais rester là-bas jusqu'à ce qu'on ait besoin de moi ici ?

— Bien entendu. »

Elle regarda par la fenêtre la foule des journalistes massés sur le trottoir devant la maison. Ils paraissaient affamés, et elle savait que rien ne pourrait les rassasier. Certains d'entre eux étaient probablement remplis de bonnes intentions, mais elle se souvenait que, après la disparition de Bonnie, plus d'une fois un reporter lui avait posé une question douloureuse dans le seul dessein de fixer sur la pellicule la souffrance d'une mère ; cela, elle ne voulait jamais le revivre.

« Alors, ça vous tente ? » demanda Logan.

Elle hocha lentement la tête.

« Très bien. Et ça ne vous ennuie pas si je viens avec vous ? Vous n'êtes pas la seule à avoir besoin de repos et d'évasion. La maison est vaste, je vous promets de ne pas vous importuner.

— Non, ça ne m'ennuie pas. » La paix. Le soleil. Rien ne la gênerait, pas même la présence de Logan, pourvu qu'elle soit loin de cette frénésie. « Dès que je me serai remise au travail, je ne m'apercevrai même pas que vous serez là.

— Oh ! je ne suis pas de cet avis ! Il vous faudra refaire surface de temps en temps, et nous serons très isolés. » Il se dirigea vers la porte. « Et je ne passe pas inaperçu. »

« Dix minutes. » L'infirmière fronça les sourcils en lorgnant, derrière Eve, la meute des reporters que le personnel de sécurité contenait à grand-peine. « Nous ne pouvons pas tolérer tout ce tapage. Nous avons eu assez de mal comme ça pour préserver M. Quinn des médias. Il est encore très faible.

— Je ne le dérangerai pas, je veux seulement le voir.

— Laissez-moi m'occuper des reporters, proposa Logan. Prenez votre temps.

— Merci, Logan.

— Peut-être pourriez-vous m'appeler John, maintenant que nous allons fouler ensemble le sable d'une île déserte ?

— Elle n'est pas déserte mais tropicale, et je ne crois pas pouvoir m'habituer à un autre nom pour l'instant.

— Dix minutes, répéta l'infirmière. Chambre 402. »

Joe était assis dans son lit lorsqu'elle entra.

« Je ne m'attendais pas à... te voir en si grande forme ! s'exclama-t-elle avec joie.

— Tu l'aurais su si tu avais pris la peine d'appeler, répliqua-t-il, bougon.

— J'ai téléphoné tous les jours, mais ils ne m'ont pas laissée te parler. »

Une lueur éclaira son regard sombre. « Ah bon ?

— Naturellement. Tu crois que je te mentirais ?

— Non. » Il sourit. « Dans ce cas, je te permets de t'approcher et de me serrer dans tes bras. Mais pas trop fort. Les médecins me fichent la paix depuis hier seulement, et je n'ai pas envie de les voir revenir.

— Les infirmières montent bien la garde, dis donc. Je n'ai droit qu'à dix minutes.

— Elles ? De vrais cerbères », fit-il en riant doucement.

Elle l'étreignit avec précaution. « Mais dix minutes devraient suffire, vu ton accueil chaleureux... et l'odeur d'éther que tu dégages.

— Toujours à te plaindre. J'ai donné mon sang pour toi, et voilà comment je suis récompensé ! »

Elle s'assit à côté de lui. « Tu as été stupide, et je ne t'aurais jamais pardonné si tu étais mort.

— Je sais, c'est pourquoi j'ai fait en sorte de rester en vie. »

Elle lui prit la main. Une main chaude et forte... la main de Joe.

« J'ai envoyé à maman une copie de l'enregistrement de Lisa Chadbourne, avec mission de te la faire écouter. J'espère qu'elle a pu franchir le barrage des cerbères. Logan a dû promettre la lune au ministère de la Justice pour obtenir cette copie.

— Sandra est venue sans problème. On dirait que tu es la seule à avoir du mal à arriver jusqu'à moi. » Il serra plus fort sa main. « Cet enregistrement a failli me tuer d'une crise cardiaque. Comment Logan a-t-il pu te laisser risquer un coup pareil ?

— Il n'a pas réussi à m'en empêcher. »

Il pinça les lèvres. « Moi, j'aurais réussi.

— Tu parles !

— Pourquoi t'es-tu précipitée ? Ça ne pouvait pas attendre ?

— Elle avait tué Gary et j'étais sûre qu'elle enverrait quelqu'un t'achever.

— Alors, c'est moi le fautif.

— Tu ne crois pas si bien dire. Aussi arrête de m'engueuler. Je ne pouvais attendre que tu te relèves d'entre les morts, il a fallu que je passe à l'action.

— Avec l'aide de Logan. » Il fit la grimace. « Mais sans qu'il se mouille lui-même, le salopard.

— Non, tu es injuste envers lui. C'est à moi que Lisa s'est adressée, pas à lui. Logan m'a aidée. C'est lui qui a organisé le contact avec Timwick. Il a envoyé ton ami journaliste auprès de Timwick pour lui montrer la liste et arranger un rendez-vous. Le danger était grand pour Logan, car c'était littéralement se jeter dans la gueule du loup. Heureusement, Timwick était paniqué, comme nous le pensions, et prêt à négocier sa fuite.

— Il n'a pas encore été repris ?

— Non, il semble avoir disparu de la surface de la terre.

— Personne ne peut s'évanouir dans la nature sans laisser de traces. » Il fronça les sourcils d'un air songeur. « Il faut le retrouver et le neutraliser, sinon il est fort capable de se venger sur toi.

— En tout cas, tu ne partiras pas à sa recherche.

— Ai-je dit que j'en avais l'intention ? Je suis un handicapé.

— Pourquoi t'inquiètes-tu ? Timwick est maintenant seul, il ne représente plus une menace.

— Un rat acculé mord toujours. Pourquoi as-tu organisé ce rendez-vous avec Lisa Chadbourne et Timwick ? Tu as poussé cette femme jusqu'à la dernière limite en ignorant quelle serait sa réaction. Quelqu'un aurait dû être là avec toi pour te soutenir.

— Ça n'aurait pas eu de sens de me faire accompagner par Logan.

— Et ça en aurait eu de te faire descendre ?

— Tu sais bien que j'ai raison. Lisa n'aurait jamais cru que Logan m'avait laissée troquer le crâne contre Bonnie. Pour la tromper, je devais prétendre avoir quitté Logan en emportant le crâne avec moi. »

Il garda le silence un instant. « Apparemment, Lisa Chadbourne n'a pas douté de ta sincérité. As-tu été tentée de... respecter le marché passé avec elle ?

— Tu connais la réponse.

— Non, dis-moi.

— Oui, la tentation a été forte.

— Mais pas assez pour aller jusqu'au bout ?

— On dirait, répondit Eve avec un haussement d'épaules. Peut-être que je ne me fiais pas à elle. Peut-être que je doutais qu'elle puisse jamais retrouver Bonnie. Peut-être que je lui en voulais trop de ce qu'elle vous avait fait, à Gary et à toi.

— Oui, et peut-être que c'était un premier pas vers...

— Vers quoi ?

— Rien. » Il lui tapota la main. « C'est fini, les bêtises, maintenant. En tout cas, jusqu'à ce que je sois de nouveau capable de te faire marcher droit. Logan n'y entend rien dans ce domaine.

— Il est assez intelligent pour ne pas essayer... Et il est très gentil avec moi depuis quelques jours. Il a une maison sur une petite île du Pacifique ; il va m'y emmener, le temps que le calme revienne.

— Ah oui ? » fit Joe.

Le ton, sarcastique, ne plut pas à Eve.

« C'est une bonne idée. Je reprendrai mon travail, là-bas. Il est insupportable de ne plus pouvoir faire un pas sans une meute de journalistes à mes trousses. Crois-moi, c'est ce que j'ai de mieux à faire. »

Il resta silencieux, le regard lointain.

« Joe ?

— Tu as raison. Tu as besoin de repos et ce n'est pas ici que tu le trouveras. En conclusion, je pense que tu peux aller avec lui.

— Vraiment ? »

Il lui sourit. « Eh bien, oui. N'aie pas cet air étonné. Tu m'as dit toi-même que c'était une bonne idée. Je suis de ton avis.

— Très bien, dit-elle avec une certaine hésitation.

— Est-ce que Logan est ici avec toi ?

— Oui, nous allons partir pour Tahiti dès que j'aurai embrassé maman.

— Quand tu partiras, tu veux bien lui demander de venir me voir une minute ?

— Pourquoi ?

— Qu'est-ce que tu crois ? Pour lui conseiller de bien veiller sur toi s'il ne veut pas que je le balance dans un volcan. Si Tahiti a des volcans. »

Elle gloussa, soulagée. « Je n'en sais rien. Son île est au sud de la Polynésie.

— Peu importe. S'il n'y a pas de volcans, il y a des requins. » Il serra la main d'Eve. « Maintenant, tais-toi, j'ai envie de passer les cinq dernières minutes à te regarder, pas à t'entendre vanter les charmes de Tahiti.

— Tu ne changeras jamais. »

Mais elle n'avait pas envie de parler non plus. Elle désirait seulement être assise là et ressentir cette paix et ce bien-être qui l'envahissaient toujours en présence de Joe. Il était comme un roc au milieu d'une mer déchaînée. Vivant et fort, et immuable. C'était bon de savoir qu'à son retour elle le retrouverait, fidèle à lui-même.

« Vous vouliez me voir ? interrogea Logan, sur la défensive.

— Asseyez-vous, dit Joe en désignant la chaise à côté de son lit.

— C'est marrant, j'ai l'impression d'être convoqué au bureau du directeur.

— Vous sentiriez-vous coupable ?

— Allons, Quinn, pas de ce jeu-là avec moi.

— Vous m'avez accusé d'avoir trompé Eve, et vous faites la même chose. Il paraît que vous êtes gentil avec elle.

— Je le suis.

— Vous avez intérêt. Elle en a besoin. Par ailleurs, si elle se cassait ne serait-ce qu'un ongle sur cette foutue île, vous me verriez débarquer.

— Vous n'êtes pas invité, répliqua Logan en souriant. Ah ! pour votre information, il n'y a pas de volcan sur l'île !

— Elle vous a dit ?

— Oui, ça l'a fait rire. Elle était surtout soulagée que vous n'ayez pas critiqué sa décision. Moi aussi, ça m'a rassuré mais, réflexion faite, j'ai pensé que cela aurait été une erreur de votre part de vous opposer à ce voyage. Et vous ne commettez jamais d'erreur, n'est-ce pas, Quinn ?

— Vous non plus ; vous avez manœuvré Eve à la perfection. Elle croit même que vous désirez l'aider à reprendre goût à la vie pour vous faire pardonner de l'avoir entraînée dans cette aventure.

— C'est mon désir, absolument.

— Et vous voulez aussi coucher avec elle.

— Oui ; de plus, j'aimerais qu'elle partage ma vie aussi longtemps qu'elle le voudra. » Il sourit. « Ça vous choque ? Vous semblez indifférent au fait que nous puissions avoir des rapports sexuels, mais vous n'avez pas trop envie que je m'attache à elle. C'est trop tard. Je lui suis déjà très attaché, et je ne désespère pas de l'amener à partager cet attachement.

— Ce ne sera pas facile.

— J'ai le temps et une île tropicale de mon côté. C'est une femme remarquable. Je ne voudrais pas la perdre. Quoi que vous fassiez.

— Pourquoi voudriez-vous que je m'oppose à votre... amour ? rétorqua Joe en le regardant au fond des yeux. En vérité, j'ai envie qu'elle parte avec vous. Envie que vous lui fassiez l'amour. Et envie qu'elle vous rende votre affection. »

Logan haussa les sourcils. « Que me vaut cette générosité, Quinn ?

— Je suis convaincu que c'est ce qui peut lui arriver de mieux. Elle a besoin de revenir à la vie. Elle a déjà fait un pas dans ce sens en abandonnant toute chance de retrouver Bonnie. Vous pouvez l'aider à continuer d'avancer.

— Vous faites de moi son thérapeute ?

— Appelez ça comme vous voudrez. »

Logan regarda Joe. « Bon Dieu ! ça ne vous plaît vraiment pas, hein ? »

Joe ne répondit pas à la question. « C'est la meilleure chose à faire. Vous pouvez l'aider, pas moi. Cependant, si ce séjour paradisiaque ne lui procurait pas le bien-être attendu, croyez-moi, je me débrouillerai pour trouver un volcan. »

Logan n'avait aucune raison de ne pas le croire. Quinn gisait dans ce lit, les poumons perforés par une balle de gros calibre, mais, loin de paraître réduit à l'impuissance, il inspirait un formidable sentiment de force et d'endurance. Logan se souvenait d'avoir considéré Quinn comme l'un des hommes les plus impressionnants qu'il ait jamais rencontrés. Il réalisait à présent que le côté protecteur de Joe était encore plus dangereux. « Je ferai tout mon possible pour qu'elle soit heureuse. » Il ne résista pas à lancer une petite pique en se levant. « Bien sûr, vous ne pourrez pas en juger, car Eve et moi serons probablement trop occupés pour vous rendre souvent visite à l'avenir.

— N'essayez pas de vous mettre en travers de nous, Logan. Ça ne marcherait pas. Tout ce que j'aurai à dire à Eve, c'est que nous avons découvert un nouveau crâne et que j'ai besoin de ses services. Elle accourra.

— Quel salopard vous faites ! Vous voulez sa guérison, mais vous êtes tout prêt à la replonger dans ce monde morbide.

— Vous ne comprenez pas, répliqua Quinn avec lassitude. Elle en a besoin de ce... monde morbide, comme vous dites. Et tant qu'elle en aura besoin, je le lui donnerai. Je lui donnerai tout ce qu'elle voudra, Logan. Y compris vous-même. » Puis, détournant la tête : « Et maintenant, filez. Elle vous attend. »

Logan avait envie de l'envoyer au diable. Il comprenait Eve et avait l'occasion de lui faire du bien, sans parler du consentement de Quinn. Le consentement de Quinn ! Voilà qu'il pensait comme si Joe était le maître de leur destin.

« C'est vrai, elle m'attend, moi, répliqua-t-il. Dans trois heures, nous serons dans l'avion qui nous emmènera dans un monde aux antipodes du vôtre, Quinn. Je vous souhaite une bonne journée. »

Il souriait en s'en allant rejoindre Eve. Merde, cette dernière baffe, Quinn ne l'avait pas volée.

« Elle était ici ! s'écria Diane en s'immobilisant sur le pas de la porte. Les infirmières ne parlent que de ça. Pourquoi est-elle venue ?

— Elle avait envie de me voir, où est le mal ? répondit Joe. Elle s'inquiétait de ne pouvoir me joindre au téléphone. Il semble que ces chères infirmières aient fait barrage. »

Une lueur traversa le regard de Diane. « Vraiment ? » dit-elle, d'une voix qui trahissait son émotion.

Il connaissait cette expression. Diane se sentait coupable. Elle était donc à l'origine de ce « blackboulage ».

« Tu le savais, n'est-ce pas ? reprit Diane, amèrement. Oui, j'ai osé me mettre en travers. J'avais le droit de le faire, je suis ta femme, non ? J'ai longtemps pensé que je devais accepter ce lien entre vous, mais elle envahit notre vie, et cela m'est insupportable. Sais-tu ce que les gens pensent de la façon dont elle t'a entraîné dans cette histoire ? Ce n'est pas juste. C'est déjà assez moche pour moi de savoir que je compte si peu, inutile que tu prouves à tout le monde que tu te fiches pas mal de moi...

— C'est vrai, avoua-t-il doucement, tout ce que tu dis est vrai, Diane. Je n'ai pas été juste envers toi, et tu t'es montrée très patiente. Je suis vraiment désolé de t'avoir fait subir tout ça, je pensais qu'on s'en sortirait quand même.

— Nous pouvons encore nous en sortir. Il suffirait que tu... J'ai perdu mon calme et j'ai dit des choses que je ne voulais pas. Nous devrions en parler, toi et moi, et parvenir à un compromis. »

Mais le compromis qu'elle envisageait était le seul auquel il ne pourrait pas consentir. Il l'avait déjà assez déçue et blessée. Il n'allait pas continuer. « Ferme la porte et viens t'asseoir, lui dit-il. Tu as raison, il faut que nous parlions. »

« Ça va ? demanda Logan à Eve, qui regardait par le hublot. Vous agrippez votre fauteuil comme s'il allait décoller sans vous. »

Elle relâcha son étreinte. « Je me sens très bien, mais cela me fait une drôle d'impression de m'en aller si loin. Je n'ai jamais quitté les États-Unis.

— Vraiment ? Je ne savais pas. Il y a tellement de choses que j'ignore de vous. Le vol durera longtemps. Peut-être pourrions-nous bavarder.

— Vous désirez que je vous confie mes rêves de jeune fille, Logan ?

— Pourquoi pas ?

— Le problème, c'est que je ne me souviens pas d'avoir jamais fait ce genre de rêve. J'ai toujours pensé que ce n'étaient que des contes de fées sans saveur pour enfants des beaux quartiers.

— Vos rêves d'adulte, alors ?

— Certainement pas.

— Quelle femme difficile vous êtes ! » Il se pencha en avant pour regarder la mallette métallique posée à ses pieds. « Est-ce bien ce que je pense ?

— Oui, c'est Mandy.

— Heureusement, nous disposons d'un avion privé. Vous auriez effrayé le service de sécurité si ce bagage était passé aux rayons X. D'ailleurs, je l'avais oubliée... Mandy, pas vous.

— Moi, je n'oublie jamais rien.

— C'est à la fois prometteur et terrifiant. J'espère que vous ne comptez pas travailler pendant le vol ? »

Elle secoua la tête. « Non, ce ne serait pas prudent, avec les turbulences.

— Quel soulagement ! J'imagine des fragments d'os volant dans tous les sens. Heureusement que vous attendrez d'arriver. Bon, comme vous n'allez pas travailler et que vous ne voulez pas me raconter vos secrets, nous pourrions peut-être jouer aux cartes ? »

Il souriait, s'efforçant de la mettre à l'aise. Elle se sentait moins seule et moins tendue. Logan avait raison, le vol serait long. Le temps qu'ils allaient passer sur cette île serait encore plus long. Alors, elle essaierait comme lui de se montrer agréable. « Oui, nous pourrions, dit-elle.

— Ah ! une première percée dans la muraille ! murmura-t-il. Avec un peu de chance, j'aurai peut-être droit à un sourire avant notre arrivée à Tahiti.

— Avec beaucoup de chance, Logan ! » répliqua-t-elle en lui souriant.

Épilogue

« Cette plage n'est pas comme celle de Pensacola, remarqua Bonnie. Elle est bien, mais la mer est mieux, là-bas. Ici, les vagues sont trop petites. »

Eve tourna la tête et vit Bonnie, qui bâtissait un château de sable à quelques mètres d'elle. « Ça fait longtemps, dit-elle. Je commençais à penser que je ne rêverais peut-être plus de toi.

— J'ai décidé de m'éloigner pendant quelque temps pour te donner une chance de me laisser disparaître. » Bonnie creusa une fenêtre du bout du doigt dans la muraille de son château. « C'était le moins que je puisse faire, au moment où Joe faisait tellement d'efforts.

— Joe ?

— Et aussi Logan. Ils te veulent beaucoup de bien, ces deux-là. » Elle ajouta une autre fenêtre. « Tu prends du bon temps ici, hein ? Tu as l'air plus détendue qu'à ton arrivée. »

Eve porta son regard vers le bleu scintillant de l'océan. « J'aime le soleil.

— Logan a été très gentil avec toi.

— Oui, c'est vrai. »

Elle avait bien essayé de garder ses distances avec lui durant les premières semaines. En vain. Il l'avait peu à peu attirée, à la fois intellectuellement et physiquement, jusqu'à ce qu'un lien se tisse entre eux, un lien qui, aujourd'hui, suscitait en elle un mélange de plaisir et d'incertitude.

« Tu t'inquiètes à son sujet. C'est inutile. Tout change avec le temps.

— Ne sois pas ridicule. Je ne risque pas de m'inquiéter pour lui. Logan n'a besoin de personne.

— Alors, pourquoi es-tu encore agitée ?

— Parce que j'ai l'impression de piétiner. Et je dois rentrer le mois prochain pour témoigner contre Lisa Chadbourne. Je redoute ce moment. Lisa continue de lutter, même avec Detwil contre elle.

— Si tu veux mon avis, tu n'es pas obligée de le faire.

— Il le faut. »

Bonnie secoua la tête. « Lisa a déjà décidé qu'il était temps qu'elle abandonne. Elle a fait tout ce qu'elle pouvait pour Ben, et elle s'épargnera la peine d'aller au tribunal.

— Que veux-tu dire ? Qu'elle va tout avouer maintenant ?

— Non, elle se contentera de nous quitter... »

Je saurai me retirer le moment venu... tout comme Ben l'a fait, *lui avait affirmé Lisa.*

« N'y pense pas, dit Bonnie, ça te rend triste.

— Ça ne devrait pas. Elle a fait des choses horribles.

— C'est difficile pour toi, parce qu'elle n'est pas comme Fraser. Cela t'effraie de savoir que les bonnes intentions peuvent engendrer le mal. Pourtant elle a fait le mal, maman. Beaucoup de mal.

— Mais peut-être qu'elle t'aurait retrouvée, mon bébé. Je crois qu'elle aurait tenu sa promesse.

— Tu n'aurais pas été là pour le voir, car elle t'aurait tuée avant.

— Qui sait ? je m'en serais peut-être sortie... Je suis désolée, Bonnie. Si je n'avais pas voulu sa perte avec autant d'acharnement, j'aurais peut-être pu faire quelque chose pour toi...

— Tu ne t'arrêteras donc jamais ? Je t'ai déjà dit que ça n'avait aucune importance qu'on me retrouve ou pas.

— C'est important pour moi. Comme je ne rêvais plus de toi, j'ai cru que tu étais en colère contre moi parce que je n'avais pas voulu saisir la seule chance de te ramener à la maison.

— Pour l'amour du ciel, je suis tellement contente que tu ne sois pas tombée dans le piège qu'elle te tendait ! Ensuite, tu m'as déçue en te torturant avec tes regrets. Joe a raison, tu as fait le premier pas. Tu as choisi la vie à la place d'un tas d'ossements, mais tu as encore un long chemin à parcourir. »

Eve fronça les sourcils. « Il y a longtemps que je n'ai eu de nouvelles de Joe.

— Tu en auras bientôt. Je crois qu'il a réussi à savoir où se cachait Timwick.

— Encore un long procès. »

Bonnie secoua la tête. « Non, maman, Joe t'épargnera cette corvée.

Disons que Timwick... disparaîtra. » Elle pencha la tête de côté pour observer sa mère. « Tu m'as l'air de prendre ça bien. Tu as accepté le côté expéditif de Joe.

— Ce n'est pas ce que je préfère en lui, mais je ne veux plus m'aveugler.

— Je crois que tu es prête à accepter n'importe quoi pourvu que Joe reste dans ta vie. Tout le monde pourrait disparaître autour de toi, mais Joe devrait toujours être là. T'es-tu jamais demandé pourquoi ?

— Il est mon ami. »

Bonnie éclata de rire. « Seigneur ! que tu peux être bornée ! Eh bien, je pense que ton "ami" sera bientôt ici. »

Eve veilla à ne pas manifester ouvertement sa joie. « Comment le sais-tu ? C'est le vent qui te l'a soufflé, je suppose. À moins que ce ne soit le tonnerre de la nuit dernière.

— Oh ! Joe est comme la tempête ! Plein d'éclairs. Il frappe comme la foudre, parfois, puis se calme. Intéressant, non ? Es-tu contente qu'il vienne ? »

Contente ? Oh ! mon Dieu, revoir Joe...

« Comment pourrais-je me réjouir d'une nouvelle annoncée par un fantôme ? Ce n'est peut-être qu'une intuition, née de la remarque que j'ai faite au sujet du silence de Joe toutes ces dernières semaines.

— C'est vrai. » Bonnie étudia son château de sable en fronçant les sourcils. « Dommage que je n'aie pas un petit drapeau à planter sur la tour. Tu te souviens de celui que j'avais à Pensacola ? Tu me l'avais fait avec un morceau de serviette en papier.

— Je m'en souviens.

— Mais, après tout, celui-ci est bien comme il est.

— C'est un très beau château, dit Eve.

— Allons, ne sois pas bébête.

— Je te remercie ! En fait, tu devrais construire une tourelle de plus. Et puis, où est ton pont-levis ? »

Bonnie rejeta la tête en arrière et rit. « Je ferai mieux la prochaine fois, je te le promets, maman.

— Tu vas rester ici ?

— Aussi longtemps que toi. Mais tu en as déjà assez, de cette île, hein ?

— Non, je me sens très bien.

— D'accord. » Bonnie sauta sur ses pieds. « Viens, je ferai un bout de chemin avec toi. Logan est en train de préparer une merveilleuse soirée, rien que pour vous deux. » Elle avait les yeux brillants. « Cela devrait te rendre heureuse.

— Comment pourrais-je être en train de dormir sous ce cocotier et en même temps marcher avec toi sur la plage ?

— Tout est possible dans un rêve. Je suis sûre que tu prendras cela pour du somnambulisme ou quelque chose d'aussi bête que ça. Allez, lève-toi, maman. »

Eve se releva, balaya le sable de son short et se mit en marche sur la plage. « Tu es un rêve, mon bébé. Je le sais bien.

— Vraiment ? Demain, quand tu reviendras ici, la marée aura emporté mon château. » Elle sourit à Eve. « Mais tu ne te risqueras pas à aller le vérifier cette nuit, avant que l'eau monte, n'est-ce pas ?

— Ça se pourrait. »

Bonnie secoua la tête. « Non, tu n'es pas prête. Pourtant, je commence à avoir de l'espoir pour toi.

— Veux-tu que j'applaudisse ? J'aimerais bien...

— Regarde cette mouette dans le ciel. » Bonnie levait la tête vers l'azur, un sourire radieux éclairant son visage, tandis que le soleil incendiait ses boucles rousses. « As-tu jamais remarqué que leurs ailes bougent comme au rythme d'une musique ? Quelle chanson crois-tu qu'elles écoutent ?

— Je ne sais pas. Frank Sinatra ? Neil Young ?

— N'est-ce pas beau, maman ?

— Très beau. »

Bonnie ramassa un coquillage et le lança dans l'eau. « Tu ne crois pas, maman, que tu devrais me poser la question ?

— Je ne comprends pas.

— Allons, maman. Tu sais très bien quelle serait ma réponse. Un jour, tu ne penseras plus à me le demander, et je saurai que tu es guérie. » Elle jeta encore un galet dans la mer, avant de se retourner avec un sourire tendre vers Eve. « Mais je sais que tu as envie de me la poser, maintenant. Alors, je t'écoute. »

Oui, pose la question.

Demande à un fantôme. Demande à un rêve.

Demande à l'amour.

« Où es-tu, Bonnie ? »

Impression réalisée sur CAMERON par

BUSSIÈRE CAMEDAN IMPRIMERIES

GROUPE CPI

à Saint-Amand-Montrond (Cher)
en décembre 2000

N° d'édition : 3649. N° d'impression : 005858/1.
Dépôt légal : décembre 2000.

Imprimé en France